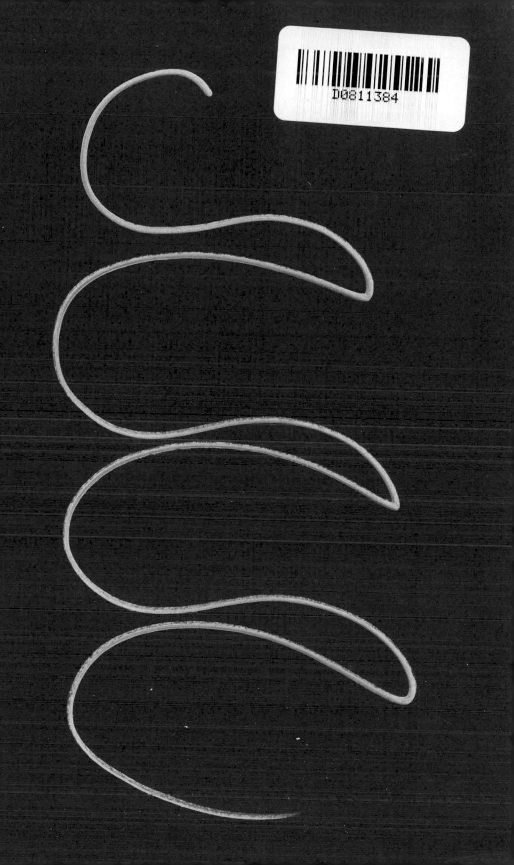

CHRISTIAN JACQ

LA FRANC-MAÇONNERIE

histoire et initiation

Photographies et dessins
de François Brunier

UNE ÉDITION SPÉCIALE DE LAFFONT CANADA LTÉE

© Éditions Robert Laffont, S.A., Paris, 1975

ISBN 2-89149-214-5

AVANT-PROPOS

Cette enquête sur l'aventure spirituelle et historique des Francs-Maçons ne s'inscrit dans aucune polémique. Le lecteur contemporain, nous semble-t-il, ne s'intéresse plus à des manifestes favorables ou hostiles à un Ordre encore mal connu. Les communautés maçonniques, à l'instar d'autres sociétés initiatiques, ont tenté de percevoir le sacré et de créer une fraternité d'esprit et de cœur pour offrir aux hommes un véritable idéal. Malgré les déviations et les vicissitudes historiques, certaines loges maçonniques, aujourd'hui comme hier, sont le vivant symbole d'une communion où l'homme vit une expérience intérieure nourrie par la symbolique. A travers elles, la Franc-Maçonnerie se présente comme l'une des voies de recherche de la Connaissance, une voie qui ne se heurte à aucune croyance. L'art de bâtir le temple, cher aux Maçons du Moyen Age, ne concerne-t-il pas tout homme soucieux d'authenticité?

SOMMAIRE

INTRODUCTION

Le sol du temple des Francs-Maçons est un « pavé mosaïque », c'est-à-dire une sorte de jeu d'échecs où alternent des cases blanches et noires. Il évoque le monde qui est à la fois lumière et ténèbres et l'on pourrait dire qu'il est une excellente illustration de l'histoire de l'Ordre maçonnique où alternent des périodes constructives et des phases de décadence.

La Franc-Maçonnerie, c'est d'abord une certaine idée de l'humanité et de la place de l'individu dans une communauté qui se veut fraternelle. Sur ce point, les historiens sont d'accord; mais la difficulté commence lorsqu'il s'agit de définir cette « idée ». La réalité historique nous montrera à quel point les orientations choisies ou subies par la Franc-Maçonnerie ont influencé sa conception de l'homme et de la société.

Dès le début de notre enquête, nous nous sommes aperçus qu'il était impossible de considérer l'institution maçonnique comme un bloc monolithique. Depuis ses très lointaines origines, de nombreuses évolutions se sont produites; c'est pourquoi il vaudrait peut-être mieux parler des Francs-Maçonneries qui, selon les circonstances, ont été plus ou moins fidèles au modèle d'origine.

Il est indispensable, nous semble-t-il, de s'élever au-dessus des polémiques qui ont dénaturé tant d'ouvrages sur l'Ordre maçonnique. On ne trouvera dans notre étude aucun argument pour ou contre la Franc-Maçon-

nerie qui sera considérée comme un phénomène historique au même titre que l'empire pharaonique ou que la
chrétienté médiévale.

A toutes les époques, la Maçonnerie elle-même s'est
désignée comme une « société initiatique ». Cette expression nous entraîne aussitôt à préciser le contenu du
terme « initiation ». Etre initié, dans l'optique des
anciens bâtisseurs, c'est entrer dans un Ordre qui se
consacre à l'étude des mystères de la vie et propose à
l'homme des moyens d'évolution spirituelle.

Si nous considérons l'architecture sociale des
anciennes civilisations où maçons et architectes jouaient
un rôle majeur, nous voyons que les associations initiatiques formaient le cœur du royaume. En Egypte, par
exemple, l'une des instances supérieures de la nation se
composait du Pharaon en tant que Maître d'Œuvre, de
ses plus proches conseillers et des patrons des différentes corporations artisanales.

Le fait le plus marquant, aux époques anciennes, est
que l'initiation constitue un véritable métier et permet à
l'initié de s'intégrer dans le corps social. Nul ne peut
devenir roi sans avoir été initié; il en est de même pour
l'obtention des postes de Grand Prêtre et de Maître
d'Œuvre. Il n'y avait donc pas, avant l'ère chrétienne, de
sociétés « secrètes » au sens où nous l'entendons; les
groupements initiatiques participaient au gouvernement
des royaumes et, surtout, maintenaient les vérités religieuses.

Nous examinerons la manière dont ces formes primordiales de l'initiation furent transmises au monde gréco-
romain et à la chrétienté; sans nous attarder sur ces
points pour le moment, remarquons que la venue du
Christ marque un tournant décisif dans l'histoire des
initiations.

Pour la première fois, un chef spirituel offre la Connaissance à tous sans imposer le passage par un rituel
initiatique; certes, de nombreuses sectes gnostiques
affirmèrent le contraire et l'on connaît la thèse selon
laquelle le Christ serait issu de la communauté initiatique des Esséniens et se serait exprimé en paraboles

afin que le sens secret de son message ne soit intelligible qu'aux seuls initiés.

Quelles que soient les diverses opinions sur cette question très complexe, on constate que l'église romaine prit le pas sur les autres formes de christianisme. Les fidèles suivirent l'enseignement des prêtres sans avoir recours à des cérémonies secrètes.

Pourtant, à l'intérieur du christianisme, des associations initiatiques subsistent. Pour les constructeurs d'édifices civils et religieux, l'initiation est encore l'accès à une fonction reconnue; le Maître d'Œuvre est l'un des personnages les plus importants et les plus admirés de l'époque médiévale. C'est dans cette civilisation de l'Europe chrétienne où religion et initiation se complètent que la Franc-Maçonnerie, au sens étroit du terme, est née.

Des cendres du Moyen Age surgit une civilisation nouvelle qui n'a plus les mêmes bases ni les mêmes buts que la chrétienté. Désormais, les facteurs politiques et économiques occuperont le devant de la scène; la religion s'estompe et prend une part de moins en moins déterminante aux affaires de l'Etat. C'est au moment où s'efface une conception sacrée de la société que se forment réellement des sociétés « secrètes ».

Les bâtisseurs, en effet, ne sont plus considérés comme une classe sociale de première importance puisque les notables estiment que le travail des mains est « vil et déshonnête » selon l'expression du juriste Loyseau. Hermétistes, alchimistes et astrologues sont regardés avec suspicion; quoique Morin de Villefranche ait dressé le thème astrologique de Louis XIV, Colbert expulse les astrologues de l'Académie des sciences.

La liberté d'association est des plus limitées; les gouvernants se méfient des petits cénacles qui, d'après eux, fomentent des complots contre le pouvoir et, sous le prétexte d'entretenir une fraternité, préparent une politique d'opposition.

Opprimées et suspectées, les loges de constructeurs ouvrent largement leurs portes à tous ceux qui refusent les doctrines officielles dans les domaines de la religion, de l'art ou de la science. Comme il est de règle dans les époques d'autoritarisme, des liens fraternels se nouent entre les membres des minorités et l'adversité ne fait qu'exalter la force des mouvements secrets.

Premier paradoxe : les esprits non conformistes des loges du XVIIIᵉ siècle côtoient les représentants des autorités en place qui, dans un certain nombre de cas, dirigent même les ateliers. La Franc-Maçonnerie regroupe des responsables politiques et des intellectuels en renom.

Après la « maçonnerie » préchristique et la maçonnerie médiévale s'affirme une troisième maçonnerie, celle des temps modernes. Si les deux premières présentent de nombreux points communs, la dernière est fondée sur des valeurs assez différentes. Elle n'est plus, comme en Egypte, le cœur de la nation; elle n'est pas non plus, comme au Moyen Age, le centre de gravité d'une élite professionnelle. Elle devient une société tantôt secrète et tantôt discrète qui n'offre à ses membres aucune qualification professionnelle directe. Dans un monde où les idéaux « initiatiques » sont relegués au second plan, la Maçonnerie tente de les conserver dans ses loges.

Malheureusement, cette attitude d'authenticité fut rapidement battue en brèche par la mentalité profane que nourrissent la bourgeoisie d'affaires et la noblesse politique. Après la Révolution française, les associations maçonniques s'orientent vers une participation accrue à la vie sociale.

Par un curieux caprice de l'histoire, c'est la Maçonnerie petite-bourgeoise et « combinarde » des troisième et quatrième républiques qui est le mieux connue aujourd'hui à travers les scandales et les affaires assez douteuses auxquelles elle fut mêlée. A cette époque, le symbolisme et la spiritualité des Maçons médiévaux n'étaient guère plus que des objets de musée conservés au nom du souvenir. Les rituels subirent alors de graves transformations et furent abâtardis.

Grâce aux efforts de quelques maçons, le courant initiatique tenta de reconquérir ses lettres de noblesse. Il fut combattu par les tenants d'une maçonnerie politique et honorifique et ne connut qu'une expansion très limitée.

Société « initiatique » qui connut les trois âges de l'intégration totale, de l'intégration partielle et l'isolement par rapport au monde ambiant, la Maçonnerie offre à l'historien un champ d'études très vaste. Puisqu'elle influença aussi bien les gouvernements que certains mouvements spirituels ou artistiques, une question se pose : existe-t-il une civilisation maçonnique?

A première vue, la réponse est négative. On ne saurait circonscrire la Maçonnerie dans des bornes précises comme on le fait, par exemple, pour la civilisation romaine. Si l'on considère la civilisation comme une position volontaire de l'homme dans la cité, il faut admettre que l'esprit maçonnique enseigne à ses adeptes un comportement original que l'on ne trouve dans aucun autre groupement.

Le Maçon obéit à des lois qui ne sont qu'en partie codifiées dans les textes canoniques de l'Ordre et se révèlent surtout, d'après de nombreux témoignages, par le travail en loge. En ce sens, on peut estimer qu'il existe une civilisation maçonnique parallèle à la civilisation générale.

Cela nous explique pourquoi les écrivains maçonniques insistent sur la différence entre l'esprit de la Franc-Maçonnerie et son expression matérielle et temporelle; cet esprit, affirment-ils, ne fut absent d'aucune époque où des hommes cherchèrent à construire le temple. Traiter de la Maçonnerie du XX° siècle sans aborder, même rapidement, l'initiation égyptienne, le pythagorisme et les sectes gnostiques, nous ferait ignorer des aspects intéressants de la vie des loges puisque quelques courants maçonniques se réclament de la Tradition la plus lointaine et tentent de la prolonger.

La maçonnerie préchrétienne et la Maçonnerie médiévale sont assez peu connues; bien que nos sources d'information les concernant soient surtout mythiques et symboliques, des découvertes historiques et archéologiques nous permettent de les étudier avec fruit. L'aventure de ces anciens Maçons étant des plus passionnantes, nous leur consacrerons une grande partie de notre étude.

Lorsqu'on parle de « Franc-Maçonnerie » aujourd'hui, on évoque presque exclusivement l'institution née en 1717. Depuis deux cent cinquante ans, les options les plus diverses et les plus contradictoires l'ont animée. Si l'on recense les types d'homme qui sont entrés dans les loges depuis le début du XVIIIᵉ siècle, on aboutit à un bilan quelque peu déroutant : il y a des ecclésiastiques, catholiques et protestants, des hommes politiques de droite et de gauche, des marxistes et des grands bourgeois, des théistes et des athées, des scientifiques et des occultistes. La liste pourrait d'ailleurs s'allonger davantage.

Dans la Maçonnerie ancienne, une ligne de conduite cohérente rassemblait les initiés autour d'un unique centre d'intérêt : bâtir le temple à la gloire de Dieu et traduire l'expérience spirituelle par des symboles. Dans la Maçonnerie nouvelle, cet idéal n'est plus que l'un des nombreux courants maçonniques. Nous sommes donc en présence, à l'heure actuelle, d'une sorte d' « auberge espagnole » dont l'influence intellectuelle et sociale est beaucoup moins importante qu'on ne le croit généralement.

Pendant les vingt dernières années, les ouvrages consacrés à la Maçonnerie ont envisagé l'institution sous l'angle de l'anthropologie, du symbolisme, de la politique et même de la psychanalyse. En fait, la Franc-Maçonnerie n'effraye plus que peu de personnes mal informées et se prête maintenant à n'importe quel type d'analyse scientifique. Les constitutions, les règlements intérieurs et les rituels sont depuis longtemps publiés et n'importe quel érudit peut y avoir accès; le fameux « secret maçonnique » est simplement un état d'esprit que les Maçons définissent d'ailleurs diversement selon leur position initiatique, religieuse ou sociale.

Nous n'avons pas l'ambition de passer la Maçonnerie au crible de toutes les sciences humaines et de faire le tour d'horizon le plus complet qui soit d'autant plus que les documents écrits n'entrent pas seuls en ligne de compte. N'oublions pas, en effet, qu'une partie de l'enseignement maçonnique est oral; ce dernier échappe forcément à l'historien le plus consciencieux et l'on doit respecter une certaine prudence dans l'interprétation des faits et du comportement des hommes.

Notre intention est simplement d'évoquer l'histoire maçonnique selon ses trois époques principales : des origines mythiques à la fin du monde antique, de l'aube du Moyen Age au début du xviii° siècle, de 1717 à nos jours. Comme plusieurs associations maçonniques magnifient encore la primauté du symbolisme, nous terminerons notre enquête par une série de courtes investigations dans ce domaine en rattachant les symboles maçonniques à leurs modèles anciens.

Nous commencerons notre récit par les événements de 1717, afin de dissiper immédiatement une illusion; la maçonnerie née cette année-là n'est pas l'unique maçonnerie mais plutôt sa forme tardive. Si son importance est considérable puisqu'elle se situe à l'origine des associations contemporaines, elle ne doit pas nous faire oublier les véritables fondements de l'institution.

Tournons donc cette première page avant de revenir aux sources.

PREMIÈRE PARTIE

LA FRANC-MAÇONNERIE ANCIENNE

CHAPITRE PREMIER

LA FRANC-MAÇONNERIE N'EST PAS NÉE EN 1717

1717 est une date sacrée pour beaucoup de Francs-Maçons. Cette année-là, le 24 juin très exactement, quelques Maçons appartenant à quatre loges londoniennes se réunissent en une assemblée qu'ils veulent solennelle. Ces loges avaient l'habitude de travailler dans des tavernes aux noms évocateurs : « L'oie et le gril », « le pommier », « la couronne » et « le gobelet et les raisins ». L'assemblée générale eut lieu à « L'oie et le gril ».

En ce 24 juin 1717, les quelques Frères réunis élisent à main levée un Grand Maître, Anthony Sayer. Ils créent une juridiction dont la souveraineté s'étendra à toutes les loges du monde et définissent la nouvelle Grande Loge d'Angleterre comme la « loge-mère » de toutes les autres; c'est elle qui, dorénavant, accordera ou non la « régularité ». Auparavant, les cellules de bâtisseurs ne dépendaient que d'elles-mêmes; les grandes loges, comme celle de Strasbourg, n'avaient pas de pouvoirs universels.

Sans aucun doute, cette journée compta beaucoup dans l'histoire du XVIII\ :superscript:`e` siècle et, plus encore, dans celle de la Franc-Maçonnerie. Pour la première fois, une puissance législative impose des décisions de son propre chef; bien que ses débuts fussent modestes, elle prit bientôt une importance considérable et la Grande Loge Unie d'Angleterre est encore aujourd'hui l'institution centrale qui « reconnaît » ou ne « reconnaît » pas les obédiences ou associations nationales.

Comment était-on arrivé là? Bien des explications furent proposées. On parla de la nouvelle idée de tolérance qui allait fleurir pendant les décennies suivantes; mais elle s'accorde mal avec cette prise de pouvoir autoritaire. On évoqua aussi la renommée prodigieuse des confréries de constructeurs : à une époque où la liberté de réunion était des plus restreintes, la Franc-Maçonnerie se présentait comme l'unique centre où des hommes de bonne volonté pouvaient se réunir pour échanger des propos en toute quiétude. Cela n'explique pas non plus la volonté de « centralisation » des maçons anglais.

A notre sens, la fondation de cette Grande Loge est le point d'aboutissement inéluctable d'une période de l'histoire.

En 1702, Christopher Wren, le dernier Grand Maître de l'ancienne Maçonnerie, prend sa retraite. Wren était un architecte, un Maçon « opératif »; malheureusement, ses constructions n'avaient plus la qualité de celles réalisées par ses prédécesseurs. L'idéal qui animait les chantiers du Moyen Age avait disparu depuis longtemps et l'architecte devenait peu à peu un fonctionnaire indifférent à l'ésotérisme et au symbolisme.

La Franc-Maçonnerie opérative était exsangue. Les intellectuels ne lui accordaient plus guère de crédit; ils méprisaient volontiers l'affreux travail des mains et glorifiaient la culture et la science.

Insistons sur un fait qui n'a pas souvent retenu l'attention des historiens maçonniques : en 1717, la Maçonnerie « spéculative » naît. En 1707, dix ans auparavant, la Diète impériale faisait paraître un décret supprimant l'autorité de la Grande Loge de Strasbourg sur les loges de maçons allemands. En 1731 et en 1732, deux nouveaux décrets déclarent illégales les confréries de bâtisseurs.

Au moment même où les intellectuels prennent en main le destin de la Maçonnerie, ses véritables fondateurs, les Compagnons constructeurs, sont obligés de rentrer dans une semi-clandestinité parce que la civilisation occidentale ne comprend plus leur message.

Tout le drame réside dans cette contradiction; ceux qui construisent réellement et détiennent la tradition initiatique de l'Occident n'ont plus voix au chapitre. Ce n'était pas un Christopher Wren qui pouvait défendre leur idéal; il assista de loin et sans rien dire à la fondation de la Grande Loge d'Angleterre.

L'ancien monde maçonnique disparaît, la Maçonnerie nouvelle prend son essor. Un essor tel qu'un certain nombre d'historiens, maçons ou non, gommeront les siècles précédents et feront débuter l'histoire de l'Ordre en 1717.

Rarement une révolution eut autant d'influence. Les Maçons réunis à Londres n'en avaient pas conscience; subissant le déterminisme de leur époque, ils concrétisèrent simplement une situation donnée.

On ne saurait dissocier la fondation de la Grande Loge anglaise des nouvelles Constitutions, parues en 1723. Deux hommes jouèrent un rôle déterminant dans cette entreprise : le pasteur Jean Théophile Désaguliers et le pasteur Anderson.

Né à La Rochelle en 1683, Désaguliers fut, en 1719, le troisième Grand Maître de la Grande Loge d'Angleterre. Sa famille s'étant établie dans ce pays, il fit ses études à Oxford et devint professeur de philosophie et de sciences expérimentales. Membre de la « Royal Society » et ami de Newton, ce personnage austère qui aimait pourtant banqueter avec ses Frères, fut probablement le cerveau pensant qui décida la mise en œuvre de Constitutions rénovées. Sa culture et son état d'esprit l'entraînaient à prôner la tolérance contre les doctrines papistes; il voulait aussi se dégager du matérialisme ambiant et ne pas céder aux critiques rationnelles dénaturant l'idée de Dieu.

Le pasteur Anderson naquit en 1684. Il aimait beaucoup écrire et s'adonnait avec passion à la recherche historique. Les jugements portés sur son compte par les historiens vont d'un extrême à l'autre; pour les uns, c'était un grand initié qui savait parfaitement ce qu'il

faisait, comme le prouverait une allusion de son texte à
Thulé, l'extrémité septentrionale de notre monde où,
d'après de très anciennes légendes, la vie serait apparue
pour la première fois. Selon les autres, Anderson n'était
qu'un personnage falot, l'ombre obéissante et aveugle de
Désaguliers. Il se serait contenté de tenir la plume et
d'écrire les phrases qu'on lui dictait.

Faute de preuves, il est impossible d'adopter l'une ou
l'autre position. Détail curieux, douze Frères seulement
assistèrent aux obsèques d'Anderson, mort en 1379. Dés-
aveu ou nombre symbolique? On ne sait.

Nous ne sommes guère plus renseignés sur la manière
précise dont furent rédigées les fameuses Constitutions.
En schématisant, trois théories prédominent; soit
Anderson en est l'unique auteur; soit Désaguliers est le
véritable auteur et Anderson le zélé rédacteur; soit un
comité de quatorze Maçons indiqua les idées maîtresses
qu'Anderson mit en forme.

Le mystère le plus complet pèse sur ces événements, et
sera difficilement levé. Des historiens de plusieurs
nationalités ont fouillé les archives sans découvrir un
document définitif. En revanche, un aveu de la plume
même d'Anderson est des plus surprenants :

« Des Frères pleins de scrupule, écrit-il, brûlèrent
trop précipitamment plusieurs manuscrits de valeur
concernant la Fraternité, les Loges, Règlements, Obligations, Secrets, et Usages, afin que ces papiers ne tombent
pas entre les mains des profanes. »

La justification est un peu mince! Cette révélation
nous apprend, en termes clairs, que les « Constitutions »
authentiques furent tout simplement détruites afin que
personne ne puisse, dans l'avenir, établir des comparai-
sons significatives. Destruction naïve, au demeurant,
puisque les anciennes règles de vie des Maçons furent en
partie retrouvées.

Le fait est significatif; il est la traduction non équivoque d'une mentalité où le respect des pères de la
tradition maçonnique est assez mince.

Délaissons un instant ce climat assez trouble et atta-
chons-nous à quelques points importants des premières

26

Constitutions de la Maçonnerie moderne. « Un Maçon, nous est-il dit, est obligé de par sa Tenure, d'obéir à la loi morale; et s'il comprend bien l'Art, il ne sera jamais athée stupide ni libertin irreligieux. » La phrase fut modifiée par la suite, et Dieu vint remplacer la loi morale sous des formulations variées. Ce sera l'objet de querelles sans fin entre les obédiences, les unes militant pour la croyance, les autres pour l'athéisme et l'anti-cléricalisme. Si l'on néglige les détails de vocabulaire, on doit reconnaître que le principe des constitutions n'offre aucune ambiguïté : si l'initié pratique l'art maçonnique d'une façon consciente, il ne sera ni athée ni irreligieux. En l'écrivant, Anderson respectait l'esprit des anciens constructeurs qui savaient être en même temps des hommes de foi et de Connaissance.

Anderson précise davantage ces notions : « Et quelles que soient nos différentes opinions sur d'autres choses, laissant à tous les hommes la liberté de conscience, en tant que Maçons nous sommes harmonieusement d'accord dans la noble science et l'Art royal. »

Le thème du secret rituel est abordé dans le « Chant du Maître » :

Qui peut révéler l'Art royal?
Ou chanter ses secrets en un chant?
Ils sont gardés de sûre façon
Dans le cœur du Maçon
Et appartiennent à l'ancienne Loge.

A ces pensées s'ajoute une règle communautaire qui est, elle aussi, rigoureusement traditionnelle :

« Aucune brouillerie ou querelle privée ne doit franchir le seuil de la Loge, moins encore des querelles à propos de la religion, ou des nations, ou de la politique d'Etat, nous, en tant que Maçons, étant uniquement de la religion universelle; nous sommes aussi de toutes les nations, idiomes, parentés et langages, et sommes résolument contre toutes les politiques, comme n'ayant jamais contribué et ne pouvant jamais contribuer au bien-être de la Loge. »

Incontestablement, c'est une remarquable fidélité à la vérité des bâtisseurs anciens dont la morale professionnelle était d'une pureté absolue et leur interdisait toute tentative d'intervention dans une politique terre à terre.

Une petite phrase des Constitutions d'Anderson fut très vite oubliée par les associations maçonniques : « Nul Maître ou surveillant n'est choisi à l'ancienneté, mais pour son mérite. » Cette loi, plus spirituelle que matérielle, fut souvent trahie.

Un dernier sondage dans les Constitutions nous permettra d'évoquer le problème des élections : « Aucun homme, écrit Anderson, ne peut être enregistré comme Frère dans une loge particulière ou y être admis comme membre sans le consentement unanime de tous les membres de cette loge alors présents quand le candidat est proposé, et leur consentement est formellement demandé par le Maître, et ils doivent signifier leur consentement ou dissentiment à leur propre prudente manière, soit virtuellement ou formellement, mais à l'unanimité. »

Cette règle de vie, qui paraissait indispensable à l'harmonie d'une société initiatique, fut remplacée peu de temps après par des scrutins « démocratiques » où l'on utilisait les trop fameuses boules noires pour le « non » et les boules blanches pour le « oui ». Un règlement de 1739 tenta vainement de montrer les vertus de l'unanimité : « Si l'on forçait une loge de recevoir en qualité de membre quelqu'un qui ne fut pas généralement agréé de tous, le mécontentement qui en résulterait serait préjudiciable à l'union et à la liberté si nécessaire aux Frères qui œuvrent, et pourrait ainsi causer la destruction de la Loge. »

Si l'on fait le bilan des lois édictées dans les Constitutions, on s'aperçoit qu'une partie d'entre elles ne trahissent pas la Maçonnerie. Constatation très platonique, puisque leur application effective fut des plus irrégulières. On procéda d'ailleurs à de nouvelles rédactions et à des modifications en accord avec les doctrines favorites d'un moment ou d'un autre. Telle obédience se rapporte à l'une des versions afin de prouve sa légitimité, telle autre à une seconde.

Le plus important, à ce stade de notre enquête, est d'analyser les conséquences de la prise du pouvoir maçonnique par la Grande Loge d'Angleterre. Pour Jacques Maréchal, la Maçonnerie de 1717 fut créée par des hommes fatigués des querelles religieuses de leur temps; ils discutaient et banquetaient dans l'oasis de la loge au sein d'un climat de franche camaraderie. Selon Marius Lepage, l'un des écrivains maçonniques contemporains les plus écoutés, « de ce jour néfaste date le déclin de la Maçonnerie authentiquement traditionnelle ».

De fait, au moment où la Franc-Maçonnerie entre dans l'histoire sous la forme d'une institution définie par des règlements administratifs, elle entre aussi dans une longue période de décadence par rapport à ses buts d'origine. La substance d'un ordre initiatique, en effet, est le symbolisme qui procure à l'homme la possibilité de s'initier en esprit; dès qu'un Ordre fonde son autorité sur une législation temporelle au détriment de tout autre facteur, il se condamne à subir les fluctuations historiques. La Maçonnerie de 1717 oublia la maxime médiévale : « Quand l'esprit règne, il n'est pas besoin de lois. » Selon la théorie contraire, les événements de 1717 marquent la naissance attendue d'une Maçonnerie qui se dégage enfin d'un climat manuel et inculte en s'élançant vers les cimes de l'intellect.

Tous les historiens s'accordent pour dire que des intellectuels ont remplacé des artisans; dès le XVIIᵉ siècle, les ateliers laissent entrer dans leurs rangs des Maçons dits « acceptés », c'est-à-dire des hommes qui ne pratiquent pas un métier artisanal. C'est pourquoi on désigne la communauté ancienne sous les patronymes de « Maçonnerie opérative » et la communauté nouvelle sous celui de « Maçonnerie spéculative. »

Ils n'ont pas la moindre valeur ni sur le plan historique ni sur le plan initiatique. En premier lieu, des

La Franc-Maçonnerie

« spéculatifs » furent admis dans les corporations de bâtisseurs dès l'antiquité; en second lieu — et c'est là le point capital — ces spéculatifs n'étaient pas des penseurs discutant sur le sexe des anges ou s'occupant de refaire le monde sur le coin d'une table de banquet. Les Maîtres d'Œuvre du Moyen Age étaient d'abord des « spéculatifs » lorsqu'ils créaient le plan abstrait des cathédrales futures; ils étaient ensuite des « opératifs » qui façonnaient la matière afin d'en extraire la beauté cachée.

La Maçonnerie ancienne formait, par conséquent, des initiés à la fois « opératifs » et « spéculatifs » qui unissaient l'esprit et la main.

Dans les loges du XVIIᵉ siècle, la situation est très différente; les artisans disparaissent rapidement et leurs places sont prises non par des « spéculatifs » au sens médiéval du terme, mais par des intellectuels. Très vite, les Maçons eux-mêmes se plaindront de la faible qualité du recrutement; les épreuves « opératives » ayant disparu avec les bâtisseurs, les critères d'admission deviennent très flous.

Notons aussi que les fondateurs de la Grande Loge d'Angleterre sont des protestants qui teintent forcément la nouvelle Maçonnerie de leurs positions intellectuelles et religieuses; ils prônent un type de responsabilité morale qui correspond à leurs croyances et ne se placent pas dans le prolongement exact de la chrétienté médiévale. Le raisonnement était simple : les anciens maçons étaient catholiques, donc papistes, donc intolérants, donc sectaires. Il fallait donc reprendre, dans les Constitutions, quelques-uns de leurs principes en modifiant l'état d'esprit général. Modification telle, nous l'avons vu, que les valeurs les plus authentiques des Constitutions restèrent de pieux souhaits. Beaucoup plus que d'une continuation, il s'agit donc d'une substitution.

La Franc-Maçonnerie n'est pas née en 1717. A cette date, une certaine conception de l'Ordre initiatique des bâtisseurs est morte et une association profondément rénovée, selon les uns, ou bouleversée, selon les autres, a pris le nom de « Franc-Maçonnerie ». Certes, elle a

30

gardé plusieurs références à la mentalité d'origine et nous nous apercevrons que certaines structures initiatiques ont triomphé à l'épreuve du temps.

Dans son célèbre Discours de 1737, le Franc-Maçon Ramsay proclamait bien haut : « Oui, messieurs, les fameuses fêtes de Cérès à Eleusis, d'Isis en Egypte, de Minerve à Athènes, d'Uranie chez les Phéniciens, avaient des rapports avec les nôtres. On y célébrait des mystères où se trouvaient plusieurs vestiges de l'ancienne religion de Noé et des Patriarches. »

A plusieurs autres reprises, la Maçonnerie fit allusion à ses lointaines origines. Dans quelle mesure cette filiation est-elle exacte? Quelles sont les confréries de constructeurs qui existèrent avant 1717? Nous tenterons de répondre, au moins partiellement, à ces questions après avoir évoqué les origines mythiques de l'Ordre.

CHAPITRE II

LES ORIGINES MYTHIQUES
DE LA FRANC-MAÇONNERIE

En 1823, le Frère Olivier écrivait ces lignes étonnantes : « Notre société existait avant la création de ce globe terrestre, à travers les divers systèmes solaires. »

Il ne faisait que reprendre un mythe selon lequel une société initiatique digne de ce nom se confond avec l'ordre même de l'univers; c'est pourquoi certains frères pouvaient affirmer, sans nul désordre mental, que la Franc-Maçonnerie était déjà vivante avant la création de la terre et se trouvait répandue dans le cosmos.

N'oublions pas, d'ailleurs, que les rituels comparent la Loge à l'univers et que les initiés travaillent sous la voûte cosmique et en présence du soleil et de la lune.

Les anciens textes maçonniques, datant de l'époque où les Maçons avaient encore pour tâche principale de créer des édifices, se préoccupent d'établir une généalogie mythique. Dieu, disent-ils, fut le premier Maçon puisqu'il créa la Lumière. Il nomma l'archange Saint-Michel comme premier Grand Maître de la première Grande Loge.

Adam fut le premier homme initié. Fidèle aux instructions de Dieu, il créa une loge avec ses enfants et ils travaillèrent ensemble à l'expansion de l'Ordre. Dans ses Constitutions, Anderson précise : « Adam, notre premier parent, créé à l'image de Dieu, le Grand Architecte de l'Univers, dut avoir les sciences libérales, particulièrement la géométrie, écrites sur son cœur. »

Ainsi, la Franc-Maçonnerie voulait prouver qu'elle

conservait le souvenir de l'origine de toute chose et que l'institution initiatique était d'origine non humaine. Comme l'écrit le Frère auteur d'un document intitulé « Les authentiques Fils de la Lumière », « nous vivons non pas dans le temps historique, profane, mais dans le temps sacré ».

Adam, dans la perspective, maçonnique, n'est pas l'homme déchu et pécheur, mais plutôt l'ancêtre initié qui mit en forme la Tradition ésotérique et la transmit aux générations futures.

Tous les grands personnages de l'antiquité furent membres de l'Ordre : Solon le législateur, le prophète Moïse, le mathématicien Thalès, le géomètre Pythagore, le mage Zoroastre. Ceux qui créèrent ou propagèrent un enseignement initiatique ne pouvaient être que Francs-Maçons, puisque Dieu avait fondé la Maçonnerie afin que les sages s'y rassemblent.

Ces sages avaient un point commun : la connaissance de la géométrie, art suprême qui nous apprend à mesurer et à construire. Elle est indispensable à toutes les classes de la société, aux marchands comme aux Maîtres d'Œuvre. C'est par la voix de la géométrie que le grand Architecte s'exprime et révèle ses secrets.

Le principal successeur d'Adam fut Lamech, dont le nom hébreu signifie « Force ». On retrouve là une analogie avec les trois piliers du temple maçonnique; le premier est le pilier Sagesse, le second le pilier Force, le troisième le pilier Beauté. Après le temps de la Sagesse, inauguré par Dieu, vint celui de la Force confié à Lamech.

Les enfants de Lamech firent de prodigieuses découvertes grâce à l'initiation maçonnique. Jabal créa une géométrie très avancée et la musique, Tubalcaïn l'alchimie et l'art de forger. Quant à leur sœur, elle organisa les rites initiatiques féminins à partir du tissage.

Mais l'humanité commençait à oublier la volonté de Dieu et à s'égarer dans l'ignorance. Les enfants de Lamech, prévoyant une catastrophe, inscrivirent les résultats de leurs découvertes sur deux grandes colonnes en pierre.

Alors survint le déluge qui engloutit les impies. Les deux colonnes, cependant, échappèrent à la destruction. Lorsque la colère divine fut apaisée, c'est un nommé Hermès ou Hermorian qui les retrouva; comprenant l'importance des révélations inscrites sur la pierre, il décida de les transmettre aux hommes capables de les faire revivre.

Hermès reconstitua des loges à Babylone où il prit le nom de Nemrod. Il édifia, avec l'aide des nouveaux Francs-Maçons, des palais, des tours et des temples. Il travailla également à Ninive et envoya trente Frères en Orient pour que l'ésotérisme maçonnique soit connu de toute la terre.

Nemrod apprit aux Maçons les signes et les attouchements rituels qui leur permettraient de se reconnaître entre eux dans n'importe quel pays. Il leur recommanda de s'aimer les uns les autres, d'éviter toute querelle et de vénérer leurs maîtres qui possédaient les secrets de l'art.

Lorsque Nemrod mourut, Dieu le transforma en étoile et le plaça dans les cieux; en levant les yeux vers la voûte cosmique, les Frères pourraient orienter leurs pas en se guidant d'après l'étoile de Nemrod.

Abraham, après avoir reçu l'investiture maçonnique, enseigna les sciences secrètes aux Egyptiens. Euclide fut son disciple et lui succéda, déployant une intense activité : construction de temples, de cloîtres, de ponts.

Euclide recommanda aux Frères de garder les lois divines écrites sur les cœurs et d'élire leurs futurs maîtres en fonction de leur sagesse. Jamais, disait Euclide, vous ne choisirez comme maître un homme qui ne soit pas initié à l'art de bâtir ou qui manque d'intelligence; ne soyez esclaves ni des sentiments, ni de la fortune, ni de la naissance. Restez fidèles au roi de votre pays et préservez éternellement le nom sacré de « Frère ».

Presque tous les Maçons du monde se rassemblèrent à Jérusalem afin de construire un grand temple. Le travail achevé, ils se répandirent dans les quatre continents et diffusèrent les principes de la Maçonnerie en Orient et en Occident.

Des événements historiques se cachent peut-être sous ces récits mythologiques; il est bien difficile de les identifier mais l'important demeure la filiation symbolique que l'ancienne Maçonnerie considérait comme essentielle.

Les Maçons « modernes », en grande majorité, jugèrent cette mythologie ridicule. Comme l'écrivait le Frère Lantoine, « l'erreur de la plupart des écrivains maçonniques consiste dans la préoccupation qu'ils eurent et dans la tentative qu'ils firent de fonder l'histoire de l'institution sur son symbolisme ». Les travaux les plus récents, au contraire, montrent que l'évolution de la Franc-Maçonnerie est intimement liée à la plus ou moins grande compréhension du symbolisme dont elle est dépositaire. Avec Jean Palou, nous estimons que la partie la plus intéressante des vieilles constitutions est précisément la légende que nous venons de rapporter; bien plus que les textes législatifs, elle préserve un esprit ésotérique qui est la substance vivante de la Maçonnerie.

Dans le manuscrit Dumfries numéro quatre datant de 1710, nous lisons ce dialogue significatif entre deux Frères :

Question : « Où se trouve la clef de votre Loge? »

Réponse : « Dans une boîte en os, recouverte d'un poil rugueux. »

Question : « Donnez les caractéristiques de votre boîte. »

Réponse : « Ma tête est la boîte, mes dents sont les os, mes cheveux sont le poil, ma langue est la clef. »

Cette boîte mystérieuse où sont cachés les secrets de la Maçonnerie, c'est l'homme lui-même. Non pas l'homme profane, mais l'initié qui échappe à l'immobilité de la mort.

La mythologie maçonnique est donc un enseignement symbolique et non une construction historique rigoureuse. C'est pourquoi, dans les anciens textes, on trouve fréquemment la référence à un manuscrit datant de l'origine du monde; il contient le secret de l'Art Royal, œuvres immortelles accomplies par les Grands Maîtres.

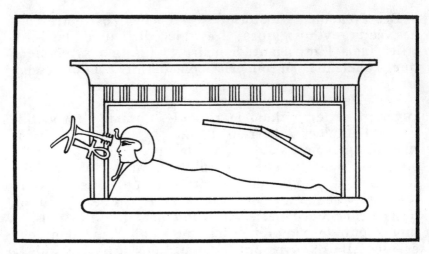

La résurrection d'Osiris, le Roi-Dieu assassiné, préfigure le mythe central de la Franc-Maçonnerie qui cherche à ressusciter Hiram, le Maître d'Œuvre dont l'esprit est « reconstitué » en chaque Maître-Maçon. (Cénotaphe de Séthi 1er).

Bien entendu, personne ne sait dans quel pays ce manuscrit est conservé et seuls les Maçons qui ont beaucoup progressé sur la voie initiatique sont capables de le lire.

Les origines mythiques de la Maçonnerie ne sont pas négligeables puisqu'elles situent la naissance de l'Ordre dans la plus haute antiquité. Nous nous contenterons de cet aperçu qui était simplement destiné à rappeler quelques détails surprenants et nous demanderons à l'histoire de nous renseigner plus concrètement sur les confréries initiatiques.

CHAPITRE III

UNE GRANDE LOGE EN EGYPTE ANCIENNE

Puisque les anciens documents maçonniques insistent sur les lointaines origines de l'Ordre, il n'est pas inutile d'entreprendre une enquête pour tenter de vérifier leurs dires. Elle nous permettra d'entrevoir des aspects peu connus de l'histoire et, surtout, d'établir une partie des bases réellement traditionnelles des confréries de constructeurs dont plusieurs courants maçonniques estiment prolonger le message.

En 1783, George Smith, Grand Maître du comté de Kent, affirmait que la Franc-Maçonnerie tirait de l'Egypte plusieurs de ses mystères. A son avis, Osiris et Isis symbolisaient l'être suprême et la nature universelle; dans la Loge, ils étaient représentés par le soleil et la lune qui sont placés à l'orient et encadrent le Vénérable, chargé de diriger les cérémonies. Smith pensait que les Druides avaient recueilli l'ésotérisme égyptien, ensuite transmis aux premiers maçons.

Ignaz von Born, conseiller du roi autrichien Joseph II, fut, à la même époque, Vénérable d'une loge. A l'aide d'une documentation rudimentaire, il publia un important article sur les origines égyptiennes de la Franc-Maçonnerie; sa thèse enthousiasma Mozart, frère et ami de von Born. Le génial musicien, s'aidant de l'érudition et de l'intuition du Vénérable Maître, écrivit la partition de la « Flûte enchantée », récit d'une initiation maçonnique qui se déroulait en Egypte.

La Franc-Maçonnerie

En 1784, un temple « isiaque » est ouvert à Paris. Le succès de l'opéra de Mozart fait connaître à la Maçonnerie européenne les thèses de von Born; grâce à lui, une nouvelle voie de recherches s'est ouverte. A partir de 1801, on assiste à la création de rites qui se réclament de la tradition égyptienne : rite des parfaits initiés d'Egypte, rite de Misraïm, rite de Memphis. A Auch, des Maçons fondent une loge qui prend le nom de « Souveraine Pyramide » et utilise des symboles égyptiens. Une phrase du rituel dit de « Memphis-Misraïm » résume bien l'attitude générale : lorsque le Vénérable demande au deuxième Surveillant « D'où venez-vous? », ce dernier répond : « De la vieille Egypte, Vénérable Maître, et d'une loge de Saint Jean. » Le deuxième Surveillant étant chargé de distribuer l'enseignement initiatique aux apprentis, ses paroles relient la Maçonnerie à l'Egypte et au christianisme.

En 1812, le Frère Alexandre Lenoir, fit cette déclaration aux membres du souverain chapitre du Rite écossais, l'une des hautes instances maçonniques : « Je prouverai que les théogonies anciennes doivent leur jour aux Egyptiens. Pour - prouver l'antiquité de la Franc-Maçonnerie, son origine, ses mystères et ses rapports avec les mythologies anciennes, je remonterai aux Egyptiens, car il est convenable de traiter des causes avant de parler des effets. »

Malheureusement, les preuves annoncées ne furent pas fournies. Les affirmations que nous avons relevées furent diversement appréciées par les érudits et les Maçons eux-mêmes. On manquait de données certaines et l'origine égyptienne de la Maçonnerie, défendue par quelques initiés trop isolés, demeura à l'état de curiosité.

Aujourd'hui, il est possible de reprendre le dossier et de le compléter grâce aux progrès de l'égyptologie. Nous aurons donc trois questions à examiner : existait-il des initiations en Egypte? Quelle place occupaient les constructeurs dans sa civilisation? Connaît-on avec précision une confrérie initiatique de bâtisseurs?

« L'art égyptien, écrit Pierre Montet, est incontes-

tablement un art royal. » Cela signifie que les artisans
dépendent du roi, mais l'on peut aussi noter une allusion au caractère « royal » de l'art de vivre que la
Franc-Maçonnerie, dans son aspect initiatique, essaye
sans cesse de recréer. L'art pharaonique, fondé sur
l'anonymat, est la traduction d'idées symboliques et non
un esthétisme gratuit. C'est pourquoi, selon Daumas, « il
est le fruit d'une application intérieure, d'une conscience
professionnelle qui a permis à l'individu de se dépasser
et d'atteindre au reflet de la beauté et de la perfection
absolues ».

Cet état d'esprit ne peut être réalisé que par la vertu
d'une initiation. Les textes de l'Egypte ancienne répètent
inlassablement qu'il nous faut échapper à la seconde
mort, celle de l'âme; pour y parvenir, il est indispensable d'accéder aux mystères qui sont célébrés dans le
secret des temples.

Les critères d'admission parmi les initiés étaient fort
sévères. On demandait au postulant la pratique d'un
métier manuel, la plus grande rectitude morale et une
aptitude certaine à comprendre le sens caché des symboles et des écritures sacrées. Dans les péristyles avaient
lieu des conversations fournies entre le futur initié et
ses maîtres; une sincérité totale était exigée. Beaucoup
de candidats étaient refusés et retournaient à la vie profane.

Pour qui avait franchi victorieusement ces premiers
obstacles, l'aventure continuait. Le postulant était introduit dans les premières salles du temple et commençait
à apprendre les « règles de l'art ». Après un nombre
d'années qui n'était probablement pas inférieur à sept,
l'initié voyait s'ouvrir les portes des « maisons de vie »
où de lourdes responsabilités lui étaient confiées. Il
s'exerçait à la rédaction des rituels et à la décoration
symbolique des temples. Passé maître dans sa science et
dans son art, il formait les disciples qui lui succéde-
raient.

Les documents prouvant l'existence des initiations en
Egypte sont très nombreux. D'après une stèle du British
Museum, par exemple, on sait qu'un homme passa une

nuit en méditation sur le parvis du temple des deux lions avant d'être admis aux épreuves. Ce rite est encore célébré dans la Maçonnerie moderne, le néophyte passant plusieurs heures dans la solitude à l'intérieur d'une pièce minuscule nommée « cabinet de réflexion ». Il y accomplit un vaste examen de conscience et meurt progressivement au « vieil homme » afin de renaître à « l'homme nouveau ».

Le rite égyptien le plus célèbre est celui du passage « par la peau »; l'initié, recroquevillé comme un fœtus, s'introduisait dans une peau d'animal sur laquelle les prêtres pratiquaient des rites de résurrection. Il fut progressivement abandonné à cause de l'évolution des mœurs, mais la Maçonnerie en conserve le souvenir dans le rituel du grade de Maître sur lequel nous reviendrons ultérieurement.

De quel prestige jouissaient les bâtisseurs à l'intérieur de la civilisation égyptienne? Sans nulle hésitation, on peut affirmer qu'il était immense. Les grands hommes de l'histoire égyptienne, ce sont les rois et les Maîtres d'Œuvre. Distinction artificielle, d'ailleurs, puisque chaque roi est d'abord un Maître d'Œuvre qui construit le temple. Khéops, Thoutmosis III, Ramsès II, pour ne citer que trois exemples illustres, furent de prodigieux bâtisseurs dont la renommée dépassa les frontières de l'Egypte.

Des distinctions très nettes différenciaient les artisans manuels. On ne confondait pas les tâcherons, les dessinateurs, les géomètres et les architectes. Au sommet de la hiérarchie se trouvait le charpentier-Maçon du roi qui détenait les secrets du travail de la pierre et du bois; il régnait sur ceux qui concevaient le plan et la structure des édifices, de même que le Maître d'Œuvre médiéval sera à la tête d'un conseil de Maîtres des divers métiers du bâtiment.

Les bâtisseurs, disent les textes pharaoniques, créent leurs œuvres à la gloire du principe divin et de son représentant sur la terre, le pharaon. Dieu est déjà défini comme l'architecte souverain des mondes, formule qui est probablement à l'origine de l'expression maçonnique « A la Gloire du Grand Architecte de l'Univers » dont nous verrons plus loin l'importance.

L'essentiel, pour les constructeurs égyptiens, est la qualité de l'œuvre accomplie selon des rites. François Daumas remarquait que, dans la plupart des temples, les pierres taillées d'une manière irrégulière sont les plus employées. Pourtant, il aurait été plus facile d'utiliser des blocs réguliers et uniformes; mais l'irrégularité et la dissymétrie, d'après l'ésotérisme égyptien, sont des caractéristiques fondamentales de la vie et l'artisan ne doit reculer devant aucune difficulté pour se conformer à l'acte créateur de l'Architecte divin. Le temple est conçu comme un « Grand Homme » en perpétuelle évolution.

A l'architecte initié, nous est-il dit, vient la pierre issue de la Lumière, émanation parfaite du Grand Dieu. De plus, dans le rituel de fondation des temples, on nous parle des « Fils de la Lumière » qui ont dressé des murs destinés à cacher les mystères divins aux regards des profanes. Ces détails pour le moins étonnants sont confirmés par le récit d'un artisan qui fut admis dans la communauté dirigeant la « demeure de l'Or », où l'on créait des statues vivantes : « Rien de ce qui est relatif à la demeure de l'Or ne me fut caché, nous rapporte l'initié; je suis prêtre à mystères, j'ai vu la Lumière sous ses formes variées. » Cette lumière connue seulement de quelques-uns animait la pierre; le nom égyptien du sculpteur initié était d'ailleurs « celui qui donne la vie ».

Toutes ces indications sont extrêmement troublantes, mais l'on doit s'interroger sur l'existence d'une association initiatique de bâtisseurs que l'on pourrait étudier d'une manière plus concrète. En d'autres termes, trouve-t-on les traces d'une hiérarchie initiatique qui annoncerait sans équivoque la structure des confréries postérieures?

C'est l'égyptologue français Bernard Bruyère qui apporta une réponse assez extraordinaire à cette question. De 1920 à 1952, ce grand archéologue fit des fouilles remarquables sur le site de Deir el-Medineh, au sud de la nécropole thébaine qui est devenue, avec le plateau de Gizeh, le grand lieu touristique de l'Egypte. Les fouilles se poursuivent encore de nos jours.

Bruyère découvrit à cet endroit de nombreuses tombes très curieuses; rapidement, il s'aperçut qu'il s'agissait de chapelles appartenant aux membres d'une confrérie groupant des constructeurs, des maçons, des graveurs et des peintres qui s'installèrent à Deir el-Medineh dès la fin de la XVIII° dynastie, vers 1315 avant notre ère. Le tombeau 267, par exemple, est celui de Hay, « chef des artisans », « modeleur des images des dieux dans la demeure de l'Or ». Les chapelles furent décorées par les artisans eux-mêmes et l'on retrouve au hasard des peintures, la coudée sacrée, l'équerre, différentes formes de niveau et bien d'autres objets symboliques qui connaîtront une durable postérité.

Il y avait également une grotte aménagée en sanctuaire et dédiée à la déesse serpent Mertseger, maîtresse du silence que doivent respecter les initiés. A l'abri de la « Cîme », cette pyramide naturelle qui domine la vallée des rois, la confrérie travaillait pour le roi d'Egypte et formait un véritable état dans l'état.

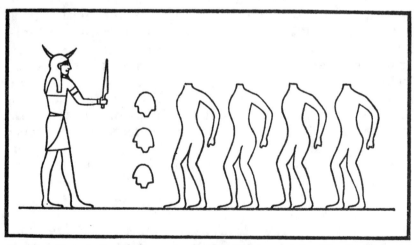

Le supplice de la tête coupée. Symboliquement, les Franc-Maçons tranchent la tête de celui qui trahit l'esprit de la communauté. En réalité, un tel homme devient irresponsable, incapable de penser et d'agir parce qu'il a perdu toute rigueur spirituelle (Cénotaphe de Séthi 1ᵉʳ).

Les membres de cette très ancienne société initiatique se nommaient « Serviteurs dans la place de vérité ou d'harmonie ». Le pharaon, dont l'une des principales charges était de maintenir l'harmonie entre le ciel et la terre, leur confiait une grande part des travaux artistiques par lesquels s'exprimait l'ésotérisme égyptien depuis la naissance de l'empire.

Pour Bernard Bruyère, une évidence s'impose : la confrérie de Deir el-Medineh est une authentique Franc-Maçonnerie avant la lettre.

On en jugera par un certain nombre de détails significatifs. D'après ses constitutions, la collectivité est divisée en loges ou huttes qui sont des ateliers où l'on répartit les tâches. Fait curieux, les premières loges de Maçons allemands, pendant le haut Moyen Age, sont également appelées « huttes ». Chaque initié porte le titre de « Celui qui écoute le Maître », mais il existe trois degrés : apprenti, compagnon et Maître. L'apprenti est défini comme l'enfant qui vient de naître ou plutôt de renaître; une fois initié, il se met volontairement au service des compagnons qui lui confient des travaux ingrats afin de mettre sa bonne volonté et son désir de servir à l'épreuve. Nulle « gentillesse » dans ces premiers contacts : pour devenir maître, il est nécessaire de vaincre les faiblesses de la nature humaine sans rechercher des excuses fallacieuses. Les compagnons sont au service des maîtres qui, pour leur part, s'occupent des « écrits célestes », c'est-à-dire des épures, des tracés directeurs du dessin et des règles symboliques de l'art sans lesquelles aucune représentation n'aurait de sens.

Détail remarquable, les initiés de Deir el-Medineh bénéficiaient de rites religieux qui leur étaient propres. Ils vénéraient surtout la déesse du silence, le dieu des bâtisseurs et la personne symbolique du roi. Le roi d'Egypte, d'ailleurs, était leur Grand Maître et visitait le chantier de temps à autre afin de s'entretenir avec les hauts dignitaires de la communauté et de vérifier la bonne marche des travaux.

C'était un immense honneur et une lourde charge que de faire partie de la confrérie; à l'initiation en esprit

43

s'ajoutait une promotion sociale qui élevait la plupart des initiés au-dessus de leur condition d'origine. La naissance, dans les sociétés traditionnelles, ne fut jamais un critère d'admission. Plusieurs pharaons et Maîtres d'Œuvre étaient d'extraction modeste, ce qui ne les empêcha pas d'accéder aux plus importantes fonctions initiatiques et administratives. Bien des fonctionnaires, bien des courtisans ne rencontrèrent jamais pharaon en dehors des cérémonies officielles; en revanche, le jeune Maçon venu d'une campagne reculée bénéficiait de ce privilège s'il était accepté par la confrérie.

Lourde charge, en vérité, puisque l'erreur n'était pas permise. Peintures et sculptures incarnant avec le maximum de fidélité l'idée symbolique qu'elles évoquent; aucune imperfection technique n'est tolérée, l'intelligence de la main est totalement éveillée.

Pourquoi, demandera-t-on, les rites initiatiques sont-ils célébrés dans des tombeaux? Les textes égyptiens nous fournissent deux réponses. En premier lieu, le « tombeau », pas plus que le sarcophage, n'est un lieu de mort; en réalité, il est la demeure d'une vie nouvelle obtenue par la mort de l'individu profane. En second lieu, le mot « tombeau » est assez souvent remplacé, dans les écrits égyptiens, par le terme « atelier » : créer l'œuvre d'art et créer l'initié sont deux opérations identiques.

Les membres de la confrérie de Deir el-Medineh étaient vêtus d'un tablier rituel qui permettait d'identifier les initiés et les profanes; il avait également une profonde valeur symbolique, représentant le vêtement divin que le constructeur ne doit pas souiller par des actes serviles ou inconscients.

La bonne marche de la communauté initiatique était définie par des règles; le nouvel adepte prenait connaissance de signes rituels propres à son degré d'évolution dans la hiérarchie. En cas de conflit entre un membre de l'Ordre et un profane, l'« esprit d'équipe » se manifestait aussitôt et des dignitaires se substituaient à l'interpellé pour résoudre le conflit.

Chacun versait une cotisation en nature une fois par

mois. Elle était ajoutée à un fonds commun qui permettait d'aider matériellement un initié en difficulté. La communauté possédait des temples et des lieux de réunion où se tenaient régulièrement des assemblées. La présence était certainement obligatoire, quoique ce point de détail ne doive pas être envisagé selon l'optique moderne; la confrérie vivant sur un territoire restreint, la seule cause d'absence était la maladie. Aucune « obligation professionnelle » ne gênait les adeptes, puisqu'ils participaient tous au même travail.

La juridiction suprême de l'Ordre était un tribunal composé de douze juges qui symbolisaient les douze forces créatrices de l'univers. Ils composaient donc une sorte de cosmos auquel nul problème humain n'échappait. Les adeptes se soumettaient aux décisions de ce tribunal qui décidait de l'admission à un grade supérieur, infligeait des amendes aux mauvais ouvriers et prononçait leur exclusion en cas de faute grave contre l'art.

Lorsqu'un initié mourait, on célébrait une cérémonie funèbre. Le terme « funèbre » convient mal à l'état d'esprit des bâtisseurs; les Egyptiens, contrairement à bien des opinions reçues, ne pensaient pas que la mort était un phénomène réel. De même que l'âme du pharaon défunt montait au ciel et devenait une étoile, de même l'âme de l'initié quittant notre monde se confondait avec la lumière et brillait au zénith d'une clarté éternelle. Peut-être ces notions étaient-elles connues, au moins partiellement, des Maçons qui introduisirent l'étoile flamboyante dans les rituels maçonniques.

Quelles étaient les activités de la confrérie? D'abord construire et créer, bien entendu; l'œuvre la plus infime, remarquent les textes, doit être extrêmement soignée. Pour qu'elle ne présente pas de défauts, il faut observer sans faillir les règles révélées par les maîtres. La moindre pierre est travaillée avec amour; en elle réside toute la sagesse du monde pour qui a les yeux ouverts. Certaines pierres avaient une valeur exceptionnelle et devenaient des exemples symboliques; on songe, par exemple, à une brique axiale de l'enceinte d'Amon du temple de Karnak. Elle portait le mot : « Régir. »

L'homme est un temple, le temple est régi par une pierre fondamentale qui deviendra la « pierre d'angle » des récits chrétiens.

Grâce aux fouilles, nous connaissons les lieux où les initiés se réunissaient. En effet, ils ne se consacraient pas uniquement à la construction matérielle; une activité spirituelle se joignait à l'activité manuelle. Pendant des soirées très denses, maîtres, compagnons et apprentis abordaient des sujets mythologiques ou symboliques et communiaient dans un même idéal de Connaissance; les maîtres prenaient soin de façonner l'esprit des jeunes adeptes pour qu'ils soient capables, dans l'avenir, d'ennoblir la matière.

A l'intérieur de la salle de réunion, les sièges portaient le nom des titulaires. Ce détail évoque une pratique exactement semblable du Moyen Age : les sièges des chevaliers de la Table Ronde étaient également marqués à leur nom. Ils partaient à la recherche du Graal, de la substance d'immortalité comme les Egyptiens tentaient de retrouver un vase mystérieux contenant les lymphes d'Osiris, le dieu assassiné et coupé en morceaux que les initiés reconstituaient par leurs rites.

Les sièges, à Deir el-Medineh, étaient disposés comme le seront plus tard les stalles des chanoines médiévaux; on les plaçait le long des grands murs de la salle rectangulaire, de part et d'autre de l'axe central. Au fond se trouvait un petit naos abritant les statues du roi et des dieux, les maîtres immortels de la confrérie. C'est exactement la disposition des temples maçonniques contemporains, les statues sacrées étant remplacées par l'œil de lumière.

Les cérémonies étaient réservées aux seuls initiés; l'un d'eux écartait les profanes et les curieux qui se seraient égarés en ces lieux en leur disant : « N'allez pas vers l'endroit où se fait l'offrande. » Les maîtres disposaient d'une grande canne qui indiquait leur qualité; nous retrouverons ce symbole dans la main des Maîtres d'Œuvre du Moyen Age et dans celle des Compagnons d'aujourd'hui.

Le but principal des rituels était de créer de nouveaux

initiés ou d'élever au grade supérieur l'apprenti et le compagnon; c'était l'occasion de célébrer un rite de renaissance où l'on offrait aux adeptes de nouveaux moyens de se parfaire. Notons surtout l'emploi du « linceul des dieux » dont on recouvrait l'initié. Meurs et deviens, écrivait le Franc-Maçon Goethe, reprenant une vieille expression égyptienne. Sans cesse, l'adepte abandonnait ses pensées caduques pour aborder de nouvelles conceptions de l'esprit et de l'art de bâtir; il n'aspirait pas au bonheur, mais à la plénitude.

Les « serviteurs de la place de vérité » s'attachaient particulièrement à l'entretien d'une force mystérieuse que l'on nommait « ka ». Depuis l'origine des temps, cette puissance vitale se trouve en chaque homme, mais peu d'entre eux songent à la faire fructifier. Epanouir le « ka » par les rites initiatiques, c'était entrer dans la vie éternelle dès notre passage sur cette terre et se délivrer de toutes les entraves. C'est pourquoi les adeptes de Deir el-Medineh nourrissaient toujours leur conscience du « ka »; celui-ci existant à la fois dans la nourriture, dans la pierre et dans l'homme, ils organisaient des banquets rituels, approfondissaient les vertus de l'art sacré et faisaient progresser chaque frère sur le chemin de l'initiation.

Dans le tombeau 218, appartenant à l'adepte Amennakht, une scène curieuse nous retrace l'un des épisodes de l'initiation : on voit un homme dont le corps entier est de couleur noire. C'est le symbole de l'ombre du soleil, de l'individu qui n'a pas encore reçu la lumière. Tant que le bâtisseur n'est pas initié, il reste à l'état d' « ombre »; par la compréhension du rite, il pénétrera au cœur du soleil et deviendra un « Fils de la Lumière » qu'il sera chargé de répandre parmi ses frères et dans le monde.

Une joie intense se dégage des rites de la confrérie; quotidiennement, les initiés font des sacrifices aux dieux et rendent hommage au roi vivant, aux rois morts et à toutes les divinités égyptiennes. Ils communient d'une manière presque naturelle avec le sacré où ils puisent la force nécessaire à la réalisation de leurs tâches.

L'une des légendes les plus passionnantes que nous livra Deir el-Medineh concerne l'assassinat d'un maître nommé Neferhotep par un ouvrier qui voulait usurper sa fonction. Le nom du maître est formé de deux mots égyptiens signifiant « la perfection dans la beauté » et « la paix, la plénitude ». Il symbolise, par conséquent, l'initié parfait que mettent en péril les avides et les envieux. Or, nous retrouverons le mythe du Maître assassiné à l'origine d'un des grades maçonniques les plus profonds, celui de Maître Maçon.

On pourrait s'étendre longuement sur les rites initiatiques et l'existence quotidienne de la prodigieuse confrérie égyptienne; il nous reste trop de chemin à parcourir en direction de la Maçonnerie moderne pour nous attarder plus longtemps. Notons, cependant, qu'une organisation initiatique de bâtisseurs est parfaitement constituée quatorze siècles avant notre ère. Ses lois, son symbolisme, sa morale atteignent un haut degré de spiritualité et, surtout, ces hommes construisent leur vie en construisant le temple. En divinisant la matière, ils divinisent l'être humain. Parfaitement intégrés à l'empire pharaonique, ils sont l'un des plus beaux fleurons de sa société et leur message artistique parle encore directement à notre cœur et à notre esprit.

Il est évident que la confrérie, rigoureusement attestée à la fin de la XVIIIe dynastie, existait auparavant. Comme l'ont prouvé les travaux égyptologiques, les pyramides n'ont pas été construites par des esclaves; dès l'époque la plus ancienne, les bâtisseurs s'étaient constitués en société et les Egyptiens du IIe siècle après Jésus-Christ conservaient encore le souvenir admiratif du génial Maître d'Œuvre Imhotep, architecte, médecin et alchimiste.

Avec les adeptes de Deir el-Medineh, nous sommes au cœur de l'expression primitive de la Franc-Maçonnerie. C'est le premier apogée de l'époque dite « opérative », l'œuvre de la pensée se concrétisant directement par l'œuvre des mains. L'homme était complet, harmonieux; il mettait ses idées à l'épreuve de la matière et vivait dans une communauté initiatique où la fraternité n'était pas un vain mot. Nous aurons à rappeler ces données fondamentales lorsque nous ferons un bilan de l'évolution de la Maçonnerie moderne. Les artisans de Deir el-Medineh nous ont révélé des règles de vie beaucoup plus importantes que n'importe quelle constitution administrative.

CHAPITRE IV

LES MYSTÈRES D'ELEUSIS
ET L'ORDRE DE PYTHAGORE

Dirigeons-nous à présent vers le monde grec et plus particulièrement vers une ville située à quelques kilomètres au nord-ouest d'Athènes, l'illustre cité d'Eleusis. Là se célébrèrent les plus grands mystères de la civilisation hellénique, là furent initiés ses penseurs, ses savants et ses écrivains. Eleusis résista très longtemps au christianisme et sa véritable fin ne date que du Vᵉ siècle après Jésus-Christ, sous le règne de Théodose II. Lorsque les écoles de mystères furent fermées, les initiés s'expatrièrent dans diverses nations d'Occident, notamment en France, en Italie et en Espagne. Ils se vêtirent de l'habit chrétien, mais préservèrent les anciens enseignements ésotériques qu'ils surent transmettre aux confréries de bâtisseurs. Sans nul doute, les derniers apôtres d'Eleusis confièrent aux constructeurs d'empire des premiers siècles chrétiens un legs hermétique d'une inestimable valeur; sans lui, on ne comprendrait pas le sens d'un certain nombre d'œuvres d'art du Moyen Age.

Les documents concernant les sociétés secrètes d'Eleusis sont rares. Pourtant, Pindare nous avertit qu'il est indispensable de connaître ses mystères avant de mourir. Platon écrit : « Celui qui arrivera dans l'autre monde sans avoir été initié et connu les mystères sera plongé dans le malheur. » Quant au tragédien Sophocle, il s'exclame : « O trois fois heureux ceux des mortels qui, après avoir contemplé ces mystères, s'en iront chez Hadès; eux seuls y pourront vivre. Pour les autres, tout sera souffrance. » Ces illustres témoignages insistent sur le caractère indispensable de l'initiation éleusinienne; grâce à elle, l'homme franchit en toute confiance les portes de la mort, il assure sa rédemption sur cette terre.

Les rites d'Eleusis affirmèrent toujours leur indépendance par rapport aux autres cultes grecs; les initiés aux mystères n'étaient pas des prêtres ordinaires et cela explique la règle rigoureuse du secret absolu. Elle fut, semble-t-il, appliquée avec beaucoup de constance comme le démontrent de nombreuses anecdotes. Un nommé Théodose, par exemple, fut accusé par ses pairs du plus grave des délits : avoir révélé un certain nombre de secrets à des profanes. Selon les lois en vigueur à Eleusis, il fut condamné à boire la ciguë. D'après un autre récit, deux jeunes hommes pénétrèrent par hasard dans un sanctuaire réservé aux initiés. A l'intérieur se tenait une assemblée qui leur posa des questions rituelles pour vérifier leur appartenance à la communauté. Ils ne surent que répondre et furent condamnés à mort. Il est probable que cette dernière histoire était fictive et qu'elle avait été composée pour prévenir les imprudents des risques qu'ils encouraient.

Malgré le silence volontaire des initiés d'Eleusis, nous possédons cependant quelques renseignements fragmentaires sur les rites qu'ils pratiquaient. De ce dossier, hélas! très incomplet, extrayons les éléments que nous retrouverons dans la Maçonnerie primitive et dans la Maçonnerie moderne.

Il est certain, d'abord, que l'initiation éleusinienne comportait plusieurs degrés. On ne saurait en préciser exactement le nombre mais il existait, entre les petits mystères et les grands mystères, une différence marquée qui fut préservée par les premiers maçons, lesquels distinguaient nettement l'apprentissage et la maîtrise.

Pour être accepté à la cérémonie des petits mystères, les postulants doivent être présentés à la confrérie par des initiés. Les néophytes sont rassemblés dans un lieu

51

clos et interrogés par un certain nombre de membres de la confrérie éleusinienne. Cette pratique fut probablement commune à la totalité des sectes antiques; elle est toujours observée dans la Maçonnerie contemporaine qui, après trois « enquêtes », fait venir le candidat dans sa future loge afin de l'interroger sur ses opinions et sur ses intentions.

L'initiation dyonisiaque par les éléments. L'initié a la tête voilée; devant lui, une bandelette est agitée par le vent. Une femme le purifie avec l'eau. Derrière lui brûle une pomme de pin. Ce passage par les « épreuves » rituelles permet à l'adepte de se dépouiller de ses particularismes pour connaître le « génie » de toutes choses.

Qu'exige-t-on du candidat? D'abord une conduite morale irréprochable. Un criminel est automatiquement refusé. Ensuite un serment par lequel il s'engage à ne rien révéler de ce qui lui sera enseigné. Enfin, on lui demande d'abandonner sa fortune et ses biens matériels. Ces trois conditions subsistent dans la Maçonnerie actuelle, l'abandon des biens étant symbolisé par le « dépouillement des métaux ». Le néophyte, en effet, se sépare de tout objet métallique afin d'affronter les épreuves en état de pureté. Le métal, quel qu'il soit, est censé s'opposer à l'action magique de la communion fraternelle. Notons, cependant, que les « métaux » sont ensuite restitués au nouvel initié qui, après avoir connu les premières lettres de la sagesse, pourra en faire bon usage.

Les épreuves rituelles tiennent une grande place dans les cérémonies d'Eleusis. On trouve déjà les purifications par les quatre éléments, le feu, l'air, l'eau et la terre. Le néophyte doit passer la nuit sous une tente pour méditer sur lui-même et se préparer à l'initiation; les Francs-Maçons firent de cette tente « le cabinet de réflexion » où le postulant retourne dans le sein de la Terre Mère d'où il renaîtra. A Eleusis, la purification par l'air était effectuée par la musique, les sons libérant l'âme de ses scories. Pendant le « voyage de l'air », les Maçons tentent de faire le maximum de bruit en frappant du pied sur le sol ou en entrechoquant des épées. L'air correspond donc, dans l'initiation au grade d'apprenti, au tumulte des passions que le sage doit apaiser. Dans une autre forme éleusinienne de l'épreuve de l'air, on évente le candidat avec un van; cette fois, il s'agit de lui communiquer le souffle divin. Quant à l'épreuve de l'eau, elle semble avoir été très simple : on versait un peu d'eau sur la tête du néophyte, afin de le laver définitivement de ses imperfections et de faire naître un homme nouveau.

Les diverses « épreuves » forment le noyau essentiel de l'initiation maçonnique au grade d'apprenti. Comme on le voit, les formes matérielles n'ont guère varié, et, surtout, l'esprit est demeuré identique. A Eleusis comme dans les loges, on recherche la mort initiatique à l'aide des purifications de sorte que le vieil homme soit définitivement tué et que l'homme nouveau surgisse.

Notre documentation sur les « grands mystères » est des plus restreintes. Nous savons que le candidat avait la main droite et le pied gauche liés de bandelettes de couleur jaune et qu'il devait prononcer un mot de passe pour pénétrer dans le temple : « J'ai mangé au tympanon, disait-il, j'ai bu au cymbalon, j'ai appris les cérémonies de la religion. » On le faisait symboliquement descendre aux enfers où un tribunal jugeait sa conduite; lorsqu'il avait reconnu ses fautes, il buvait l'eau de l'oubli et recevait de nouveaux vêtements qui marquaient son entrée dans la communauté des maîtres.

Quelques détails précis nous permettent de déceler à Eleusis l'une des origines du grade de Maître Maçon, le plus important de tous. L'initié éleusinien parvenu au sommet de la hiérarchie recevait une couronne, de même que le Maître d'Œuvre recevait un chapeau qui symbolisait sa fonction. Dans l'un et l'autre cas, on faisait allusion au caractère royal de l'initié. Celui qui dirigeait les mystères, à Eleusis, se nommait « Iacchos » et mourait tragiquement; tout espoir n'était pas perdu, puisqu'il renaissait dans chaque initié, de même que le Maître d'Œuvre Hiram, assassiné, renaîtra dans chaque Maçon.

Pour les adeptes d'Eleusis, ceux qui ont accédé à l'initiation véritable vivent dans la compagnie des dieux. Les profanes demeurent dans la multiplicité et l'incohérence. Les Eleusiniens, cependant, ne témoignaient d'aucun dédain face à ceux qu'ils considéraient comme ignorants. Persuadés que l'administration de la cité doit correspondre à l' « administration » de l'homme initié, ils estimaient que les adeptes devaient être utiles à la société. Ils reçurent dans leurs rangs d'illustres personnages comme Philippe, Cicéron, Auguste qui surent parfois mettre en pratique l'enseignement reçu.

L'initié aux mystères d'Eleusis doit aider les autres hommes à obtenir leur salut. C'est pourquoi les adeptes formaient des hommes politiques, des médecins, des architectes et des poètes. On discerne ainsi l'aspect « opératif » d'Eleusis qui ne se contentait pas de méditations ésotériques mais essayait de faire rayonner la substance de l'initiation dans la société des hommes.

Sans nul doute, la Maçonnerie recueillit une partie du message d'Eleusis. Il est difficile de préciser l'importance de cette filiation, étant donné l'aspect fragmentaire de la documentation. Nous aurons plus de chance avec un autre courant fondamental de la pensée ésotérique des Grecs, le pythagorisme.

Dans plusieurs manuscrits maçonniques, on nous

parle d'un grand initié qui fut admis dans toutes les loges du monde où il propagea des enseignements très secrets. Il fonda ses propres loges à Groton et forma des disciples qui s'établirent en France et en Angleterre. Ce grand personnage était nommé Peter Gower, déformation du Pythagore; quant à Groton, c'est évidemment Crotone, le lieu d'élection du géomètre. Ce souvenir mythologique de la Maçonnerie s'appuie sur des faits incontestables; dans la majeure partie des édifices médiévaux, on constate l'influence de la géométrie et de la science des nombres créées par Pythagore. Elle se concrétise, notamment, dans l'étoile à cinq branches que l'on trouve dans les marques lapidaires gravées par les constructeurs. Le pythagorisme transmit au Moyen Age le sens des tracés directeurs à partir desquels on construisait les églises et les ornements de pierre les plus splendides, tels que les rosaces.

Un détail nous convaincra de l'influence du pythagorisme sur la Maçonnerie. Au grade du Compagnon, on voit la lettre G au cœur d'une étoile flamboyante qui est le principal passage de ce grade. Beaucoup d'explications en ont été données : God (dieu en anglais), Géométrie et même... gravitation à l'époque scientiste! De multiples significations ont nourri le symbole de la lettre G; l'une de ses origines est certainement le Gamma grec qui avait la forme d'un Y. Pour les pythagoriciens, il figurait les deux voies, celle du profane et celle de l'initié.

Qui était ce Pythagore qu'un sculpteur du Moyen Age a représenté à Chartres parmi les sages dont l'enseignement doit être suivi? Il naquit à Samos entre 592 et 572, en ce VIe siècle avant Jésus-Christ qui vit également la naissance du génial penseur chinois Lao-Tseu. Il fut initié aux mystères égyptiens et passa vingt-deux ans dans les temples pharaoniques où il étudia sans relâche la géométrie et l'astronomie. Ce grand voyageur fréquenta également les savants de Phénicie et de Chaldée; il avait la réputation de posséder une culture universelle touchant à des domaines aussi divers que la philosophie, la politique, les sciences ou les arts. Pythagore n'était pas seulement un intellectuel, puisqu'il remporta un prix au concours du pugilat de la quarante-huitième Olympiade. La légende fit de lui le prototype de l'homme complet capable d'harmoniser le physique et le spirituel.

Vers 530, Pythagore quitte Samos et s'établit à Crotone, ville brillante et animée située à l'ouest du golfe de Trente. Là, il compose quatre discours qu'il adresse aux jeunes, aux membres du sénat, aux femmes et aux enfants. Très vite, sa renommée de sagesse s'étend et il devient un personnage marquant de la vie publique. Pour convaincre les incrédules et les railleurs, il dévoilait sa cuisse d'or qui transformait le doute en certitude.

Platon, qui eut connaissance d'une partie de la doctrine pythagoricienne, écrivit une phrase significative : « Il s'agit de quelques formules très brèves... Un très petit nombre d'hommes existant en ont connaissance. » Quant à Plutarque, il affirme : « Pythagore a limité le caractère symbolique et mystérieux des dires des prêtres égyptiens en cachant ses théories sous des énigmes. La majeure partie de ses préceptes ne diffère pas de ce que l'on appelle les écrits hiéroglyphiques. » Par d'autres sources, nous savons que Pythagore savait parler le langage des animaux et qu'il connaissait l'avenir; il était également capable d'entendre la musique des sphères. C'est pourquoi il apprenait à ses disciples la contemplation des rythmes de l'univers et leur demandait de parler un langage aussi pur que le chant du cosmos. Pythagore n'était représenté dans aucun temple et aucun disciple n'avait le droit de prononcer son nom; lorsqu'on se référait à ses paroles, on affirmait simplement : « Il a dit. » Nous retrouverons cette conception du Maître caché dans l'ésotérisme maçonnique du xviiie siècle qui créa le mythe des « Supérieurs inconnus », dirigeants occultes de l'Ordre maçonnique. Certains rituels font allusion aux « êtres inconnus et suprêmes » pour montrer que l'initiation maçonnique englobe à la fois la réalité visible et la réalité invisible.

De 510 à 450, l'ordre pythagoricien se développa de manière continue et de nombreux adeptes vinrent grossir ses rangs. Aux alentours de 450, un brusque retournement de situation remet en cause les résultats acquis; la plupart des chefs officiels du pythagorisme sont massacrés à cause de leurs opinions politiques. Ils avaient, en effet, décidé d'assainir la société grecque en excluant peu à peu du pouvoir les avides et les ambitieux. Cette noble idée connut un échec total, et, après cette sanglante épuration, les membres de la confrérie furent obligés de se cacher et de cesser toute activité politique.

Des cellules pythagoriciennes se reforment dans la plupart des états du monde antique, surtout en Italie. Au VI⁰ siècle avant Jésus-Christ, il existe de petits groupes extrêmement fermés qui respectent un secret absolu sur leurs travaux. Les affreux événements de 450 leur ont appris la prudence. Sous César et les premiers empereurs romains, le pythagorisme s'impose de nouveau: il atteint pratiquement toutes les couches sociales et acquiert de très nombreux fidèles. Selon certains témoignages, une statue de Pythagore aurait même été érigée sur le forum romain au début du IIIᵉ siècle avant Jésus-Christ. Ce qui prouverait l'immense popularité du géomètre grec.

Quoi qu'il en soit, le pythagorisme est solidement implanté en Italie au Iᵉʳ siècle avant Jésus-Christ. Les cérémonies sont célébrées avec faste, mais l'ordre est attentivement surveillé par les gouvernements. Les pythagoriciens, en effet, n'ont jamais caché que la politique matérialiste de Rome leur déplaisait fortement. De temps à autre, des chefs pythagoriciens doivent s'exiler; Auguste, par exemple, expulsa un dénommé Pythagorias qui voulait redonner à l'ordre un caractère politique.

En dépit de cette surveillance, la doctrine des néo-pythagoriciens influence nombre de groupements à tendance spiritualiste comme les sectes juives ou les Esséniens qui préparent l'avènement du christianisme. On doit d'ailleurs distinguer les authentiques pythagoriciens qui se préoccupent d'ésotérisme et les « pythagoristes » qui ne connaissent pas les enseignements secrets et ne font qu'adopter une mode; c'est à ces derniers que l'on doit la propagation d'idées excentriques comme la métempsycose ou le végétarisme.

Pendant son séjour à Crotone, Pythagore distinguait soigneusement les auditeurs, les disciples et les initiés qu'il nommait « physiciens ». Ces trois degrés subsistèrent toujours à l'intérieur de l'Ordre où se côtoyaient les croyants, les pythagoriciens s'attachant au domaine social et politique et les initiés. La Maçonnerie conservera une structure à trois grades qui est la base la plus authentique de l'initiation traditionnelle.

La manière dont Pythagore concevait la vie initiatique influença toutes les communautés ultérieures. Pour lui, les véritables disciples mettent spontanément leurs biens en commun; ils essayent de former une société fraternelle où chacun pense d'abord au bien commun et non au sien propre. Entrer dans l'ordre pythagoricien, c'est d'abord pratiquer le silence et travailler dans l'ombre pendant une durée allant de trois à cinq ans. Cette épreuve franchie, l'adepte est admis au repas communautaire. S'il est incapable de faire taire ses passions pendant une aussi longue durée, il quitte l'Ordre sans autre forme de procès et on lui remet ses biens qui avaient été placés sous scellés.

Un frère, disait Pythagore, c'est un autre soi-même. Cette maxime n'était pas théorique, mais souvent appliquée. Dans des combats, par exemple, des pythagoriciens appartenant à des armées ennemies baissaient les armes lorsqu'ils avaient fait le signe rituel leur permettant de s'identifier. Un jour, un pythagoricien mourut chez un aubergiste après une longue maladie; comme il n'avait plus d'argent, son hôte s'était proposé pour payer les remèdes et la nourriture. Qui me remboursera, demanda-t-il au pythagoricien qui agonisait? N'aie aucune inquiétude, lui répondit-il; accroche cela à ta porte. Il lui tendit une tablette sur laquelle il venait de tracer un signe mystérieux. Longtemps après, un pythagoricien passa devant l'auberge et vit la tablette. Il entra, et demanda à l'aubergiste pourquoi il l'avait accrochée. Apprenant l'infortune de son frère, il remboursa le brave homme et reprit son chemin. Un autre événement prouvera l'intensité des sentiments fraternels qui régnaient dans l'ordre : le tyran Denys l'Ancien avait fait mettre en prison le pythagoricien Phintias. Je peux, lui dit ce dernier, te fournir des preuves de mon innocence à condition que tu me relâches. Le tyran refuse, croyant à une ruse. Alors se présente le pythagoricien Damon qui se laisse emprisonner à la place de Phintias. S'il ne revient pas avant le coucher du soleil avec les preuves de son innocence, Damon sera exécuté. Phintias revient, et les deux pythagoriciens sont libérés.

Que chacun, recommandait Pythagore, se conduise le plus parfaitement possible dans la charge qui lui est attribuée, qu'elle soit rituelle, sociale ou familiale. Toute responsabilité est une occasion de s'améliorer, l'ordre social peut être un reflet de l'ordre cosmique si l'humanité le désire. Un tel idéal de fraternité fit passer un souffle purificateur dans un monde gréco-romain où d'énormes foules venaient voir couler le sang dans les arènes. L'unité spirituelle et affective qui régnait entre les pythagoriciens modela partiellement l'âme du christianisme et, par son intermédiaire, celle des bâtisseurs de cathédrales. On ne s'étonnera pas, en conséquence, de voir figurer la fraternité au premier plan des valeurs maçonniques.

Essayons de cerner de plus près l'enseignement pythagoricien et de déceler en lui l'une des préfigurations de la symbolique des Francs-Maçons. Au serment et au silence, qui semblent propres à toutes les sectes initiatiques s'ajoute le sens de la « Mesure » qui est une application des lois géométriques. Celui qui le possède peut devenir « Maître des choses » en utilisant le message dévoilé lors des réunions secrètes. Notons que ceux qui trahissent sont passibles de la peine de décapitation; or, le geste rituel de l'apprenti maçon consiste précisément à figurer une décollation. Par son serment, il s'est engagé à tenir secrets les mystères maçonniques. Sinon, il aura la tête tranchée. Ce châtiment n'a probablement jamais été éxécuté à l'époque du pythagorisme; il ne le fut jamais en Maçonnerie. Symboliquement, il signifie que le parjure se prive de sa tête, de son organe pensant qui lui aurait permis de progresser sur la voie initiatique.

Lors de la cérémonie initiatique pythagoricienne, le postulant était nu. A la fin du rituel, on lui remettait une toge blanche, signe de la rectitude et de l'irradiation du Bien qui pénétrait dans son âme. Nous trouvons le même processus chez les Francs-Maçons qui offrent à l'initié du premier degré un tablier blanc qu'il ne devra jamais souiller par des actions irresponsables. Les Compagnons du Tour de France ont conservé le symbole de la nudité totale; les Maçons, peut-être en raison d'un courant moralisateur, laissent quelques vêtements au néophyte.

Pour s'identifier, les pythagoriciens se donnaient une poignée de main dont le prototype est connu en Egypte. Nous n'en connaissons pas les modalités exactes; les Maçons ont conservé le symbole. Un autre moyen d'identification était une sorte de cathéchisme où alternaient questions et réponses rituelles. Par exemple, on demandait : « Qu'est-ce que les îles des bienheureux? », et l'initié devait répondre : « Le soleil et la lune. » Ou bien : « Qu'y a-t-il de plus sage? », « le Nombre »; « qu'y a-t-il de plus beau? », « l'Harmonie »; « qu'est-ce que la nature? », « c'est l'autre ». Les Maçons eurent toujours à leur disposition un semblable « catéchisme » qui, outre sa fonction d'identification, contenait l'essentiel des mystères maçonniques sous l'apparence de formules hermétiques.

L'acte communautaire fondamental des Pythagoriciens était le banquet; dix convives au maximum y assistaient. Cette règle évoque la présence de dix officiers de la Franc-Maçonnerie qui président aux destinées de la Loge. Nous reviendrons ultérieurement sur leur importance; retenons, pour le moment, l'institution du banquet où la communion matérielle s'ajoute à la communion des âmes. Après le repas, les Pythagoriciens s'adonnaient au travail et à la lecture; c'était l'ancien qui choisissait un texte rituel lu par le plus jeune et proposé à la méditation des Frères. Dans les « Banquets d'Ordre » de la

Franc-Maçonnerie où la tradition est respectée, on ne procède pas autrement.

Fait important pour le déroulement de notre enquête, les Pythagoriciens comptaient parmi eux des bâtisseurs. Le plus bel exemple de leur travail est sans doute la célèbre basilique de la Porte Majeure, à Rome, en bordure de la voie Prénestine. Il s'agit d'un temple-caverne, analogue au « cabinet de réflexion » de la Maçonnerie; comme l'a remarqué Carcopino, le temple des pythagoriciens est situé sous la terre en vertu de l'adage « ne parle pas sans lumière des choses pythagoriciennes » : ne pas utiliser, par conséquent, la lumière extérieure qui n'est qu'un faux éclat, mais la clarté venant de l'intérieur des choses, du centre de la terre. Malgré sa situation, en effet, la basilique de la Porte Majeure n'était pas plongée dans l'obscurité; de savantes ouvertures distribuaient aux adeptes une lumière filtrée qu'ils identifiaient à la grâce divine.

Parmi les symboles majeurs de l'Ordre, le nombre sept influença directement la Franc-Maçonnerie. Selon Pythagore, sept symbolise le non engendré, la Sagesse toujours vierge malgré les malversations que les hommes commettent en son nom; sept est le nombre du Maître Maçon. Dans le domaine de la géométrie, les Pythagoriciens vénèrent aussi un triangle sacré où ils voient le principe créateur de l'univers. Ce triangle sacré est placé au-dessus du Vénérable dans la loge maçonnique.

On nous permettra de signaler un curieux détail; chez les Pythagoriciens, la grue était un oiseau symbolique. S'adaptant aux conditions atmosphériques, elle faisait allusion à l'adaptabilité du sage face aux événements heureux et malheureux. Son ramage imite la voix de l'homme et elle découvre les meurtriers des sages; de plus, les familles de grues volent en triangle, prouvant qu'elles sont héritières directes de la sagesse. Cette grue pythagoricienne détentrice de tant de mystères, on peut encore la contempler au sommet du grand arc du porche intérieur de la basilique Sainte-Marie-Madeleine, à Vézelay.

Dans les temples pythagoriciens, l'initié chargé de diriger les travaux de l'assemblée et de dégager la signification ésotérique des paroles échangées se tenait au fond de l'édifice. L'évêque chrétien siègera, lui aussi, au fond de l'abside et le Vénérable maçonnique sera installé à l'extrémité orientale de la Loge. De nouvelles recherches montreront à quel point les communautés pythagoriciennes ont orienté le destin des assemblées à caractère spirituel qui naquirent pendant l'ère chrétienne; la spiritualité maçonnique, comme beaucoup d'autres, ne saurait se comprendre sans des références au pythagorisme.

CHAPITRE V

ASSOCIATIONS INITIATIQUES
AU TEMPS DU CHRIST

Notre rapide examen des initiations antiques aura montré, nous l'espérons, que leurs idéaux, leurs symboles et leurs rites furent en partie préservés par la Franc-Maçonnerie. Après avoir évoqué les sociétés secrètes d'Egypte et de Grèce, nous atteignons maintenant une époque décisive dans l'histoire de l'Occident. Avec la naissance du Christ, une certaine idée du monde s'efface, une autre apparaît. L'église catholique s'oppose progressivement à toutes les religions anciennes et, avec l'aide du pouvoir politique, prend le pas sur elles.

La naissance du christianisme est un problème très complexe. Notre intention n'est pas de l'étudier en profondeur, mais simplement de signaler l'existence de trois communautés initiatiques contemporaines du Christ : les Esséniens, les Gnostiques et les Thérapeutes dont les Maçons recueillirent certains enseignements. A côté du christianisme officiel, en effet, se forma un christianisme parallèle qui, en s'appuyant sur une interprétation différente des paroles du Seigneur, proposa une spiritualité encore mal connue.

La secte juive des Esséniens s'installa en Palestine pendant le IIe siècle avant Jésus-Christ. Elle fut rapidement suspectée d'hérésie et la Synagogue ne tarda pas à « excommunier » cette confrérie qui vivait en marge des autorités reconnues. Vers 65 avant Jésus-Christ, les Esséniens furent persécutés et leur Grand Maître fut probablement exécuté après d'atroces supplices. Ils s'exilèrent un certain temps, puis fondèrent une nouvelle communauté sur le site de Qumran, au sud de Jéricho, dans une région désertique. Elle subsista jusqu'à 70 après Jésus-Christ; de nouveaux dangers la menacèrent et les Esséniens disparurent définitivement de l'histoire à cette date, après avoir caché leurs livres sacrés.

En 1947, un Bédouin en découvrit une partie dans une grotte; en 1952 et en 1955, de nouvelles trouvailles ressuscitèrent la secte des Esséniens. Grâce aux fouilles, on identifia le cénacle pour les banquets, les bassins pour les bains rituels, une grande malle pour les travaux communautaires et un scriptorium pour la rédaction des textes. N'oublions pas que plusieurs de ces écrits furent traduits au Moyen Age et qu'ils firent donc partie des connaissances détenues par les Maîtres d'Œuvre.

L'entrée dans la communauté essénienne était sévèrement réglementée. Le postulant devait obéissance à un instructeur qui guidait chacun vers la Connaissance selon les aptitudes personnelles. Une fois admis par cet instructeur, le néophyte attendait un an; il n'était plus dans le monde extérieur, mais n'était pas encore membre de la confrérie. Périodiquement, on le purifiait par des bains rituels et on observait son caractère, sa manière de vivre, ses dispositions intellectuelles. S'il était reconnu apte à comprendre les mystères, l'adepte subissait deux nouvelles années d'épreuves avant son admission définitive.

Les décisions le concernant étaient prises par un conseil d'anciens qui examinaient son évolution spirituelle avec beaucoup de rigueur. Les années probatoires n'étaient épargnées à personne; lorsque l'ultime vote se révélait positif, l'adepte pouvait enfin participer au banquet rituel. « On examinera leur esprit, dit la Règle des Esséniens à propos des postulants, et l'on examinera leurs œuvres année après année, de façon à promouvoir chacun selon son intelligence et la perfection de sa conduite ou à le rétrograder selon les fautes qu'il aura commises. »

La Règle recommande de ne rien cacher des enseignements secrets aux nouveaux membres. Chaque frère doit guider son égal sur le chemin de l'initiation et le faire participer aux mystères qu'il aura découverts par sa recherche personnelle. Il est également demandé aux adeptes de se réprimander l'un l'autre et de ne pas succomber à une sensiblerie qui irait à l'encontre de la véritable fraternité ; si chacun est capable de dominer ses passions, la plus totale sincérité se révélera fructueuse. « Et nul, précise la Règle, ne descendra au-dessous du poste qu'il doit occuper ni ne s'élèvera au-dessus de la place que lui assigne son lot. » Ainsi, la communauté entière deviendra un authentique corps spirituel.

Le rite essentiel était le banquet. Après s'être baignés, les Esséniens revêtaient des habits réservés à l'événement. Aucun profane n'était admis au banquet qui s'ouvrait dans un profond silence ; puis le président élu par ses frères récitait une prière afin de sacraliser l'assemblée. Lorsque le néophyte était admis pour la première fois au banquet, il prêtait un serment qualifié de redoutable. Il jurait d'observer une inaltérable piété envers Dieu, de pratiquer la justice envers les hommes sans jamais nuire à personne, de combattre aux côtés des initiés contre l'erreur, de respecter les chefs de l'Ordre, de ne pas céder aux vanités, d'aimer par-dessus tout la vérité et de garder les mains pures. « Il jure encore, poursuit le texte essénien, de ne rien cacher aux membres de la secte comme de ne rien révéler à d'autres qu'eux, même si l'on usait de violence envers lui jusqu'à la mort » ; de plus, il ne devra communiquer aucun enseignement autrement qu'il l'aura reçu lui-même.

Les Esséniens affirmèrent qu'ils détenaient le sens ésotérique de la Bible. La signification littérale leur semblait destinée à des hommes futiles, alors que le sens symbolique du livre servait de base à l'initiation. De telles prétentions, sans doute justifiées, attirèrent la vindicte des juifs dits « orthodoxes » qui ne parvenaient pas à percer les secrets de la communauté essénienne.

Tous les aspects que nous venons d'évoquer s'appliquent aux confréries maçonniques. Ajoutons que la méthode de travail des Esséniens est toujours en vigueur dans les loges. « Que personne, proclame un texte, ne parle au milieu des paroles d'un autre, avant que cet autre n'ait fini de parler. Et, en outre, qu'on ne parle pas avant son rang. » Les dignitaires ouvrent la séance, puis les anciens approfondissent le sujet traité; chaque adepte, enfin, a le loisir de reprendre les idées abordées et d'en tirer un nouveau développement. Lorsqu'un Essénien éprouve le désir de prendre la parole, il se lève et dit : « J'ai quelque chose à dire aux Nombreux. » Si celui qui préside la séance donne un avis favorable, la parole est accordée.

Le titre courant de l'initié Essénien est « Fils de la Lumière »; en devenant membre du conseil de l'Ordre, il a participé à la guerre des Fils de la Lumière contre les enfants des ténèbres; ces derniers équivalent aux nations privées de Dieu et surtout aux Romains, les occupants de la Palestine.

L'initié Essénien, comme l'initié Franc-Maçon, peut devenir un Maître. Le mythe central de l'Essénisme est le martyre du Maître de Justice, chef suprême de la communauté supplicié aux environs du IIe siècle avant Jésus-Christ par un odieux tyran nommé « le prêtre impie ». Fait capital, le Maître de Justice fut trahi par les siens, de même que Maître Hiram eut à subir la vilenie de trois compagnons qui étaient sous ses ordres; de plus, le Maître de Justice, comme Hiram, pratiquait le métier d'architecte. C'est lui, nous disent les textes, qui établit les fondations sur le roc et utilisa le cordeau de justice pour la charpente. Il se servait aussi du fil à plomb de vérité pour contrôler les pierres éprouvées.

Comme dans le pythagorisme, il était interdit de prononcer le nom du Maître, l'Anonyme par excellence selon la remarque de Dupont-Sommer. Il était l'exemple à suivre, le modèle à respecter; supplicié et trahi, il n'en restait pas moins le Maître chargé de bâtir la communauté et de soulager la misère des hommes. Le rapprochement avec la légende rituelle du grade de Maître

Maçon est évident et nous sommes certainement en présence d'une filiation directe qui, à notre connaissance, n'avait pas encore été signalée.

Dans le domaine des symboles, nous relevons au moins trois symboles esséniens que conserva la Franc-Maçonnerie. Le premier est un pagne de lin qui indique la nécessité d'une purification constante; l'apprenti Maçon reçoit un tablier de peau blanche qui lui inculque une notion comparable. Le second est la hachette qui devint le maillet du Vénérable maçonnique; on la retrouve également dans le symbole de la « pierre cubique à pointe » dont le sommet est entaillé par une hache. Le troisième est l'étoile, symbole essentiel du grade de Compagnon Franc-Maçon; « l'étoile, nous apprend l'Ecrit de Damas, c'est le chercheur de la loi ». Le rôle du Compagnon est précisément de chercher la vérité en voyageant à travers le monde.

Au courant essénien doit être ajouté le courant gnostique. Cette fois, nous ne sommes plus en présence d'une communauté bien définie dans l'espace et dans le temps; le gnosticisme est une idéologie composite où se mêlent des éléments égyptiens, grecs, perses, babyloniens, juifs et chrétiens. La Gnose se situe elle-même au-dessus des partis et des religions, cherchant à déceler le sens ésotérique de toutes les confessions. Jusqu'à la fin du IIe siècle, elle s'affirme comme l'ésotérisme chrétien; l'enseignement gnostique est réservé à ceux qui désirent aller au delà du baptême et pénétrer les secrets du monde céleste. Chose surprenante, la Gnose bénéficia d'une sorte d'existence légale au sein de l'église; comme dans l'antiquité, il y avait une église extérieure pour le grand nombre et une église intérieure pour le petit nombre. La Maçonnerie médiévale reprendra le même idéal, en prolongeant les révélations offertes à tous. A l'origine, par conséquent, la Gnose était un approfondissement de la Foi.

Cette situation ne dura guère. Une fraction de l'église chrétienne accusa les gnostiques des crimes les plus abjects; leurs réunions, dit-elle, ne sont que des orgies sexuelles et ils vont même jusqu'à tuer la femme

enceinte et à manger l'embryon. Des indicateurs appartenant à l'église officielle s'infiltrèrent dans les cercles
gnostiques, recopièrent des listes de membres et les
dénoncèrent à la justice sous des prétextes plus mensongers les uns que les autres. Plusieurs gnostiques furent
obligés d'avouer des fautes imaginaires à la suite de tor-
tures et une haine irréductible finit par opposer le gnosticisme au dogme chrétien. Il est étrange de constater
que les mêmes accusations seront portées, bien plus
tard, contre la Franc-Maçonnerie et que les mêmes
méthodes de délation seront employées à son égard.

Pourtant, à la lueur des textes gnostiques dont les
éditions et les traductions se multiplient depuis
quelques années, on s'aperçoit que ce courant d'idées
était porteur d'une fervente spiritualité. Les gnostiques,
eux aussi, se nommaient « Fils de la Lumière » ; leur
hiérarchie initiatique comportait trois degrés, à savoir la
purification, l'illumination et la perfection. A leur avis,
le baptême chrétien n'avait qu'un but « psychique » ; il
fallait dépasser ce stade pour atteindre la régénéra-
tion.

Le seul Homme réel, d'après les gnostiques, c'est la
communauté fraternelle, ce grand corps où circule
l'énergie divine qui crée toutes choses. Par elle, on
connaît le suprasensible et on transforme la croyance en
connaissance. Les gnostiques ne trouvaient pas la
sagesse dans les écrits chrétiens mais dans les révélations des mystères antiques, particulièrement des
mystères égyptiens. Ils insistèrent souvent sur la figure
du démiurge, l'ordonnateur de l'univers, dont les
Maçons feront le Grand Architecte de l'Univers. Ils com-
muniquaient volontiers entre eux à l'aide d'un alphabet
ésotérique chiffré dont l'alphabet maçonnique, qui n'est
plus pratiqué aujourd'hui, sera une ultime résurgence.

Avec les Gnostiques, c'est une nouvelle page de l'histoire des initiations qui est tournée. Ils ne sont pas
bâtisseurs, mais penseurs; ils ne forment pas une confrérie bien structurée, mais alimentent un courant d'opinions fondé sur la recherche ésotérique. En outre, ils
sont les premiers opposants chrétiens au christianisme

d'état; mécontents de la direction spirituelle des affaires de l'église, ils donnent un autre aspect du message christique et désirent affirmer une profonde originalité par rapport à ce qu'ils considèrent comme une trahison de l'enseignement du Christ. Un certain Moyen Age, avec beaucoup moins de virulence, fut gnostique; il existe encore de nos jours une Franc-Maçonnerie gnostique, une « église de Jean » qui désire aller au delà des propositions de l' « église de Pierre ».

Une troisième association initiatique du temps de Jésus mérite notre attention : les Thérapeutes, littéralement « les guérisseurs ». Selon Philon d'Alexandrie, qui écrivit un livre sur cette confrérie, ils sont « citoyens du ciel et du monde, réellement unis au Père et au Créateur de l'univers par la vertu qui leur a procuré l'amitié de Dieu ». Comme chez les Esséniens, le rite principal est le banquet. Plusieurs détails évoquent la Franc-Maçonnerie d'une manière très concrète; le geste rituel, par exemple : la main droite entre la poitrine et le menton, la main gauche tombant le long du corps. C'est exactement le geste propre au grade de Compagnon Maçon. L'ordonnance des travaux pendant le banquet est également intéressante : aucun esclave pour servir aux tables, mais de jeunes initiés qui apprennent l'humilité. Pendant les banquets maçonniques traditionnels, ce sont les nouveaux apprentis qui s'acquittent de cette tâche. Au cours de ces réunions qui ont lieu toutes les sept semaines, les Thérapeutes s'attachent au contenu ésotérique des livres écrits par les anciens; vêtus de blanc, les mains purifiées, ils mettent en œuvre une pensée créatrice commune afin de contempler l'invisible à travers le visible. Surtout, demandaient les Thérapeutes, que l'on ne confonde pas les banquets initiatiques avec de banales ripailles.

Transportons-nous au XVIII⁰ siècle de notre ère et relisons ce fragment du discours écrit par le Franc-Maçon Ramsay : « Nos festins ne sont pas ce que le monde profane et l'ignorant vulgaire s'imaginent. Tous les vices du cœur et de l'esprit en sont bannis et on a proscrit l'irréligion et le libertinage, l'incrédulité et la débauche.

Nos repas ressemblent à ces vertueux soupers d'Horace, où l'on s'entretenait de tout ce qui pouvait éclairer l'esprit, régler le cœur et inspirer le goût du vrai, du bon et du beau. » Même idéal, par conséquent; de plus, le banquet maçonnique repose sur un symbolisme : la table, c'est l'atelier; la nappe, le voile du saint des saints; l'assiette, la tuile; la cuiller, la truelle; le couteau, le glaive; le pain, la pierre brute; les mets, ce sont les matériaux de construction du temple.

Esséniens, Gnostiques et Thérapeutes contribuèrent à créer un état d'esprit et à propager des symboles qui ne furent pas oubliés du Moyen Age et qui s'intégrèrent même dans les structures maçonniques du xviiie siècle. De ces associations initiatiques naquit un christianisme non orthodoxe qui ne disparut jamais complètement et qui trouva tout naturellement refuge dans les confréries postérieures.

CHAPITRE VI

LES ADEPTES DE MITHRA
ET L'INITIATION ROMAINE

La civilisation romaine ne brille pas par ses qualités spirituelles et religieuses. Malgré la force de la religion d'état, d'ailleurs inféodée à la politique, Rome donne l'image d'une nation militaire surtout préoccupée de rayonnement matériel et économique. Pourtant, Rome est l'aboutissement des grandes civilisations antiques qui avaient connu la primauté de l'esprit; elle accueillit en son sein des tendances initiatiques qu'elle toléra à condition que les confréries se limitent à leurs travaux ésotériques et ne s'adonnent pas à la politique.

Le grand mouvement initiatique qui traversa la civilisation romaine est incontestablement le Mithraïsme. Mithra, ancien dieu iranien de la lumière, pénétra en Europe au Ier siècle avant Jésus-Christ par l'intermédiaire de marins venant de Cilicie. On racontait qu'il était sorti d'un arbre ou d'une pierre, tenant un globe d'une main et le zodiaque de l'autre. Après de nombreuses péripéties, il avait quitté cette terre à la suite d'un banquet en compagnie du soleil. La progression du culte et le recrutement des adeptes demeurent très mystérieux; on ne connaît même pas le « programme » originel de la secte qui connut un immense succès dans la Rome des IIe et IIIe siècles après Jésus-Christ; Trajan fit même construire un mithraeum dans sa villa de l'Aventin et les plus hautes autorités civiles protégèrent la confrérie. En 308, c'est l'apogée; Dioclétien, Galérius

71

et Licinius se rendent à Carnutum, près de Vienne. Là, ils procèdent à la consécration d'un temple de Mithra et reconnaissent le dieu comme protecteur suprême de la puissance impériale. « Si le christianisme eut été arrêté dans sa croissance par quelque maladie mortelle, écrivit Ernest Renan, le monde eût été mithriaste. »

Les difficultés les plus graves suivront de peu l'apogée; certes, Julien l'Apostat, farouchement antichrétien, accordera ses faveurs au culte de Mithra. Les légions romaines le pratiquaient avec ferveur et l'implantaient partout où elles passaient. Inquiets, les chefs du christianisme sont très attentifs et leurs intrigues finissent par réussir; en 389, à Alexandrie, des émeutiers attaquent un temple de Sérapis et un temple de Mithra. Malgré la résistance des prêtres, ils saccagent les lieux saints et laissent derrière eux de nombreux morts. Cette folie destructrice faisait suite aux graves événements de 377 pendant lesquels le préfet Gracchus avait donné l'ordre de dévaster un mithraeum à Rome. L'instigateur de ces actes violents n'était autre qu'Ambroise, archevêque de Milan. En février 391, un décret interdit les cultes païens à Rome; en novembre 392, toute pratique païenne, même en privé est rigoureusement proscrite. Le coup est mortel pour mithraïsme d'autant plus que son meilleur soutien, l'armée romaine, s'affaiblit de plus en plus. Dans les premières années du ve siècle, il n'y a plus trace de grandes célébrations en l'honneur de Mithra. Pourtant, cette exceptionnelle société secrète s'était implantée en Italie, en France, en Angleterre, en Allemagne, en Espagne et dans de nombreuses autres régions, allant jusqu'aux limites de l'empire romain; le plus grand temple de Mithra, qui a 26 mètres de long, se trouve à Sarmizegetusa, en Roumanie. C'est sans doute en Allemagne, où le mithraïsme précéda le christianisme, que la réussite fut la plus complète; les mithraea y étaient très nombreux, les travaux ésotériques des initiés se concrétisèrent par des représentations artistiques qui nous permettent de connaître la pensée de la secte.

Les temples de Mithra sont généralement assez petits

puisqu'ils n'étaient pas destinés à une grande foule; dans tous les cas, ils symbolisent le cosmos. La voûte équivaut au firmament étoilé et l'ensemble doit se présenter comme une grotte relativement obscure; de chaque côté de l'axe central sont disposées des banquettes sur lesquelles prennent place les initiés. Au fond, un grand panneau sculpté montre le dieu Mithra tuant le taureau; par cet acte, il devient maître de l'énergie mystérieuse qui crée la vie et propose aux adeptes de suivre son exemple. Près de la niche où s'abrite la sculpture, une flamme brille éternellement. Au passage, remarquons que la disposition des temples maçonniques contemporains est pratiquement identique à celle des temples de Mithra. De même que le dieu portait un bonnet phrygien, de même le Vénérable qui dirige les cérémonies au grade de Maître Maçon porte le chapeau des Maîtres d'Œuvre qui fut quelquefois symbolisé au Moyen Age par le bonnet mithriaque. Sur certains sites, le mithraeum proprement dit est précédé d'un vestibule qui comporte une salle d'attente pour les postulants; elle correspond au « cabinet de réflexion » de la Franc-Maçonnerie où le néophyte meurt au vieil homme.

Notons également l'importance du nombre sept, celui de Maître Maçon; outre les sept grades du mithraïsme que nous évoquerons ci-dessous, il existe aussi des édifices dont le module est sept, comme le mithraeum d'Ostie, le temple des sept sphères qui constituent l'univers. Les sept portes du lieu saint symbolisaient les sept degrés de l'initiation, elles étaient même représentées sur quelques sols en mosaïque.

Lorsqu'un profane demandait son admission parmi les adeptes de Mithra, il subissait une longue pré-initiation où il recevait un premier enseignement portant principalement sur l'astrologie, les rapports de l'homme avec l'univers et les premiers rudiments de la langue des mystères. Si les adeptes jugeaient que le néophyte avait les possibilités spirituelles, intellectuelles et morales pour participer à leurs travaux, ils lui faisaient prêter un serment dont nous avons conservé le texte : « Je jure, disait-il, en toute certitude et en toute bonne foi, de conserver le secret des mystères. Que la fidélité à mon serment me soit bénéfique, mais que l'indiscrétion me soit maléfique. »

Sur la cérémonie d'initiation qui marquait l'entrée dans l'Ordre, nous ne disposons que d'informations fragmentaires. Elles sont pourtant très intéressantes et seront reprises par la Franc-Maçonnerie. Le néophyte, complètement nu, avait les yeux bandés et les mains liées, comme on le voit au mithraeum de Capoue. Au moment capital de la cérémonie, le postulant s'étend sur le sol afin de symboliser un cadavre; auparavant, il avait été poussé dans le dos mais un adepte l'avait empêché de tomber brutalement à terre. Le néophyte prend donc la place de l'initié assassiné par l'incompréhension des hommes; la communauté a pour rôle de le ressusciter et de faire revivre l'esprit en chaque nouvel adepte. On montrait même au postulant une épée gluante de sang; c'est elle qui avait été utilisée lors du meurtre du Maître, c'est elle qu'on utiliserait pour punir le parjure. Bien entendu, on procédait aux épreuves de la terre, de l'air, de l'eau et du feu. Lors de la troisième, l'initié franchissait un fossé rempli d'eau; lors de la quatrième, il passait au-dessus d'un brasier. A la fin de la cérémonie, le nouvel adepte serrait la main droite du « Père », le président de l'assemblée. Ces trop rares détails sont si proches du rituel maçonnique que l'on peut imaginer une transmission ininterrompue de l'idéal mithriaque à partir du ıve siècle après Jésus-Christ. Comme il est de règle, la suppression de la secte ne s'accompagna pas d'une suppression de son message.

L'initiation complète comprenait sept grades. Le premier se nommait « Corbeau » car l'oiseau apportait à l'humanité les enseignements de Mithra; l'initié à ce grade avait pour emblème rituel le caducée. Le second grade était le Nymphus, c'est-à-dire, l'épousé; disposant d'un voile de marié et d'un flambeau, il célébrait l'union mystique avec le Dieu. A ce stade, on éclairait le temple. Le troisième grade est le Soldat qui reçoit une épée; en revanche, il refuse la couronne qui lui est proposée puisqu'il n'est pas encore digne de la royauté spirituelle atteinte au terme de l'initiation. Le quatrième grade est le Lion, vêtu d'un manteau rouge et disposant d'une pelle à feu. Il maîtrise l'action solaire et règne sur le feu; pendant le rituel d'initiation à ce grade, on lavait la langue du postulant avec du miel que l'on étendait ensuite sur ses mains. La couleur du miel est l'or, c'est un aliment solaire. Le cinquième grade est celui de « Perse », revêtu d'une tunique d'argent. Ses mains sont purifiées pendant l'initiation, et il est préposé à la garde des fruits de la terre; il tient une faucille et une faux. Sans nul doute, le faucheur des cathédrales gothiques toujours mis en relation avec un signe du zodiaque, est un lointain souvenir de ce grade initiatique. Le sixième grade est celui de « Coureur du soleil »; il tient un fouet, un flambeau et un globe. Peut-être était-il chargé de l'ordonnance des banquets sacrés. Le septième et dernier grade était celui du « Père », exactement vêtu comme Mithra. On lui remettait la canne, l'anneau et le bonnet phrygien. Détenteur de l'esprit de l'Ordre, il avait pour mission de répandre la Sagesse parmi ses pairs et de diriger les cérémonies. C'est lui qui, après le vote de la communauté, prenait l'ultime décision pour l'admission d'un nouveau membre ou pour l'élévation d'un adepte à un grade supérieur. Enfin, au sommet de la hiérarchie, régnait le Père des pères; rares, disait-on, sont ceux qui peuvent remplir cette charge, puisqu'elle nécessite la parfaite connaissance des symboles révélés par le Dieu.

Pour les adeptes de Mithra, chacun de nous doit apprendre à porter le fardeau de la vie en développant la maîtrise de soi; en brûlant les impuretés de leur âme par les épreuves initiatiques, les adeptes passent de l'état d'esclaves à celui d'homme libre. « Le héros est un juste, dit un texte, et cependant, il souffre, mais cette épreuve porte fruit. » « Sur mes épaules, proclamait un adepte, je porte jusqu'à la fin le mandement des dieux. » Le Mithraïsme fut incontestablement l'une des plus riches associations initiatiques de l'antiquité, autant par la fraternité que par son organisation symbolique; les sept grades étaient pratiqués dans tout l'empire romain et assuraient une grande cohérence à l'institution. De plus, les adeptes protégèrent l'artisanat et l'agriculture; plusieurs architectes furent initiés au mithraïsme et contribuèrent à propager ses idées dans les premières corporations de bâtisseurs. Certes, l'Eglise réussit à détruire la secte; voyant que certains irréductibles refusaient de s'incliner, elle mit en pratique un principe qui sera constamment respecté jusqu'à la fin du Moyen Age et même au delà : « récupérer » les idéologies vaincues et les christianiser. Le rocher de Mithra fut assimilé à la pierre sur laquelle est fondée l'Eglise du Christ, la grotte du taureau à Bethléem, les bergers de Mithra aux bergers qui annoncent la naissance du sauveur. Les polémistes chrétiens tentèrent de démontrer que le mithraïsme était une contrefaçon du christianisme et qu'il lui avait volé les symboles les plus profonds. Quelques esprits se laissèrent convaincre, d'autres demeurèrent dans l'ombre et continuèrent à propager l'état d'esprit des sociétés initiatiques.

Les aspects initiatiques de la civilisation romaine ne se limitent pas au seul mithraïsme; au IIe siècle avant notre ère, les cultes orientaux et les religions à mystères gagnèrent à leur cause la haute société de Rome et s'étendirent ensuite à l'ensemble des classes sociales. On pourrait relever maints détails qui s'expliquent par leur contenu ésotérique; le fameux Hercule, par exemple, fut considéré par les Pythagoriciens comme le juste vainqueur des épreuves rituelles; sur les sarcophages galloromains, on voit des compas, des équerres, des niveaux, des fils à plomb, des têtes de mort, des signes lapidaires, symboles qui seront repris par les confréries du Moyen Age et la Maçonnerie du XVIIIe siècle. Un initié, Firmicus Maternus, employa même le langage des quatre éléments pour analyser le monde: à l'Egypte correspondait l'eau, à la Phrygie la terre, à la Syrie l'air et à la Perse le feu. Ce sont les quatre pays où l'on pratiqua l'initiation et leurs secrets furent réunis à Rome. Un architecte comme Vitruve, vénéré par les Maçons médiévaux, affirmait que ceux qui désirent atteindre la perfection en n'utilisant que la main sont condamnés à l'échec ; « l'esprit sans le travail ni le travail sans l'esprit, écrivait-il, ne rendirent jamais aucun ouvrier parfait ». Lettré, géomètre, dessinateur, mathématicien, historien, philosophe, musicien, médecin et astrologue, Vitruve donna aux siècles postérieurs l'exemple de ce que doit être un Maître architecte.

Pour bien comprendre l'état d'esprit des corporations d'artisans de l'empire romain et suivre la trace des confréries initiatiques, il nous faut maintenant évoquer trois personnages que les Maçons considérèrent comme des initiés : le roi Numa, l'écrivain Apulée et le philosophe Boèce.

Numa, personnage historique, fut aussi un personnage mythique. Doté de la charge de Grand Pontife, il passait pour avoir organisé les rites secrets et publics de la religion romaine ; c'est lui qui aurait fondé les corporations des charpentiers, des forgerons, des musiciens et des tanneurs, aux environs de 700 avant Jésus-Christ. Son âme étant gouvernée par la vertu, il protégea particulièrement les corps de métier du bâtiment et leur donna des règles sacrées. Le fait est capital pour l'étude des sources de la Franc-Maçonnerie. A une époque très reculée, les corporations n'étaient donc pas de simples assemblées d'ouvriers mais des fraternités initiatiques qui divinisaient l'homme par le travail et veillaient jalousement sur leurs rites et leurs secrets. Chaque collège d'artisans disposait d'ailleurs d'un local qui lui était réservé et organisait des banquets réservés aux membres de la confrérie. Le nouvel initié prêtait serment et se pliait aux règles de l'Ordre dont les structures étaient fort souples ; à côté des initiés qui travaillaient la matière il y avait des membres dits « honoraires » qui étaient soit des intellectuels soit de grands personnages favorables aux confréries.

Tout s'explique lorsqu'on connaît la légende selon laquelle Numa était un disciple de Pythagore. Elle traduit la volonté des maçons de rendre cohérente leur histoire et d'établir une filiation de caractère ésotérique. On aurait même découvert à Rome la tombe de Numa ; à l'intérieur se trouvait un coffre où le monarque avait enfermé des livres traitant de l'enseignement pythagoricien. Le Sénat les fit saisir et donna l'ordre de les détruire par le feu, de tels écrits risquant de menacer la sérénité de l'Etat.

De la mort de Numa au milieu du 1er siècle avant Jésus-Christ, les fraternités d'artisan vivent en paix. Le pouvoir politique ne cherche pas à les contrôler de très près, et ils assurent leur propre gestion. Le prestige du vieux roi est immense; ses fondations semblent inspirées par la divinité et les Collèges de constructeurs sont indispensables à la bonne marche de la vie sociale. Mais la situation change en 64 avant Jésus-Christ; la République supprime les confréries par décret. Elles lui semblent dangereuses pour la sécurité nationale. Cette loi ne fut guère efficace et on l'abrogea peu de temps après; à partir d'Auguste, les confréries connaissent de nouveau une existence paisible car l'Empereur n'est pas indifférent à la pensée ésotérique. La grande figure de Numa lui apparaît comme une excellente « image de marque » pour la grandeur de l'empire; le roi de la très ancienne Rome restera cher au cœur des associations maçonniques puisqu'il sut unir l'administration de la cité à l'idéal initiatique.

Parcourons un grand espace de temps pour rencontrer Apulée qui naquit vers 125 et mourut après 170. Grand voyageur, il fit de longs séjours à Athènes, à Rome et à Carthage. Passionné par les sciences occultes et par le message des sociétés initiatiques, il fut initié à de nombreux mystères orientaux qui fleurissaient alors à Rome. Excellent orateur, il fit une vaste propagande pour les sociétés initiatiques auxquelles il appartenait et rédigea des traités de médecine, d'astronomie et d'arboriculture. Son œuvre la plus célèbre est un roman ésotérique intitulé *l'Ane d'or* où un nommé Lucius est transformé en âne par un maléfice. Après maintes péripéties, il adresse une prière à la lune et demande une mort rapide qui mettra fin à ses maux. La déesse Isis, émue par tant de souffrances, lui apparaît. Rends-toi sur le parcours d'une procession qui sera faite en mon honneur, lui dit-elle et mange l'une des roses de la couronne que le prêtre tient attachée à son sistre. Lucius réussit et retrouve immédiatement figure humaine. Comme il est nu, on le vêt d'une tunique et le grand prêtre lui dit : « Prends donc un visage joyeux en harmonie avec la blancheur de ton costume. » Lucius vient donc d'abandonner la lourdeur matérielle de l'homme, symbolisée par l'Ane; par l'absorption de la rose mystique, emblème d'un haut degré d'initiation, il se prépare à sa renaissance future.

Eprouvant une immense reconnaissance envers la déesse, il guette l'ouverture des portes de son temple. Impatient, il se rend auprès du grand prêtre et lui demande l'initiation. Attends, répond le grand prêtre, ne succombe ni à la précipitation, ni à la désobéissance. C'est la déesse elle-même qui t'annoncera le moment favorable. Effectivement, Isis lui apparaît pendant la nuit et Lucius comprend que l'acte de l'initiation figure une mort volontaire et un salut obtenu par la grâce. Après de nombreuses purifications, le grand prêtre lui donne en secret certaines instructions qui dépassent la parole humaine.

Dix jours de jeûne rituel sont imposés à Lucius avant la cérémonie d'initiation qui dure toute une soirée. Le grand prêtre lui offre une robe de lin et l'introduit dans la partie la plus reculée du sanctuaire; à partir de ce moment, Apulée refuse de révéler davantage. Il avoue encore : « J'ai approché les limites de la mort, j'ai foulé le seuil de Proserpine et j'en suis revenu porté à travers tous les éléments; en pleine nuit, j'ai vu le soleil briller d'une manière étincelante; j'ai approché les dieux d'en bas et les dieux d'en haut, je les ai vus face à face et les ai adorés de près. » Au matin qui suit l'initiation, Lucius est couronné de palmes et porte douze robes de consécration qui correspondent aux douze signes du zodiaque. Le grand prêtre, notons-le au passage, se nomme Mithra! Ensuite, Lucius recevra deux nouvelles initiations au sujet desquelles il garde un silence total. Le roman d'Apulée connut un immense succès, sa profonde connaissance de l'initiation réjouit le cœur des adeptes qui, par la suite, adoptèrent volontiers le conte ou la fable d'apparence grotesque pour transmettre la pensée initiatique, à ceux qui savaient lire entre les lignes.

Le troisième personnage que les Maçons considéraient comme un des leurs est le philosophe Boèce. Né en 480, il appartient à une riche famille et fait de longues études scientifiques. En 510, il est maître des offices du palais à la cour de Théodoric dont il est un ami personnel. Il a une grande influence sur le monarque; sa noblesse un peu hautaine déclenche des jalousies et, peu à peu, ses ennemis le rendent suspect aux yeux de Théodoric. A la suite d'une accusation montée de toutes pièces, Boèce est emprisonné à Pavie. Il est coupable, affirment de faux témoins, parce qu'il a dissimulé des documents officiels et qu'il a voulu nuire à la puissance des Goths. Boèce essaye de se défendre, mais le procès est truqué; le 23 octobre 524, il est mis à mort. Comme saint Denys, il prit sa tête coupée entre ses mains et la porta sur un autel, en signe d'offrande à Dieu. Au XIe siècle, l'empereur Othon fit déposer ses restes dans un tombeau de marbre.

Le Moyen Age admirait beaucoup « La Consolation de la Philosophie », l'ouvrage que Boèce écrivit pendant sa douloureuse captivité. Elle apparaissait comme l'œuvre d'un juste capable de résister à la souffrance et à la stupidité des hommes parce qu'il avait reçu le sacrement de l'initiation. Cette Philosophie est une femme immense aux yeux ardents; de son front, elle touche le ciel. Elle tient un sceptre et deux livres, l'un ouvert, l'autre fermé. Les sculpteurs médiévaux la représenteront à Laon et à Notre-Dame de Paris; ils en firent l'un des symboles de la Notre Dame des cieux, patronne des confréries de Maçons. « La vraie noblesse, écrivait Boèce, est conférée par les ancêtres initiés. » Ils détiennent la tradition et font participer aux mystères ceux qui en sont dignes. Si l'homme écoute la maxime de Pythagore, « suivre Dieu », il se divinisera et connaîtra la nature profonde de la vie.

Le Mithraïsme légua à la postérité des symboles et un

cadre rituel très cohérent; des initiés comme Numa, Apulée et Boèce lui léguèrent un certain type de pensée, une forme d'idéal qui furent appréciés à leur juste valeur par les confréries de bâtisseurs. Alors que le paganisme politique s'écroulait, la substance initiatique de l'ancien monde trouvait naturellement refuge dans les collèges d'artisans. Il est utile de faire une brève parenthèse et de nous interroger sur la manière dont l'église chrétienne appréciait le mode de vie des constructeurs d'édifice.

CHAPITRE VII

LES BATISSEURS
ET LE CHRISTIANISME PRIMITIF

Le christianisme naît dans une société où les plus hautes valeurs spirituelles sont détenues par les sociétés initiatiques. Il ne les a pas ignorées et, à partir du IVᵉ siècle, s'est souvent montré injurieux ou critique à leur égard. De leur côté, les initiés avaient reçu l'ordre de pas ouvrir certains livres hermétiques devant les chrétiens, de peur que ces derniers ne s'en emparent pour les détruire. Dans cette opposition tantôt ouverte tantôt latente entre christianisme et sociétés initiatiques, trois dates sont à retenir parmi d'autres : 313, 351 et 375. En 313, Constantin fait promulguer l'édit de Milan qui accorde la liberté de culte aux chrétiens et aux non-chrétiens. En réalité, c'est une grande victoire de la religion nouvelle qui gagne la confiance du pouvoir et devient la foi officielle. Le clergé reçoit beaucoup d'argent, on construit de nombreuses églises, les prélats exercent une influence politique notoire. En 351, l'empereur Julien commence à se détourner du christianisme; il a beaucoup étudié les doctrines néo-platoniciennes qui sont largement diffusées par les confréries initiatiques et trouve plus de richesses dans ce type de pensée que dans la religion chrétienne. L'empereur est initié au culte de Mithra vers 358 et menace sérieusement l'église; mais sa mort brutale met fin à la vague d'antichristianisme qu'il favorisait. Vers 375, le philosophe Priscillien donne le jour à une secte chrétienne très originale qui a pour but de délivrer le christianisme de l'administration romaine. Refusant toute hiérarchie, Priscillien tente d'unir ceux qu'il considère comme de vrais adeptes du Christ, notamment des gnostiques. Pour lui, seule compta l'église primitive dépourvue de fastes extérieurs et d'ambitions politiques. Priscillien obtint une certaine audience; un personnage aussi important que saint Martin de Tours lui accordait même une oreille attentive et tentait de favoriser la confrérie d'une manière discrète. Mais Rome veillait; après le danger païen ravivé par Julien, c'était maintenant un autre danger venant de l'intérieur de la religion chrétienne. Priscillien fut exécuté, sa bibliothèque d'écrits ésotériques dispersée; les adeptes qui s'étaient rassemblés autour de lui entrèrent dans la clandestinité et leur confrérie disparut définitivement.

Ces quelques rappels historiques montrent que les débuts du christianisme furent assez mouvementés dans le domaine de la foi; c'est pourquoi une question doit être posée : existait-il une initiation spécifiquement chrétienne? Il n'est pas possible de répondre avec une certitude absolue, mais nous possédons néanmoins des documents assez significatifs. Si l'on examine, par exemple, l'œuvre du Pseudo-Denys l'Aréopagite, on s'aperçoit qu'il demande à ses frères chrétiens de lever les yeux vers l'initiation. En recevant le « dépôt » des mystères, ils comprendront les rites et les symboles, ils recevront un nouveau nom. Il y a, dit Denys, un secret divin dans la hiérarchie que connaissent ceux qui ont franchi les trois degrés de l'initiation. Le titre le plus élevé est celui de « Moine »; totalement nu pendant la cérémonie, il recevait un nouvel habit à la suite du baiser de paix. Or, ce Denys évêque d'Athènes qui prônait l'initiation chrétienne fut confondu au Moyen Age avec un autre Denis, évêque de Paris; Suger, l'un des créateurs de l'art gothique et abbé de Saint-Denis, se référa à Denis pour magnifier la lumière et faire de son église l'une des plus belles cathédrales françaises. Une fois de plus, nous sommes obligés d'admettre une tradition orale qui unit les adeptes de l'initiation à travers le temps et l'espace.

La Franc-Maçonnerie

Le grand penseur chrétien n'était pas le seul à reconnaître l'importance d'un « christianisme à mystères »; si l'on examine la manière dont se faisait le recrutement chrétien au début du IIIe siècle, on constate qu'il répond aux règles habituelles des sociétés initiatiques. Chaque membre, en effet, pouvait amener à la foi un profane; les prêtres supervisaient leur action avec une très grande sévérité dans le choix final. A cette époque, le christianisme, semble-t-il, ne désirait pas à tout prix devenir une religion de masse mais plutôt engendrer une élite spirituelle. Relisons les conseils d'Hippolyte de Rome à propos de l'admission des néophytes : « Qu'on leur demande la raison pour laquelle ils cherchent la foi. Ceux qui les amènent rendront témoignage à leur sujet afin qu'on sache s'ils sont capables d'écouter la parole. Qu'on examine aussi leur état de vie. Qu'on fasse une enquête sur les métiers et professions de ceux qu'on amène à l'instruction. » Par conséquent, ne devient pas chrétien qui veut. La préparation au baptême est clairement désignée comme une pré-initiation au mystère divin et l'on éprouve les catéchumènes pendant trois ans; « si quelqu'un est zélé et persévère bien dans cette entreprise, dit encore Hippolyte, qu'on ne le juge pas d'après le temps mais d'après sa conduite ».

On demande aux initiés chrétiens une grande assiduité aux réunions; il ne s'agit pas d'une règle administrative mais d'un principe sacré qu'exprime en ces termes le texte intitulé « Didascalie des apôtres : » « Que personne ne diminue l'église en ne s'y rendant pas pour ne pas diminuer d'un membre le corps du Christ. » On ne saurait mieux traduire l'une des bases spirituelles de la Franc-Maçonnerie, et à la parole chrétienne « Elevez vos cœurs! » répondra la parole rituelle des Maçons « Elevez vos cœurs en fraternité! » Une hymne du VIIIe siècle destinée à la Cène dicte une ligne de conduite sans laquelle une société initiatique n'aurait aucune raison d'être : « Rassemblons-nous comme un seul et veillons à n'être point divisés en esprit. Que cessent les mauvaises querelles, que cessent les différends. Un chemin étroit et difficile mène en haut, il est

84

long et escarpé quand il monte. Mais l'amour fraternel donne la vie éternelle. »

Cet amour fraternel trouve l'une de ses expressions les plus achevées dans le banquet. Pour les chrétiens, il s'agit d'un repas sacré qui rappelle la Cène et instaure un lien religieux entre les participants. Il y a un aspect surnaturel dans le fait de manger ensemble, car les chrétiens communient à la fois entre eux et avec Dieu. Nous avons vu tout ce que cette conception doit aux Esséniens et à d'autres confréries initiatiques; la Franc-Maçonnerie, qui se contenta souvent de banquets bien garnis, conserva pourtant la dimension initiatique de cette réunion fraternelle. Lors de l'ouverture des « Travaux de Table », le Vénérable prononce encore ces paroles : « Mes Frères, initiés aux mystères de l'art royal, nous savons que le Franc-Maçon participe de la Chair et de l'Esprit. C'est pourquoi je vous prie, Frères Surveillants, de vous joindre à moi pour ouvrir ces Travaux de Table, en éclairant les flambeaux. Cette lumière qui brillera durant nos agapes fraternelles nous rappellera que la flamme spirituelle qui nous fut transmise ne doit jamais s'éteindre en nous. »

Nous avons vu qu'il existait, au sein du christianisme, un climat qui peut être parfois qualifié d' « initiatique », au sens le plus noble du mot. Essayons maintenant d'être plus précis en commençant par relever dans les textes chrétiens une expression chère aux Francs-Maçons : « Enfants de la Lumière, dit Ignace d'Antioche aux Philadelphiens, fuyez les divisions et les mauvaises doctrines. » A toutes les époques, semble-t-il, ceux qui tentent de vivre la voie initiatique reçoivent ce « titre » de fils ou enfants de la Lumière qui est particulièrement mis en valeur dans l'histoire de saint Laurent. Ce dernier veillait sur le trésor secret de la maison de Dieu dont il possédait les clés. Le préfet exige qu'il lui remette ces richesses considérables; Laurent accepte sans se faire prier et le préfet se réjouit à l'avance, persuadé que les chrétiens cèdent à la première menace. Peu après, Laurent demande audience au préfet et lui amène des mendiants, des infirmes, des aveugles et des

« pauvres en esprit ». Quelle est cette mascarade? demande le préfet. Tu exigeais les richesses de Dieu, répond Laurent. Je te les offre; ce sont les Fils de la Lumière qui se présentent maintenant devant toi. Leur corps est meurtri, leur âme est pure. Fou de rage, le préfet fit exécuter Laurent.

Les Francs-Maçons, Fils de la Lumière, travaillent à la gloire du Grand Architecte de l'Univers. On a cru long-temps que cette dernière expression était assez récente; en réalité, elle était déjà connue dans le Proche-Orient antique et on la retrouve, sous une forme un peu modi-fiée, dans une lettre de Clément de Rome aux Corin-thiens : « Que l'artisan de l'univers, écrit-il, conserve sur la terre le nombre compté de ses élus. Il nous a appelés des ténèbres à la Lumière, de l'ignorance à la Connaissance. » Dans une hymne datant du début du v\ siècle, l'église d'Epiphane de Salamine est qualifiée de « paradis du Grand Architecte », ce qui constitue une excellente définition poétique d'une loge maçonnique.

A deux reprises au moins, le christianisme présente Dieu comme le constructeur par excellence. Rappelons la vision du prophète Amos : « Voici, le Seigneur se tenait debout sur un mur, fait du niveau et, dans sa main, était un niveau. Et l'Eternel me dit : Que vois-tu, Amos? Et je lui dis : je vois un niveau. Et le Seigneur dit : Je mettrai le niveau au milieu de mon peuple d'Israël; je ne lui pardonnerai plus. » En Maçonnerie, c'est le Premier Surveillant qui possède le niveau. Dans la hiérarchie des Officiers maçonniques, il vient immé-diatement après le Vénérable et son rôle est de former les futurs maîtres en ne leur « pardonnant » aucune faiblesse. L'histoire de Job nous fournit un second pas-sage biblique où le Dieu chrétien affirme qu'il a cons-truit l'univers de ses mains; il parle avec Job et, dans une série de questions teintées d'ironie, lui montre la distance qui existe entre Dieu et l'homme : qui a fixé les mesures de la terre, qui a tendu sur elle un cordeau? Qui a appliqué le niveau? Qui a posé la pierre angulaire pour soutenir?

Deux architectes humains, David et Salomon, furent

chargés de concrétiser les plans de l'Architecte divin. De nombreux textes maçonniques, tel le manuscrit Dumfries n° 4, se réfèrent à ces deux rois qu'ils considèrent comme d'illustres Francs-Maçons qui appliquèrent les règles de l'Art Royal. David aimait beaucoup les Maçons et leur confia la construction du peuple après avoir conçu avec eux des constitutions qui leur seraient propres. Il s'agirait de dix mots écrits par le doigt de Dieu sur les tables de marbre remises à Moïse.

David, à cause des errements de sa vie personnelle, n'eut pas le droit de voir le temple achevé. Il en remit le plan complet à son fils Salomon, un plan qui est écrit de toute éternité dans la main de Yahvé. Selon la légende, Salomon aurait eu sous ses ordres quatre-vingt mille ouvriers et plus de trois mille Maîtres Maçons; il confirma les constitutions que David leur avait accordées et devint leur Grand Maître. Il fut glorifié vivant parmi ses pairs et nomma Hiran Maître d'Œuvre, afin qu'il dirige les architectes, les graveurs et les sculpteurs. Salomon et Hiram sont incontestablement les deux personnages-clefs de la Franc-Maçonnerie; chaque Vénérable est installé dans la chaire du Roi Salomon et le nouveau Maître Maçon, lors de son initiation, fait revivre Hiram.

Cette profonde ascendance biblique est confirmée par un certain nombre de textes chrétiens qui insistent sur la valeur symbolique et spirituelle de la pierre. « Vous êtes les pierres du temple du Père, dit Isaac d'Antioche aux Ephésiens, vous êtes aussi tous compagnons de route, porteurs de Dieu. » Saint Augustin marque bien le rapport qui existe entre le Grand Architecte et les initiés : « Les pierres sont extraites de la montagne par les prédicateurs de la vérité, et elles sont équarries pour pouvoir entrer dans l'édifice éternel. Il y a présentement beaucoup de pierres entre les mains de l'Ouvrier; fasse le ciel qu'elles ne tombent pas de Ses mains, afin de pouvoir, une fois leur taille achevée, s'intégrer à la construction du Temple. » Ce langage est toujours employé dans les loges maçonniques contemporaines; on dit que l'Apprenti Maçon est une pierre brute et qu'il doit se tailler lui-même afin de devenir une pierre cubique.

Le Christ en personne est une pierre vivante rejetée par les hommes. « Vous-mêmes, dit saint Pierre dans sa première Epître, comme pierres vivantes, prêtez-vous à l'édification d'un temple spirituel, pour un sacerdoce saint, en vue d'offrir des sacrifices spirituels. » La race de ceux qui reconnaissent la Pierre fondamentale est celle des élus. Le poète latin Prudence, dont la légende affirme qu'il avait été initié à la Franc-Maçonnerie, pensait que la pierre de faîte est immortelle et qu'elle subsistera après la ruine de n'importe quel temple. « Oui, écrivait-il, l'angle édifié avec cette pierre que méprisèrent ceux qui bâtissaient, demeurera toujours dans les siècles des siècles. Aujourd'hui, c'est la clef de voûte du temple. Elle maintient l'assemblage des pierres neuves. » Le chorévêque d'Alep, Balaï, mort en 460, composa une hymne admirable pour la dédicace d'une église; en quelques phrases, il résume l'idéal des sociétés initiatiques de l'antiquité et annonce celui de la Franc-Maçonnerie médiévale : « Que le temple intérieur soit aussi beau que le temple de pierres. » Dieu a bâti l'homme pour que l'homme bâtisse pour Dieu; en construisant le temple, les Maçons entrent dans le royaume céleste.

Nous sommes maintenant entrés dans l'ère chrétienne après avoir évoqué un certain nombre de confréries initiatiques anciennes dont l'influence sur la Franc-Maçonnerie primitive n'est pas niable. Le haut Moyen Age s'annonce, avec sa première grande figure de Maître d'Œuvre, saint Eloi, qui vécut de 588 à 659. Son histoire est digne d'intérêt : orfèvre limousin, il reçut une commande du roi Clotaire II. Il devait exécuter un chef-d'œuvre, à savoir un siège pour le monarque. Son art atteignait une telle perfection qu'il réussit à créer deux sièges avec les matériaux destinés à un seul! Le roi Dagobert fit de saint Eloi son ministre des finances et lui demanda de bâtir une grande abbaye sur la terre de Solignac, près de Limoges. C'est saint Eloi en personne qui dessina l'épure et imagina les plans; tout au long de sa carrière politique, il continua à pratiquer l'orfèvrerie en fabriquant des châsses pour les saintes reliques. C'est pourquoi il devint le patron vénéré de tous les artisans qui utilisent le marteau dans leur travail. Saint Eloi est le prototype de l'homme complet, à la fois administrateur, Maître d'Œuvre et artisan; il met à l'honneur les qualités les plus profondes de l'esprit et de la main, traçant au Moyen Age une ligne de conduite idéale dont l'une des conséquences sera l'apparition de la Franc-Maçonnerie au sens restreint du terme. Il nous faut maintenant aborder cette longue période où l'image historique des confréries de constructeurs en général et de la Maçonnerie en particulier ira en se précisant.

CHAPITRE VIII

NAISSANCE ET RAYONNEMENT
DES CONFRÉRIES MAÇONNIQUES
DU MOYEN AGE

S'il est une période de l'histoire difficile à étudier, c'est bien cette « tranche » de l'aventure occidentale allant du IVe siècle de notre ère au Xe siècle. A première vue, le christianisme est la nouvelle force essentielle qui part à la conquête du monde, une force spirituelle qui sait souvent s'appuyer sur des puissances temporelles. Mais la réalité est beaucoup plus tortueuse; de nombreuses cultures s'affrontent en Gaule, en Allemagne, en Irlande, aux lointaines frontières de l'empire romain; souvent, le christianisme recouvre de ses croyances les vieilles religions sans pour autant détruire leurs bases. Notre propos n'est pas, bien entendu, d'analyser tous les événements survenus pendant ces siècles mais de retrouver çà et là la trace des associations initiatiques de bâtisseurs qui connaîtront une apogée extraordinaire aux XIIe et XIIIe siècles.

Vers 315, un moine égyptien nommé Pachôme crée une institution qui jouera un rôle capital dans le destin de la spiritualité et de l'art occidentaux : la communauté monacale, où des hommes avides de Dieu apprennent à vivre ensemble au service de l'esprit. A côté des ermites solitaires, les grands monastères pachômiens comprennent de mille à deux mille moines parmi lesquels se trouvent des maçons et des charpentiers. Ils sont d'abord employés pour la construction du monastère lui-même à l'intérieur duquel des maisons spéciales leur sont réservées; ils peuvent ensuite être appelés ailleurs.

Offa, roi saxon légendaire, assiste à la construction du temple. Derrière lui se tient le Maître d'Œuvre. Cette scène est l'illustration la plus frappante de l'« art royal » que tente de pratiquer chaque Maçon. (Dublin, Trinity College, Ei 40 — Mathieu Paris, la vie de saint Auban).

Sans aucun doute — et malgré le caractère paradoxal de cette affirmation aux yeux de certains — c'est l'institution monastique qui permit aux bâtisseurs de survivre et, plus tard, de s'épanouir. Sans les moines, les Francs-Maçons du Moyen Age n'auraient probablement pas existé ou, du moins, n'auraient pas bénéficié d'un grand rayonnement. Nous venons de le voir, les premières communautés monacales accueillirent dans leur sein des constructeurs; de plus, la règle de vie définie au IVe siècle par saint Basile s'accordait parfaitement avec les

idées des anciennes corporations initiatiques. L'isolement absolu, disait Basile, est contraire à la volonté de
Dieu. Tous les hommes qui croient en lui constituent un
grand corps dont la tête est le Seigneur; pour vivre en
harmonie avec elle, il est nécessaire de vivre en communauté afin que des Frères corrigent mutuellement leurs
défauts. « La vie des anachorètes, conclut-il, aboutit au
plus monstrueux égoïsme », ce vice abominable qui
écarte de Dieu. La règle communautaire, c'est avant tout
l'humilité qui permet à chacun de recevoir un enseignement de l'autre et de lui en donner un à son tour. De
telles perspectives ne pouvaient que réjouir les bâtisseurs qui eurent de nouveau un point d'attache en Occident lorsque saint Martin fonda l'abbaye de Marmou-
tier en 372.

Pendant le vᵉ siècle, c'est la Grande-Bretagne qui nous
procure un point de repère dans notre enquête. Vers
43 après Jésus-Christ, les artisans employés par les
légions romaines avaient travaillé dans ces lointaines
contrées en édifiant des tours et des remparts destinés à
protéger les citoyens romains des attaques écossaises.
Ces ouvrages militaires se prolongèrent jusqu'au début
du iiiᵉ siècle; certains artisans regagnèrent le continent,
d'autres fondèrent un foyer et restèrent sur place. Ils
communiquèrent leur science aux Bretons, ce qui
explique la naissance, au vᵉ siècle, de la confrérie des
Couldéens qui remplace les collèges de bâtisseurs
romains. D'obédience chrétienne, les Couldéens gar-
daient cependant le secret sur leurs techniques et sur
leurs réunions. Assez rapidement, ils rejettent la civilisation romaine et ses formes artistiques pour remettre à
l'honneur le symbolisme celtique dont nous aurons à
reparler bientôt.

La sombre année 406 marque le début des grandes
invasions et de la décadence romaine. En 410, Alaric
entre dans Rome, montrant l'exemple aux peuples bar-
bares qui vont envahir l'Europe. Il n'y a plus de pouvoir
central, plus d'autorité capable de garantir la sécurité
des citoyens. Aussi les grandes commandes architecturales disparaissent-elles; beaucoup d'artisans sont au

chômage et un bon nombre choisit l'exil à Byzance. En dépit de l'insécurité, les voyages et les contacts furent nombreux entre les bâtisseurs occidentaux et orientaux; c'est pourquoi la France des ve et vi^e siècles voit s'élever un nombre respectable d'édifices civils et religieux où l'influence orientale est assez marquée.

En 476, c'est la fin de l'empire romain d'Occident. Une grande page de l'histoire est définitivement tournée. Dans ce grand chaos, les hommes qui pensent encore que la vie a un sens ne le recherchent plus à Rome : ils se tournent vers l'Irlande, patrie inviolable du Celtisme qui entrouvre pourtant ses portes au christianisme apporté, une fois de plus, par les moines. Leur rencontre avec les Maçons Couldéens est positive; les Couldéens sont maintenant des moines bâtisseurs organisés en collèges. Ils admettent le mariage, et ne reconnaissent pas l'autorité suprême du pape romain qu'ils considèrent comme un simple évêque. Parmi les Couldéens, on trouve les descendants des druides et des bardes celtiques dont la vocation chrétienne fut surtout un moyen de passer inaperçus. Malgré ces restrictions, les moines venus du continent et les bâtisseurs autochtones s'entendent à merveille pour créer de grandes villes entièrement monacales! Des quartiers sont attribués aux maîtres maçons et aux maîtres charpentiers qui jouissent ainsi d'une certaine autonomie. Ils ont besoin des moines, les moines ont besoin d'eux. Il s'agit de bâtir une nouvelle civilisation avec la foi chrétienne et de bâtir des édifices sacrés et profanes pour que les hommes retrouvent un équilibre social.

L'héritage celtique est toujours présent à l'esprit de ces Maçons. Ils se souviennent de la robe blanche rituelle des Druides, leurs maîtres spirituels, des rites initiatiques où le profane entre dans une peau d'animal pour mourir au « vieil homme » et renaître à l' « homme nouveau ». Dans les assemblées de bâtisseurs, on porte un tablier. Si quelqu'un interrompt de la voix ou du geste celui qui a la parole, un dignitaire préposé à cet office s'avance vers le mauvais Maçon et lui présente son glaive. S'il refuse de se taire, le dignitaire lui adresse deux nouveaux avertissements. Finalement, il tranche son tablier en deux. Le membre indigne est alors chassé de la communauté; à lui de refaire de ses mains un nouveau tablier avant de pouvoir de nouveau assister aux réunions.

Le Celtisme, c'est aussi Lug, le dieu de la Lumière qui est maître de tous les arts. Il se manifeste dans la personne du chef de clan, possesseur du maillet. L'initiation, se traduit d'abord par la pratique d'un métier et nul n'est admis à Tara, la ville sainte d'Irlande, s'il ne connaît un art. A Tara, la salle des banquets rituels se nomme « demeure de la chambre du milieu »; rappelons que le conseil des Maîtres Francs-Maçons a pour dénomination « chambre du milieu ». A travers les moines Couldéens, c'est le grand souffle de l'initiation celtique qui donne une vie intense à l'expression chrétienne; il trouvera son symbole le plus parfait dans la figure de Merlin l'Enchanteur, dont on oublie souvent qu'il fut Maître d'Œuvre. Il fit appel à des guerriers et à des artisans pour transporter des pierres venant d'Ecosse et d'Irlande afin de bâtir un cimetière gigantesque en l'honneur du roi Uther Pandragon. Merlin apprit aux constructeurs que l'esprit doit toujours l'emporter sur la force et que seul le Maître d'Œuvre, le magicien de la pierre, est capable de mener à bien l'Œuvre totale.

Au VIe siècle, c'est Byzance qui donne aux confréries artisanales l'occasion d'exprimer leur génie : de 532 à 537, Sainte-Sophie la magnifique est érigée. Sous le règne de Justinien (522-565), les corporations jouissent de nombreux privilèges et reçoivent d'abondantes commandes. A Byzance se forme aussi un langage artistique où les symboles venant des vieux empires du Proche-Orient tiennent la plus large part. Les sculpteurs les incorporent à leur âme; ils les transmettront à leurs fils qui en préserveront l'authenticité jusqu'au XIIe siècle.

Le VIe siècle voit également l'épopée du moine Benoît. En 529, il fonde le grand monastère du mont Cassin dont la vigueur spirituelle influencera l'Europe entière. Très curieusement, cet oppidum avait été auparavant l'un des lieux de culte de Mithra; tout se passe comme si la tradition initiatique de l'Occident affirmait partout et toujours son inaltérable cohérence. Au mont Cassin naît véritablement le personnage de l'abbé, ce Christ rendu visible à la communauté des moines, ce Maître qui s'occupe de chaque Frère et lui donne les nourritures spirituelles et matérielles. L'abbé est le premier Maître d'Œuvre du Moyen Age, le modèle du Vénérable de la Franc-Maçonnerie car il considère l'outil comme une force sacrée et fait du travail une prière. Les moines de saint Benoît travaillent la matière, ils répètent chaque jour les actions des saints et joignent l'intelligence de la main à l'intensité de leur foi.

En 590, saint Colomban fonde le monastère de Luxeuil. Sous sa direction, les moines bâtissent eux-mêmes les murs qui les abriteront. A la fin de ce VIᵉ siècle favorable aux confréries, les moines deviennent copistes et reproduisent les grands textes de la culture antique qu'utiliseront si abondamment les Maçons du Moyen Age des cathédrales. Aux environs de 600, cet élan se poursuit d'une manière remarquable; sous la direction de saint Austin, les Maçons édifient l'Eglise de Canterbury et maints autres chefs-d'œuvre. Emerveillé par les travaux, le pape Boniface IV les affranchit en 614 de toutes les charges locales et des délits régionaux. Désormais, les Maçons pourront traverser très facilement les frontières et voyager à peu de frais. Cette décision papale fut très importante; elle entérine déjà le caractère original des confréries initiatiques qui, de 630 à 635, construisent l'église de Cahors dont l'évêque, saint Didier, est l'un des premiers bâtisseurs en pierre de taille.

Pendant la domination lombarde en Italie, un édit datant de 643 évoque des Maîtres Maçons qui seraient originaires de Côme. Ces Maîtres auraient disposé de pouvoirs étendus, pouvant donner des salaires à de nombreux ouvriers et rédiger des contrats; ils étaient, semble-t-il, à la tête de confréries très indépendantes et voyageaient à travers l'Europe sans avoir de comptes à rendre à personne. On perd la trace des « Maîtres de Côme » après le IXᵉ siècle.

Après l'Italie, voici l'Allemagne. Selon une légende assez répandue, la Franc-Maçonnerie y serait née en 713. Dès le début, elle aurait accepté des « spéculatifs », c'est-à-dire des initiés ne travaillant pas de leurs mains mais apportant des matériaux purement intellectuels à l'œuvre collective. France, Irlande, Italie, Allemagne... dans de nombreux pays d'Europe, une Maçonnerie organisée point à l'horizon. Un peu partout, les groupements de constructeurs deviennent plus cohérents.

Que se passe-t-il en France pendant le VIIIe siècle? On voit apparaître le type de l'abbé laïc, c'est-à-dire d'un supérieur de monastère qui n'est pas passé par la voie ecclésiastique. C'est Charles Martel qui encouragea cette tendance; sous son règne, on commence à beaucoup parler d'un Maître d'Œuvre nommé Mamon Grecus chargé d'initier les artisans français à la Maçonnerie. Venant directement d'Orient, il aurait apporté dans ses bagages l'ancienne symbolique. Il ne s'agit pas, à notre avis, d'une opposition marquée envers l'Eglise mais plutôt d'une volonté d'indépendance des sociétés initiatiques par rapport à toutes les autres institutions.

Sous les Mérovingiens, de 428 à 751, les artisans se sont peu à peu regroupés dans les villes. L'orfèvrerie est très prisée et les Maîtres fabriquent de nombreux objets précieux pour la cour royale. Nous savons avec certitude que des associations sont formées; les Frères sont alors appelés « convives » et prêtent le serment de s'aider mutuellement sur le plan spirituel comme sur le plan matériel. Ils célèbrent des banquets rituels et nomment des Grands Maîtres qui sont chargés des rapports avec les autorités civiles. L'Eglise, qui leur avait accordé le patronage d'un saint, les condamne pour intempérance mais ne prend aucune mesure précise pour gêner leur existence. Sans doute quelques ouvriers se livrèrent-ils à des beuveries excessives qui n'engageaient en rien le renom des confréries. De plus, la protection directe des rois interdisait au clergé des manifestations d'hostilité trop marquées. La calomnie n'est pas non plus à rejeter, les sociétés initiatiques ayant toujours fait l'objet d'accusations plus mensongères les unes que les autres.

Insensibles aux attaques, les confréries mérovingiennes coulèrent des jours paisibles.

En 753 éclate à Byzance la « querelle des iconoclastes » qui dure jusqu'en 843. C'est une crise d'une gravité extrême qui atteint son point culminant lors du Concile de Constantinople, où l'on condamne le culte des images. La destruction des reliques, des icônes et des sculptures est ordonnée; des bandes d'exaltés profitent de cette décision pour piller des monastères et des églises et détruire sauvagement les œuvres d'art qu'ils rencontrent sur leur passage. Le destin des corporations artisanales est gravement compromis; si les « images » sont interdites, comment sera-t-il possible de transmettre les symboles et de faire vivre l'idéal initiatique par des œuvres d'art? Refuser l'objet sacré, c'est tuer la civilisation qui s'est lentement formée. On imagine assez bien les démarches angoissées que les maîtres des confréries furent obligés de faire auprès des autorités religieuses et civiles pour que la décision du concile de Constantinople soit réexaminée. En 843, ils obtinrent gain de cause : le culte des images est de nouveau autorisé, l'activité sculpturale reprend en toute liberté.

Un grand seigneur d'Occident n'avait peut-être pas été étranger à cet heureux retournement de situation. Lorsque Charlemagne est couronné empereur en l'an 800, un 25 décembre, il porte en lui l'idée d'un empire grandiose où l'art, la politique et la religion ne seront pas dissociés. Il redore le blason des monastères où il exige, avec la plus grande diplomatie, que soient formés des éducateurs, des architectes et des administrateurs. Pénétrés de l'amour de Dieu et du respect de l'homme, les moines carolingiens accueilleront des artisans venus du Proche-Orient et le petit-fils de Charlemagne, Charles le Chauve, favorisera l'expansion des confréries de Maçons. La splendeur de la chapelle palatine d'Aix-la-Chapelle où tout est symbole et lumière résume bien l'enthousiasme de ce temps où la construction du temple faisait de l'artisan un authentique créateur

En 876 s'ouvre un grand chantier dans la ville allemande de Magdebourg. De nombreux Maçons se seraient alors donné des Constitutions dont il ne reste aucune trace. En dépit de cette perte, nous savons que les abbayes carolingiennes d'Allemagne furent des pépinières de bâtisseurs; elles établirent aussi un pont entre culture orientale et culture occidentale. En France, le IXᵉ siècle voit l'expansion des abbayes bénédictines qui suivent la règle austère de saint Benoît et protègent les artisans sans aucune restriction. Les Bénédictins rassemblent une masse énorme de textes antiques touchant à l'architecture, à l'astrologie, à la médecine et aux sciences les plus diverses; les Maîtres d'Œuvres, éduqués dans un tel climat, sont de plus en plus instruits et ouvrent leur esprit au contact des moines qui dirigent leur vie spirituelle.

Les efforts accomplis pendant la période allant du IVᵉ siècle au début du Xᵉ se concrétisent de deux manières : d'abord par l'ouverture de la première grande école de tailleurs de pierres au Mont-Saint-Michel, ensuite par la fondation de Cluny en 909. Lorsque les travaux d'édification de l'immense abbaye commenceront, les clunisiens se référeront à l'enseignement pythagoricien qu'ils connaissent parfaitement et bâtiront les édifices selon des mesures symboliques. Du géomètre grec à la grande abbaye occidentale, les secrets initiatiques des constructeurs se sont transmis. Cette fois, tout est en place pour permettre le début de l'épopée des cathédrales.

C'est précisément pendant le Xᵉ siècle que l'Angleterre procure à la Franc-Maçonnerie l'un des récits de sa fondation. Sous le roi anglo-saxon Athelstan, qui régna jusqu'en 939, saint Alban fit construire par des maçons la ville qui portera son nom. Athelstan, impressionné par la perfection de l'ouvrage, se fait initier et accorde d'importantes franchises à ses nouveaux Frères. Désormais, ils pourront se réunir d'une manière légale et tenir des assemblées générales avec la bénédiction du roi dont l'un des fils, Hadrien, refuse de manger et de boire s'il n'est pas en compagnie de Maçons.

Un autre fils d'Athelstan, Edwin, devient géomètre et

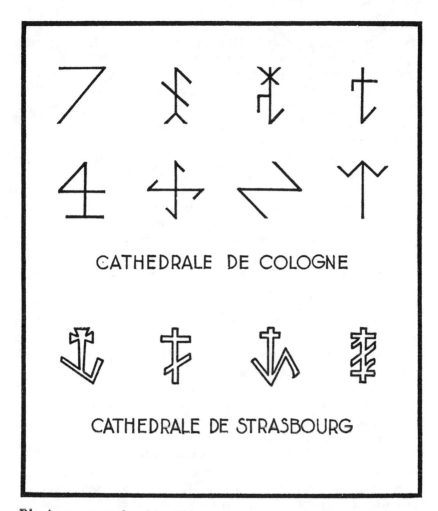

CATHEDRALE DE COLOGNE

CATHEDRALE DE STRASBOURG

Plusieurs exemples des célèbres marques gravées par les Maçons. Certaines sont des signatures, d'autres offrent des clefs géométriques pour la construction des édifices.

Maître d'Œuvre après avoir franchi toutes les étapes de l'initiation maçonnique. Elu Grand Maître, il fonde à York la première Grande Loge et réunit une première assemblée plénière en 925 ou en 926. Tous les ans, désormais, se tiendra une réunion semblable que la Franc-Maçonnerie contemporaine continue à convoquer régulièrement. Edwin, sur le conseil de son père, choisit trois symboles comme éléments de base de l'Ordre : une équerre en or, un compas en argent aux pointes d'or, et une truelle en argent. Les deux premiers symboles sont encore utilisés dans la Maçonnerie contemporaine, bien que les matières prescrites ne soient plus respectées. Quant à la truelle, elle a tout simplement disparu. Le Grand Maître désire également procéder à la rédaction de constitutions propres aux Maçons; par souci d'honnêteté intellectuelle et de rigueur initiatique, il réunit tous les rituels maçonniques accessibles dans toutes les langues de l'époque. Selon la légende, les Maçons des diverses régions du globe lui envoyèrent des écrits en grec, en latin, en allemand et en français. Edwin fit une compilation de ces documents et donna l'imprimatur à un Livre des Constitutions qui sera remis à chaque nouveau Franc-Maçon. Sans doute l'ouvrage débutait-il par cette phrase : « Grand Architecte du ciel et de la terre, la fontaine et la source de toute bonté qui bâtit de rien sa construction visible... »; il exigeait des Maçons la croyance en Dieu et la fidélité au Roi. De plus, selon un article fondamental, « qu'aucune loge ne donne le secret royal à quelqu'un de façon hâtive, mais après mûre réflexion ». L'apprentissage durait sept ans, sans aucune dérogation. « Chaque mot que vous avez prononcé, disait encore le Livre des Maçons, est un serment et Dieu vous scrutera selon la pureté de votre cœur et la netteté de vos mains. »

Réalité ou légende? La plupart des historiens ne jugent pas sérieuse l'histoire du roi Athelstan et de son fils Edwin, faute de preuves concrètes. Les noms et les dates sont peut-être illusoires, mais une certitude demeure : en ce Xe siècle de l'ère chrétienne, les Francs-Maçons se sont donnés une âme et des lois. Ils ont mis fin à la dispersion et à l'éparpillement de leurs forces, ils ont créé une confrérie qui sera la gardienne des rites et de la rectitude de l'Ordre.

Comme l'écrit Jacques Heers, « la toute-puissance du groupe s'affirme dans les campagnes comme dans les cités et marque profondément les sociétés et les mentali-

tés médiévales. » Oui, l'ère des cathédrales est avant
tout la magnificence de la « Confrérie » au sens le plus
large. Il ne faudrait pas confondre, cependant, corporation et confrérie; les premières sont de simples associations qui sont, le plus souvent, dépourvues de tout élément proprement initiatique. Les secondes, en revanche,
pratiquent une fraternité de nature spirituelle et travaillent à la gloire du souverain architecte des mondes,
qu'elles comprennent des maçons, des charpentiers ou
des orfèvres. Alors qu'en France on nomme ces confréries des « Métiers », l'appellation anglaise est « myste-
ries », « mystères »; ce simple détail prouve suffisamment que les confréries du Moyen Age n'étaient pas des
syndicats. Profondément « aristocratiques », si l'on veut,
elles ne regroupent que des artisans hautement qualifiés
qui ont fait la preuve de leurs vertus spirituelles,
morales et techniques. Elles veulent maintenir le
rayonnement d'une élite et ne recherchent pas l'objet de
série mais le chef-d'œuvre. Dans tous les cas, c'est un
sentiment religieux qui est à l'origine de la confrérie et
non une préoccupation professionnelle; Dieu est architecte, pensaient les médiévaux, donc le travail est sacré.
C'est pourquoi l'homme travaille, afin de communier
avec la divinité.

Sur les chantiers des cathédrales romanes et
gothiques, il y avait fort peu de Francs-Maçons; en règle
générale, on en compte de vingt à quarante qui ont sous
leurs ordres des manœuvres et des tâcherons. La thèse
romantique selon laquelle le peuple en délire aurait édifié ses églises est depuis longtemps périmée; des tâches
aussi difficiles ne pouvaient être confiées qu'à des
Maîtres et à des Compagnons enrichis d'une expérience
millénaire.

L'année 926 marquait la naissance de l'Ordre.
L'année 1150 marque son premier apogée. Les confréries
de Maçons se réunissent à l'abbaye de Kilwinning, près
de la mer d'Irlande. A ce moment aurait eu lieu une
fusion entre la Maçonnerie écossaise issue de cette
région et la Maçonnerie orientale dont les principaux
dignitaires auraient été représentés à Kilwinning. Sur le

plan historique, les événements de 1150 (ou de 1140 selon certains) sont aussi contestables que ceux de 926; la Maçonnerie, apparemment, se vêt plus ou moins volontairement d'un habit de légendes en dissimulant des noms de personnages et de lieux. Cette pratique n'at-elle pas toujours été appliquée par les sociétés initiatiques? Une telle discrétion avait certainement sa raison d'être; quoi qu'il en soit, nous faisons confiance à ces récits puisque les conséquences concrètes de ces grandes assemblées maçonniques sont visibles dans les édifices occidentaux. La cathédrale du Puy-en-Velay, pour ne prendre qu'un exemple, est le fruit évident d'une collaboration entre artisans français et orientaux et prouve la réalité de l'alliance conclue entre les « Francs-Maçonneries » nées des deux cultures.

De 1180 à 1285, c'est-à-dire sous les règnes de Philippe Auguste, Louis VIII, Louis IX et Philippe III le Hardi, la Maçonnerie européenne jouit d'un prestige considérable. Dès 1180, le roi Henri Iᵉʳ d'Angleterre accorde de nouveaux privilèges aux confréries et plusieurs monarques l'imitent. Les bâtisseurs sont à la pointe de la civilisation; de l'immense cathédrale à l'objet le plus simple, ils créent une image du monde d'une rare beauté. Certes, il y eut quelques escarmouches pendant cet âge d'or; vers 1230, par exemple, quelques ecclésiastiques donnent aux Maçons l'ordre de couper leur barbe et leurs cheveux. Ces derniers refusent tout net et ferment quelques chantiers; immédiatement, les villes atteintes par cette mesure sont menacées de récession économique. L'église est obligée de céder et les Maçons arboreront de plus en plus souvent un abondant système pileux en souvenir de cette victoire morale. En 1244, c'est le bûcher de Montségur et l'extermination des Cathares. La région toulousaine comptait beaucoup de maçons et de charpentiers qui étaient plus ou moins liés aux hérétiques; ils sont choqués par cette extermination mais ne peuvent intervenir, d'autant plus que Saint Louis se montre très favorable aux associations de constructeurs.

En 1275 s'ouvre le grand congrès maçonnique de

Strasbourg. Erwin de Steinbach est Maître en chaire; avec l'accord des autres Maîtres d'Œuvre, il décide de reprendre les travaux sur le chantier de Strasbourg afin d'ériger l'une des plus belles cathédrales du Moyen Age. La cité est alors le centre majeur de la Franc-Maçonnerie. Le visiteur attentif qui déchiffre les sculptures de Strasbourg y découvrira un enseignement maçonnique très dense.

Avant d'examiner en détail les structures des confréries maçonniques, nous devons nous interroger sur l'attitude que l'Eglise adopta à leur égard. Deux courants coexistaient dans le corps ecclésiastique; le premier se méfiait de ces groupements à tendance initiatique qui, tout en respectant la foi chrétienne, véhiculaient des symboles et des idées souvent peu orthodoxes. C'est pourquoi le concile de Rouen, en 1189, condamne les confréries maçonniques à cause de leurs réunions secrètes, de leurs rites qui ne sont dévoilés qu'à quelques-uns et de leurs serments particuliers. De 1214 à 1326, six nouveaux conciles approuvent cette condamnation qui, très curieusement, n'est pas suivie d'effets.

Le second courant était le plus fort; les papes Nicolas III, en 1277, et Benoît XIII, en 1334, accordent des franchises aux Maçons qui sont également libérés de nombreuses contraintes matérielles par les municipalités. En 1129, l'évêque de Strasbourg accorde sa protection officielle aux bâtisseurs et donne ainsi le ton à une bonne partie de la chrétienté.

Comme nous l'avons vu, il y eut de nombreux hommes d'église parmi les premiers architectes. Détenteurs de la culture antique grâce aux moines copistes, ils connaissaient les secrets des anciens « Collèges » et pensèrent que leur contenu était assez riche pour être transmis aux générations postérieures. Un maître artisan comme saint Eloi eut des contacts avec les associations initiatiques des Goths et des Burgondes dont il formula le message en des termes spécifiquement chrétiens. Le moine Gerbert d'Aurillac (938-1003), qui fut le premier pape français, fut à la fois astrologue et alchimiste; inventeur des orgues hydrauliques, passionné par

tous les problèmes d'architecture et de mécanique, il
s'intéressa de très près aux activités ésotériques des
loges. Gerbert d'Aurillac n'est pas un ecclésiastique
exceptionnel au Moyen Age; on pourrait en citer beaucoup
d'autres qui évoluaient dans un semblable climat intellectuel, tel cet abbé Guillaume qui occupa la fonction de
Maître d'Œuvre au monastère de Hirschau en Forêt-
Noire pendant le XIᵉ siècle; là, il créa une véritable école
de Maçons.

Au XIIᵉ siècle, le plus modeste des groupements se
fonde sur une base religieuse. Pour qu'une assemblée
d'hommes ait une chance de vivre en paix, il lui faut
d'ailleurs l'autorisation officielle ou tacite de l'église.
N'oublions pas que les chapelles abritèrent parfois des
réunions maçonniques et que les abbayes cirsterciennes
accueillaient des ateliers secrets où tailleurs de pierre et
charpentiers apprenaient leur métier; dans de grandes
écoles de pensée comme Laon ou Chartres, les évêques et
les abbés travaillaient de concert avec les Maîtres
d'Œuvre. A cela, on doit ajouter le fait que l'église était
la seule puissance capable d'assurer le financement des
chantiers, du moins au début de l'ère des cathédrales.
Les monarques et le peuple y participaient, certes, mais
sans les deniers ecclésiastiques, peu de cathédrales auraient vu le jour. S'il n'y avait pas eu un accord profond
entre les bâtisseurs et l'église, cette dernière n'aurait pas
accepté de leur confier de grosses sommes d'argent pour
l'érection des édifices.

L'église cautionna la Maçonnerie de bien d'autres
manières; sur le blason des charpentiers, on voit Jésus
qui tient un compas et trace une épure sur un parche-
min que tient saint Joseph. Sur le blason des tailleurs
de pierre est gravé un Christ d'or ressuscitant d'une
montagne d'or sur fond d'azur.

Dans les contes dits « populaires », qui sont presque
tous le reflet d'une élaboration savante, les Francs-
Maçons sont considérés comme des êtres exceptionnels
qui servent la religion au premier chef. Au pays nantais,
on disait que c'était un tailleur de pierre qui avait des-
cellé la dalle recouvrant le tombeau du Christ. Un

Maçon s'était chargé de démolir les pans de mur afin que l'âme du seigneur puisse regagner le ciel. Dans le Dauphiné, on rapportait que Satan en personne avait voulu devenir Maçon. Le Maître l'accueillit aimablement et lui donna le statut de « frère servant » en lui offrant un panier à salade pour puiser de l'eau. Satan échoua à plusieurs reprises et quitta définitivement la corporation, le métier de Maçon étant trop dur pour lui.

A la porte de l'enfer, dit une chanson,
Trois cordonniers s' présentent
Demandant à parler
Au maître des ténèbres
Le maître leur répond
D'un air tout en courroux :
Il me semble que l'enfer
N'est faite que pour vous.

Quant aux tailleurs de pierre,
Personne ne se présente :
Il y a plus d' dix-huit cents ans
Qu'ils sont en attente.
Il faut que leur Devoir
Soit bien mystérieux,
Aussitôt qu'ils sont morts,
Ils s'en vont droit aux cieux.

Ainsi, le Maçon est considéré comme un saint laïc qui gagne le paradis ici-bas par son travail. Malgré quelques critiques concernant le caractère secret des associations initiatiques, l'église était obligée de glorifier les Francs-Maçons qui élevaient ses temples et lui offraient une inestimable parure de cathédrales et d'églises.

Essayons de nous familiariser davantage avec cette Maçonnerie primitive, héritière des mystères de l'antiquité. Elle se définit comme un « Art royal », c'est-à-dire comme la possibilité de vivre dans la royauté de l'esprit. Les Maçons forment un grand corps « catholique », universel où chacun apprend les secrets de

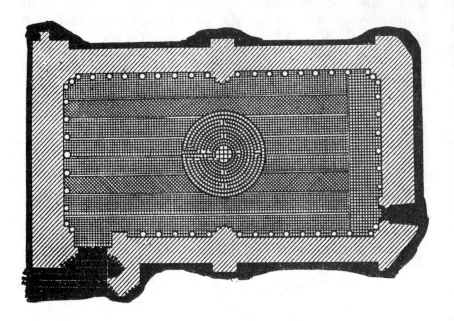

Le labyrinthe est le plus pur symbole du voyage intérieur, du pélerinage éternel vers la cité sainte. Le Maçon se dirige vers le centre pour connaître le divin, puis retourne vers l'extérieur afin de transmettre ce qu'il a perçu. (Bayeux, cathédrale Notre-Dame, salle capitulaire.)

métier et reçoit une transmission spirituelle. Avant tout il faut voyager, aller de chantier en chantier, parcourir l'Europe entière, franchir les frontières et gagner parfois le Proche-Orient. Les bâtisseurs sont des hommes libres qui se déplacent sans cesse et vont là où l'on a besoin d'eux; c'est pourquoi ils obtiennent une indépendance de fait, même si elle n'est pas codifiée de façon rigoureuse dans des textes législatifs. L'art du Moyen Age, grâce aux Franc-Maçons, est international; les styles se confrontent sans se mélanger, les pensées s'harmonisent sans s'opposer puisque tout passe au filtre de la fraternité qui ne tient compte ni de la race ni du rang social. Selon le poète Milosz, le titre de « Noble voyageur » est celui de l'initié qui traverse le temps et l'espace sans jamais se fixer. Dans la Franc-Maçonnerie contemporaine, l'une des questions rituelles que l'on peut poser à un Maçon pour s'assurer de sa qualité est encore : « D'où venez-vous? »

Ces infatigables voyageurs créèrent un lieu de rassemblement, la « Loge aux Maçons ». C'était une construction close et couverte qui, la plupart du temps, abritait de douze à vingt Maçons. On estime généralement que la première Loge apparut vers 1212 en Angleterre, et que la première Loge française fut construite à Amiens en 1221. Ces dates ne doivent pas faire illusion; il est évident que de telles « Loges » existèrent dans les civilisations antiques et que les bâtisseurs du Moyen Age les utilisèrent bien avant le XIII⁰ siècle. On sait, par exemple, que la cathédrale Saint-Gatien de Tours comprenait, au XII⁰ siècle, une « chambre aux métaux » installée dans la tour nord; cette chambre servait d'atelier aux constructeurs.

Les Loges étaient souvent dressées le long des murs des cathédrales. Elles étaient tantôt en bois, tantôt en pierre. L'église les protégeait de la police et des autorités civiles, l'entrée étant strictement interdite aux non-Maçons. Les constructeurs y entreposent les outils et les « bonnes pierres » qui seront intégrées dans l'édifice ou serviront aux sculpteurs; au fond de la Loge, il y a la « chambre aux traits » qui est réservée aux Maîtres et à leurs disciples. C'est là qu'on apprend les secrets de la géométrie pythagoricienne et de la Divine Proportion, c'est là que les Maîtres installés forment les jeunes architectes qui leur succéderont. Dans la Loge sont célébrées les cérémonies d'initiation et les banquets rituels; peu à peu, ce modeste bâtiment s'aggrandira et la Loge sera divisée en plusieurs pièces : temple maçonnique, réfectoire, entrepôt, bibliothèque. La Maison de l'Œuvre, à Strasbourg, est une excellente illustration d'une Loge complète avec ses nombreuses subdivisions.

C'est dans la Loge que l'initié rencontre l'outil sacré, déclarait le Compagnon Olivier; elle est le temple où l'on crée par le travail qui corporise la Foi, la Foi spiritualisant le travail. Souvent, la Loge maçonnique fut comparée à l'athanor alchimique où l'initié dépose ses potentialités afin que la communauté initiatique les rende réelles et « opératives ».

« Maçon » est un terme courant qui ne surprend personne; « Franc-Maçon » est une expression plus curieuse qui nécessite des explications. Le Franc-Maçon est le « sculpteur de la pierre franche », c'est-à-dire de la pierre que l'on peut tailler et sculpter. Certains historiens pensent que le terme de « franc » fait allusion aux franchises locales et municipales dont bénéficiaient les Maçons; sans rejeter cette interprétation, nous supposons que le « Maçon Franc » est surtout l'artisan le plus habile et le plus compétent, l'homme qui est libre en esprit et qui se libère de la matière par son art. Plus encore que le Maçon, c'est la pierre elle-même qui est libre puisqu'elle offre un matériau au futur chef-d'œuvre de sculpture ou d'architecture. Dans beaucoup de textes médiévaux, le Franc-Maçon est opposé au maçon grossier qui ne connaissait pas l'utilisation pratique et ésotérique des compas, des équerres et des règles.

Le « Livre des métiers » d'Etienne Boileau, prévôt des marchands de Paris, date de 1268. Il recense les corporations existantes et donne un aperçu de leurs règles de vie. Il nous apprend que les Maçons ont un secret qui leur est propre, sans fournir davantage de précisions; les Maîtres, lors de leur réception rituelle, prêtent un serment et se rendent à la demeure du Grand Maître de l'Ordre où un banquet est célébré.

D'autres sources d'information montrent que les anciens règlements des Francs-Maçons médiévaux sont extrêmement concis et ne sombrent pas dans le verbiage philosophique de la Maçonnerie tardive. On exige la Foi en Dieu et le respect des règles communautaires; le plus important, ce sont les « coutumes », à savoir les règles non écrites qui renaissent chaque jour sur le chantier. Il était d'ailleurs habituel de détruire les procès-verbaux et les papiers administratifs qui n'avaient guère d'importance aux yeux des constructeurs. A notre sens, c'est une entreprise vaine que de rechercher un ancien manuscrit où seraient consignées les lois des anciens Maçons; leur véritable langage, c'est celui de la pierre, c'est la cathédrale porteuse de sculptures symboliques. Les fameux « landmarks », qui seront l'objet de querelles interminables à partir du XVIIIᵉ siècle, n'étaient à l'origine que les marques géométriques qui fixaient sur le sol le centre et les angles du futur édifice. Poser les « landmarks » revient à créer l'implantation du temple et non à composer des règlements administratifs. La véritable règle est la vie communautaire avec ses pulsations toujours renouvelées, sa discipline reposant sur le sens du Devoir et sur celui de l'efficacité. D'une manière très schématique, on pourrait dire que la grande règle de l'ancienne Maçonnerie est le respect du Maître qui a fait ses preuves et qui sait construire une cathédrale.

Un autre élément capital de la Règle est la bonne conduite lors des repas. Bien se tenir à table, c'est respecter chaque Frère et manifester son harmonie intérieure. L'initié qui se comporte correctement dans ces circonstances possède une pensée juste et pratique la maîtrise de soi; il est capable de recevoir et d'émettre le « mot secret du Maçon », ce terme mystérieux qui prouve son appartenance à l'Ordre.

Les types de fautes passibles de sanctions sont très révélatrices; est frappé d'une amende le Maçon qui abîme une pierre, faillit à la règle de vie ou ne mène pas à bien l'œuvre entreprise. Il verse une somme d'argent plus ou moins importante à un tronc commun qui servira pour l'achat des outils ou l'aide des Frères en difficulté. Cette Maçonnerie ancienne, profondément humaine, ne tolère aucune faiblesse dans le travail.

Son aspect ésotérique, déjà tangible par l'intermédiaire des cathédrales, est tout à fait évident lorsqu'on connaît les deux patrons de la confrérie, saint Jean-Baptiste et saint Jean l'évangéliste qui sont secondés dans cette tâche par saint Blaise et saint Thomas. Le

Baptiste, dit une séquence du XIIIᵉ siècle, a vu l'invisible et l'a dévoilé aux hommes. Admirant la roue du vraie soleil, il commanda à la nature en transformant les pierres brutes en pierres précieuses. Vêtu du costume rouge, comme les Maîtres Maçons écossais, il offre aux fidèles le pain de l'intelligence. L'auteur de la Séquence ajoute qu'il écrivit un Evangile, le confondant volontairement avec Jean l'Evangéliste. Ce dernier communie avec la Lumière et les événements légendaires de sa vie sont des références fort claires à la Franc-Maçonnerie. Jean est alchimiste et consolide les parties brisées des pierres; fils d'une Veuve, comme tous les initiés, il fut le premier Maître de l'Ordre maçonnique et dirigea les cérémonies des grands mystères. Il but une coupe de poison sans en être affecté, de même que l'apprenti Maçon boit une coupe d'amertume. De plus, la terre de son tombeau remue comme si elle suivait la respiration de notre globe; dans certains récits, le tumulus funéraire qui abrite le corps de Maître Hiram est également animé. Si vous voulez réussir dans toutes vos entreprises, dit un proverbe, cueillez les herbes de la Saint-Jean. Les Francs-Maçons fêtent depuis le Moyen Age la naissance du soleil intérieur à la Saint-Jean d'hiver et l'apogée de la lumière spirituelle à la Saint-Jean d'été; ils commémorent le souvenir de l'apôtre Jean qui faisait de l'or avec sa baguette, de même que le Vénérable tente de transformer les initiés virtuels en initiés réels à l'aide de son maillet. La Franc-Maçonnerie s'est toujours présentée comme une tradition « johannique », parallèle à la tradition de l'église de Pierre.

Protection de l'église, lois particulières, existence de saints patrons : la Franc-Maçonnerie du Moyen Age est un organisme solide, capable de susciter des vocations durables. Sur quoi repose son enseignement? D'abord sur une formation longue et rigoureuse. L'apprentissage dure sept ans pendant lesquels le jeune Maçon s'initie à la technique et à l'âme de tous les corps de métier; il accomplit ensuite un tour de France de loge en loge afin de côtoyer le maximum de Maçons et d'élargir sa connaissance de la vie. Il devient réellement Maçon lorsqu'il présente un chef-d'œuvre devant une assemblée de Maîtres. Réussir un apprentissage, c'est essentiellement savoir servir la communauté et connaître les attitudes rituelles intérieures et extérieures qui rendent l'homme conscient de ses devoirs; le bon apprenti aime et respecte l'outil qui lui sert à parfaire la matière et à se parfaire lui-même. Dès qu'il pénètre sur un chantier, on lui demande de sortir les outils de la caisse au début du travail et de les nettoyer le soir; il les contemple, mais n'a pas encore le droit de les utiliser. Lorsqu'il aura perçu dans sa chair toute la noblesse de l'outil, il pourra les prendre en main avec rectitude.

Quant au Maître Maçon, cet immense personnage de l'époque médiévale, il est chargé de diriger la Loge et de l'orienter vers la Lumière. Il est le sage, successeur du roi Salomon dont il occupe la chaire; à chaque nouvel initié, il répète cette phrase : « Quiconque veut être Maître le peut, pour tant qu'il sache le métier. » Et l'apprenti rêve d'égaler Pierre de Montreuil, le Prince des Maçons, ou le Maître Géomètre Colin Tranchant qui bâtit Saint-Sernin de Toulouse.

Le Maître d'Œuvre, après les années d'apprentissage et les années de voyage, passe deux ans dans la chambre des traits où lui sont révélées des clefs techniques et symboliques de la construction. Aucun Maître du Moyen Age n'a trahi le secret; à nous de regarder les cathédrales et d'en comprendre l'ordonnance et la signification.

L'Œuvre que dirige le Maître désigne l'ensemble formé par la construction et la confrérie des Maçons; il veille à la perfection des épures, à la taille rigoureuse des pierres et suit avec la plus grande attention toutes les étapes de la construction. Avec les autres Maîtres d'Œuvre, il maintient l'unité du corps d'élite de la Franc-Maçonnerie; dans ces réunions au sommet, des sujets comme l'alchimie, l'astrologie, la théologie sont à l'ordre du jour. Les Saintes Écritures et les sciences hermétiques fournissant aux sculpteurs la substance iconographique, les Maîtres étudient ces domaines sans relâche. Dans la loge, le Maître est adossé à l'est, s'identifiant avec la lumière naissante qui illumine les membres de la confrérie.

Sur le plan matériel, on constate que la condition sociale des architectes est excellente à partir du xıᵉ siècle. Ils jouissent d'une réputation favorable dans le peuple, et reçoivent des avantages de la part des monarques et des ecclésiastiques. Aux yeux de tous, le Maître apparaît vêtu d'une longue robe et coiffé d'un bonnet rituel; des gants recouvrent ses mains, selon une coutume instaurée par Charlemagne. Ses emblèmes sont l'équerre, le compas, le fil à plomb et la règle graduée; avec sa longue canne, il marche d'un pas serein vers le prochain chantier. Un Maître d'Œuvre, en effet, n'a jamais fini de bâtir; malgré sa gloire et son prestige, il respecte une surprenante règle d'humilité : après avoir dirigé la construction d'un monument, il se place sous les ordres d'un autre Maître pour l'aider dans ses travaux. Ce temps d'obéissance achevé, il reprend la direction d'un nouveau chantier.

Le président d'une loge maçonnique contemporaine se nomme « Vénérable Maître »; ce titre austère est très ancien, puisqu'il était déjà porté par les abbés du vıᵉ siècle. Les Loges, on le sait, trouvèrent souvent refuges dans des monastères dont l'abbé était Maître d'Œuvre et recevait de ses Frères le titre de « Vénérable frère », ou « Vénérable Maître ».

Ce détail nous amène vers l'examen de la hiérarchie maçonnique au Moyen Age. N'oublions pas que le terme « hiérarchie » désignait primitivement l'architecture des divers chœurs d'ange que l'humanité devait reproduire sur la terre. La structure maçonnique comprenait trois « grades » : apprenti, compagnon constructeur et Maître d'Œuvre. A l'apprenti correspondait le poseur de pierre, au compagnon le tailleur de pierre utilisant le maillet ou le ciseau. Le Maître, quant à lui, finissait les sculptures les plus difficiles ou rectifiait l'œuvre imparfaite.

Sur le chantier, le Maître était assisté d'un « Parlier » ou « Parleur » qui transmet aux compagnons les ordres du Maître. Etant son assistant direct, il donne les pierres aux sculpteurs dont il surveille le travail; c'est le parlier qui ouvre le chantier au matin, c'est lui qui le ferme le soir après avoir vérifié si tout est en ordre. Lorsqu'il désire communiquer un ordre, il frappe deux coups sur une tablette accrochée dans la Loge; si l'on entend trois coups, c'est que le Maître en personne s'apprête à parler. Selon d'autres sources, il y aurait eu trois tablettes derrière le surveillant : l'une de 36 pieds utilisée pour niveler, la seconde de 34 pour chanfreiner, la dernière de 32 pour mesurer la terre. L'office de « Parleur » est, en réalité, une préparation très stricte à la fonction de Maître d'Œuvre.

Les rituels initiatiques des Francs-Maçons médiévaux sont encore assez mal connus; on sait que le nouvel initié prêtait un serment et qu'il s'engageait à garder le secret sur ce qu'il verrait et entendrait. Pendant la cérémonie, on lui communiquait les signes de reconnaissance qu'il utiliserait lors de ses voyages. Le Maître résumait pour le novice l'histoire symbolique de l'Ordre et lui expliquait la signification du métier en insistant particulièrement sur les devoirs de l'homme initié. Tous les symboles des Maçons étaient commentés : le tablier, les outils, les deux colonnes, l'arche d'alliance, etc. Le moment le plus important de la cérémonie était celui où l'on créait un Maçon : agenouillé devant l'autel, le futur Maçon posait sa main droite sur le livre sacré que tenait un ancien; le Maître en chaire lisait les Obligations des Francs-Maçons et annonçait solennellement la naissance d'un nouveau Frère.

Un rite de bienvenue mérite d'être rappelé, car il est à peu près conservé dans la Maçonnerie actuelle. Lorsque le Maçon itinérant se présente à la porte d'une Loge, il demande : « Des Maçons travaillent-ils en ce lieu? », en frappant trois fois à la porte. Toute activité cesse à l'intérieur du lieu clos, et l'un des Maçons présents ouvre la porte après s'être emparé d'un ciseau. Il échange le mot de passe avec l'arrivant, et lui pose un certain nombre de questions rituelles dont les réponses doivent être apprises par cœur. Ce « catéchisme » des Francs-Maçons est toujours pratiqué, et constitue même l'essentiel de l'enseignement distribué à l'apprenti Franc-Maçon contemporain. Si le Frère visiteur répond correctement aux questions, le Tuileur (c'est-à-dire le Maçon chargé de l'interrogatoire) échange avec lui une poignée de main. En entrant dans la Loge, le visiteur déclare « Salutation au Vénérable Maçon ». « Que Dieu bénisse le Vénérable Maçon », répond le Maître en chaire. « Le Vénérable Maçon de ma Loge vous envoie ses salutations », reprend le visiteur. Il prend alors place sur les « colonnes », à savoir les rangées de sièges où s'installent les Maçons et prend part aux cérémonies.

L'initiation comprenait les épreuves de la terre, de l'eau, de l'air et du feu dont nous avons déjà constaté la présence dans plusieurs confréries de l'antiquité; l'initiation au grade de Maître reposait sur le mythe de l'architecte assassiné que nous analyserons en détail dans la troisième partie de cet ouvrage.

Parmi les symboles chers aux Francs-Maçons, il faut d'abord citer les labyrinthes qui sont de véritables signatures initiatiques. Ils furent détruits pour la plupart à partir du XVIIᵉ siècle; ceux qui subsistent sont trop souvent cachés par des chaises qui empêchent de ressentir l'immense élan des voûtes. Au centre des labyrinthes figurait ordinairement le visage d'un ou de plusieurs Maîtres d'Œuvre incarnant l'âme de la confrérie maçonnique qui avait construit l'église.

L'escalier à vis, que l'on peut voir dans de nombreuses tours de cathédrales, fut un symbole majeur de la Maçonnerie médiévale; il faisait allusion à la nécessité d'évoluer autour d'un axe central, de suivre les volutes de l'existence humaine sans jamais perdre de vue une référence sacrée. Tout au long de ces escaliers ou sur les piliers, on trouve des marques de constructeurs et des signes lapidaires qui sont tantôt des signatures de sculpteurs, tantôt des rébus géométriques qui offrent des clefs de proportions. Ces marques existaient déjà dans la plus haute antiquité; sur les parois du temple égyptien de Médinet-Habou, datant de la XVIIIᵉ dynastie, on voit l'étoile à cinq branches, la croix de Saint-André, un tracé harmonique d'un plan de temple, un carré long (c'est-à-dire un rectangle 1 sur 2 qui est encore aujourd'hui le symbole de la loge maçonnique).

Les Maçons du Moyen Age possédaient trois « bijoux » immuables qui définissaient la nature des trois grades de l'initiation. La pierre brute était le premier « bijou », réservé aux apprentis; le second, la pierre cubique à pointe réservée aux Compagnons; le troisième, la planche à tracer réservée aux Maîtres. Dans la Franc-Maçonnerie contemporaine, la pierre brute est toujours le symbole des apprentis; la pierre cubique à pointe est rarement employée et la planche à tracer fut malheureusement oubliée au cours des âges.

La grande « réserve » symbolique de la Maçonnerie médiévale, c'est essentiellement le répertoire iconographique des chapiteaux sculptés. Là, on trouve le pélican, le phénix et l'aigle à deux têtes qui sont à l'honneur dans les hauts grades maçonniques; toutes les attitudes rituelles du sculpteur initié sont représentées dans la pierre ou dans le bois, tous les objets sacrés des Maçons sont visibles dans les églises et les cathédrales, tous leurs secrets spirituels et techniques sont encore accessibles grâce au langage du symbole.

Ce terme de « symbole », qui est sans doute le meilleur chemin pour comprendre la mentalité médiévale, nous donne l'occasion d'aborder un sujet délicat : les rapports de la Franc-Maçonnerie médiévale avec une autre grande société initiatique de ce temps, l'Ordre chevaleresque des Templiers. Comme l'a démontré l'historien Paul Naudon, l'épopée des cathédrales est due à l'action conjointe de l'église, des Templiers et des Franc-Maçons. La Maçonnerie du xxᵉ siècle affirmant volontiers son ascendance templière, il est nécessaire d'examiner cette proposition.

On sait que, d'après la légende, les neuf fondateurs de l'Ordre trouvèrent dans les fondations du temple de Jérusalem un coffre où était caché un manuscrit d'une inestimable valeur; ce dernier retraçait le procédé employé par le roi Salomon pour réaliser le Grand Œuvre alchimique. Peu de temps après sa naissance, en 118, l'Ordre du Temple eut une grande activité architecturale; il fit appel aux Maçons qu'il protégea d'une manière constante. Dans chaque Commanderie, il y avait un Maître architecte qui veillait sur les droits de franchise accordés à tous les ouvriers qui demandaient l'hospitalité du Temple. En 1268, Maître Fouques du Temple est à la fois Templier, Franc-Maçon et Maître charpentier du roi; il est le vivant symbole d'une union totale. De plus, en 1155, la quasi-totalité des loges anglaises était administrée par le Temple.

Le 19 mars 1314 a lieu l'exécution de Jacques de Molay qui marque la mort officielle de l'Ordre templier. Que reprochait-on à ces chevaliers? Essentiellement d'entretenir des cultes hérétiques et de s'adonner à des pratiques sexuelles. Ce sont les calomnies habituelles qui reviennent sans cesse lorsqu'on se livre à des attaques contre les sociétés initiatiques. En fait, Philippe le Bel avait vu sa demande d'admission rejetée par les Maîtres Templiers et sa vanité de tyran, doublée d'un impérieux besoin d'argent, avait abouti aux actes criminels que chacun connaît. De plus, les Templiers ne révélaient pas à l'église romaine le secret de leurs assemblées; les « chapitres » du Temple intérieur se réunissaient la nuit et ne se confondaient pas avec les assemblées administratives qui géraient les immenses biens matériels de l'Ordre.

Nous n'avons conservé que des bribes de l'initiation templière. Avant l'entrée du néophyte, le Maître en chaire demandait aux frères : « Voulez-vous qu'on le fasse venir de par Dieu? »; ils répondent : « Faites-le venir de par Dieu. » Lorsque le néophyte pénètre dans le temple, tous les initiés se tournent vers lui et l'interrogent : « Etes-vous encore en votre bonne volonté »; formule que la Franc-Maçonnerie transformera légèrement en demandant au profane s'il est libre et de bonnes mœurs. « Vous requérez une très grande chose, dit le Maître au postulant, car, de notre ordre, vous ne voyez que l'écorce. Vous ignorez les durs commandements de notre société. Car c'est chose dure que vous, qui êtes maître de vous-même, vous vous fassiez serf d'autrui. » Au cours de la cérémonie, une question revient à plusieurs reprises: « Etes-vous de bonne volonté? » A chaque fois, le postulant s'engage davantage et manifeste son désir de continuer.

L'instant suprême est celui de la « création » du nouveau Templier. Le Maître s'adresse alors aux Frères : « S'il y avait quelqu'un parmi vous qui connût en lui (le postulant) quelque chose qui l'empêchât d'être un Frère selon la Règle, qu'il le dise; car il serait mieux qu'il le dît avant qu'après qu'il sera venu devant nous. » Cette phase rituelle fut intégralement conservée dans l'initiation maçonnique contemporaine.

Les Templiers employaient déjà la tête de mort qui se trouve dans le « Cabinet de réflexion » des Maçons; ils mettaient particulièrement à l'honneur une pierre venue du ciel qui peut être confondue avec la pierre cubique du Compagnon Maçon. De plus, lorsque l'initié Templier enjambe la croix du Christ, il accomplit un acte analogue à celui du Maître Maçon qui enjambe le cercueil d'Hiram. Le Grand Maître des Templiers s'affirme d'ailleurs comme architecte, puisqu'il détient l'Abacus, le bâton sacré des constructeurs. La fête solsticiale de la Saint-Jean d'hiver réunit Templiers et Francs-Maçons, les grands maîtres des deux Ordres allumant eux-mêmes les feux rituels.

Il est tout à fait certain que Templiers et Francs-Maçons eurent des liens étroits pendant l'époque médiévale. Après la destruction de l'Ordre du Temple, certains affirmèrent que des Templiers avaient échappé au massacre. Plusieurs Frères se seraient réfugiés en Ecosse, près d'Heredom, où ils furent accueillis avec joie par les Chevaliers de Saint-André du Chardon. De nos jours, le Rite Ecossais Rectifié se réclame des Templiers qui auraient créé ce rite maçonnique à Heredom, vers 1340. Selon d'autres récits, le roi écossais Bruce aurait accueilli à sa cour les Templiers rescapés et fondé en leur honneur l'Ordre du Chardon, vers 1313. Dans son ouvrage « Du régime de la stricte Observance », le Maçon de Hund résume en ces termes la légende qui relie les Templiers aux Francs-Maçons : « Après la catastrophe, le Grand Maître provincial de l'Auvergne, Pierre d'Aumont, s'enfuit avec deux commandeurs et cinq chevaliers. Pour n'être point reconnus, ils se déguisèrent en ouvriers maçons et se réfugièrent dans une île écossaise, où ils trouvèrent le grand commandeur Georges de Harris et plusieurs autres frères avec lesquels ils résolurent de continuer l'Ordre. Ils tinrent, le jour de la Saint-Jean 1313, un chapitre dans lequel Aumont, premier du nom, fut nommé Grand Maître. Pour se soustraire aux persécutions, ils empruntèrent des symboles pris dans l'art de la Maçonnerie et se dénommèrent Maçons libres. » Le nouvel Ordre se répandit alors en Angleterre, en Allemagne et en Italie.

Les noms et les dates, une fois de plus, sont sujets à caution, et nombre d'historiens rejettent l'ascendance templière de la Franc-Maçonnerie. Il est certain, cependant, que quelques Templiers poursuivirent l'Œuvre commencée et se refugièrent dans les confréries de Maçons qu'ils avaient protégées du temps de leur puissance. L'identité de vues, la communauté des symboles étaient de sérieux motifs de rapprochement. De plus, la filiation templière est une réalité vivante pour beaucoup de Maçons qui se souviennent des paroles prononcées par leur Frère Ramsay au xviiie siècle : « Les Croisés (qui sont ici identifiés aux Templiers), rassemblés de toutes les parties de la chrétienté dans la Terre Sainte, voulurent réunir dans une seule confraternité les sujets de toutes les Nations. Le nom de Francs-Maçons ne doit donc pas être pris dans un sens littéral, grossier et matériel... Quelle obligation n'a-t-on pas à ces hommes supérieurs qui, sans intérêt grossier, sans même écouter l'envie naturelle de dominer, ont imaginé un établissement dont l'unique but est la réunion des esprits et des cœurs, pour les rendre meilleurs, et former, dans la suite des temps, une Nation toute spirituelle. »

Nous voici parvenus au terme de ce chapitre où nous avons tenté de faire revivre quelques-uns des aspects de la Franc-Maçonnerie du Moyen Age. Il est temps de tirer quelques conclusions de cette enquête en rappelant les principes essentiels de l'Ordre maçonnique au sommet de sa gloire et de son génie; nous aurons ainsi des points de références pour mieux comprendre l'évolution ultérieure de l'Ordre.

Le Maçon du Moyen Age entre dans une confrérie dont le but majeur est de construire un temple de pierre destiné à recevoir l'assemblée des fidèles. En le bâtissant, l'initié apprend également à construire un temple spirituel qui ne sera jamais achevé. A l'intérieur de l'Ordre, il n'y a pas de dissociation entre l'esprit et la main, entre les « penseurs » et les « manuels »; le Maître d'Œuvre est le vivant symbole de cette unité.

Pour le Maçon, l'univers est un gigantesque chantier où se trouvent tous les matériaux indispensables à l'érection de la cathédrale. A lui de savoir les utiliser et de réaliser l'Œuvre la plus belle qu'il offrira à Dieu et non aux hommes. « Tous les rites de la Maçonnerie, écrivait Jules Romains, tournent autour de l'idée de construction. Si vous avez compris ça, vous avez tout compris. » Le Maçon, en effet, ne croit pas au « bon sauvage »; à son avis, le métier est nécessaire à l'accomplissement de l'âme, le travail est la meilleure approche du divin. Mais on ne travaille pas n'importe comment; pour reconstruire l'Homme en bâtissant une église, il faut être initié et percevoir le sens des symboles.

« Dieu écrit droit avec des courbes », dit un proverbe maçonnique qui annonce les découvertes d'Einstein. C'est pourquoi la vie du Maçon est une spirale qui se développe à l'infini, une courbe harmonieuse qui unit le ciel à la terre. Le bon Maçon est celui qui a « le compas dans l'œil », cet œil de Lumière qui est toujours situé au-dessus du Vénérable Maître en chaire dans les loges actuelles.

Selon la Franc-Maçonnerie, trois œuvres sont à réaliser ici-bas : prolonger l'Œuvre de Dieu en amenant à l'existence ce qui n'était pas auparavant; par exemple, faire surgir une cathédrale du néant. Ensuite, prolonger l'œuvre de la nature en révélant aux hommes ce qui était caché; par exemple, traduire en symboles les idées initiatiques vécues dans le secret des temples. Enfin, créer selon les lois de la Maîtrise, c'est-à-dire joindre ce qui était séparé et disjoindre ce qui était mal uni. Le Maître d'Œuvre est celui qui parvient à accomplir ces

119

trois Œuvres grâce aux enseignements de la Franc-Maçonnerie.

On peut rappeler ce très beau dialogue de constructeurs qui évoque parfaitement l'état d'esprit des Maçons médiévaux (écrit par le Compagnon La-Gaieté-de-Villebois) :

> « — *Compagnon sur le Tour,*
> *D'où viens-tu jour après jour?* »
> « — *Je viens des ténèbres profondes*
> *Où se débat notre vieux monde,*
> *Où tout est froid, hostile et noir.* »
>
> « — *Compagnon sur le Tour,*
> *Que vois-tu jour après jour?* »
>
> « — *Je vois les chefs-d'œuvre sublimes*
> *Des grands ouvriers anonymes,*
> *Les bons Compagnons d'autrefois*
> *Ceux qui travaillaient dans la joie*
> *Et qui nous ont frayé la Voie*
> *Parce qu'ils possédaient la Foi.* »
>
> « — *Compagnon sur le Tour,*
> *Que fais-tu jour après jour?* »
>
> « — *Je prends dans la nature entière*
> *L'innombrable et rude matière,*
> *Et par mon cœur et par mes mains,*
> *Serrant l'outil qui chante et sonne,*
> *Je la transforme et la façonne*
> *Et j'œuvre pour tous les humains.* »

CHAPITRE IX

LE DÉCLIN
DE LA MAÇONNERIE ANCIENNE
(XIVᵉ-XVIIIᵉ siècle)

Le grand Moyen Age, celui des cathédrales, meurt avec le XIVᵉ siècle. Certes, on bâtit encore des églises, on sculpte encore des chefs-d'œuvre, on transmet encore un enseignement initiatique par les « ymages ». Mais l'état d'esprit change à partir de la disparition des Templiers; les Francs-Maçons ne jouissent plus d'une protection aussi puissante et ils devront désormais affronter les autorités civiles et religieuses sans l'intermédiaire de l'ordre chevaleresque assassiné. Le XIVᵉ siècle voit la naissance de la bourgeoisie reconnue comme valeur sociale, du commerce capitaliste et de la guerre à l'état endémique. Quelque chose s'est brisé dans l'âme des Européens, et les malheurs surviennent : épidémies et famines fauchent de nombreuses vies, une certaine animosité perturbe les rapports humains.

En fait, une grande crise religieuse s'amorce; on croit de moins en moins en l'enseignement de l'église, car trop de prêtres trahissent leurs devoirs et ne respectent plus l'Evangile. Comment trouver une nouvelle morale dans un monde où l'argent et l'ambition commencent à tenir la première place? Le spectre de la mort apparaît dans l'iconographie, le temps de vivre selon son bon plaisir est venu.

Peu de temps après le supplice de Jacques de Molay, en 1314, le Parlement de Paris rend un arrêt inspiré par Philippe le Bel : la charge de Charpentier royal est supprimée, car ceux qui l'occupaient avaient trop de liens avec le Temple. Les Francs-Maçons n'ont donc plus de représentant officiel au sein du gouvernement. Comme une catastrophe ne vient jamais seule, des dissensions internes agitent les confréries; en 1322, certaines loges deviennent schismatiques. On sait fort peu de chose sur ces événements et l'on ignore la cause de cette scission.

En avril 1326, le concile d'Avignon porte un nouveau coup aux Maçons : il condamne sévèrement les confréries professionnelles à cause de leur volonté de secret, de leurs signes particuliers, de leurs mots de passe, de leur langage ésotérique et de leurs symboles. La fraternité initiatique déplaît beaucoup aux membres du Conseil; elle crée un « cercle fermé » au sein de la chrétienté. Comble de l'hérésie, les Maçons élisent des « Maîtres » qui dirigent la communauté sans demander l'avis de l'église et selon des principes spirituels qui ne sont pas en plein accord avec le dogme. Les grandes fêtes annuelles des Maçons font concurrence aux fêtes religieuses et détournent des bons chrétiens de l'orthodoxie. Cette fois, la menace est sérieuse; la société médiévale se décompose progressivement et l'église n'a plus confiance, semble-t-il, dans les confréries qui lui ont offert une magnifique parure de cathédrales, d'abbayes et de monastères.

Alors que le conflit entre l'Eglise et la Franc-Maçonnerie semble inévitable, le pape Benoît XII repousse soudainement ces sombres perspectives. En 1334, il confirme tous les privilèges précédemment accordés aux Maçons et ignore d'une manière délibérée les condamnations des conciles. En 1363, Raymond du Temple devient « Maître des Œuvres » du roi Charles V; il le restera jusqu'en 1405 et saura gagner la confiance du monarque dont il fut même un conseiller et un ami. Maçon très scrupuleux, Raymond du Temple obtint pour la confrérie l'oreille de la cour royale et remplit sa fonction de Grand Maître avec une noblesse qui impressionnait favorablement; il réglait tous les conflits survenant à l'intérieur de l'Ordre, qu'il s'agisse d'un problème

Quatre exemples de sceaux compagnonniques et maçonniques. Sur ceux du 17e siècle *(Maëstrich et Anvers)*, on reconnaît les principaux outils des bâtisseurs. Sur celui du Souverain Chapitre de France, c'est l'aigle couronné de lumière qui occupe la place centrale.

essentiel comme le choix du plan d'un édifice ou d'une vétille comme une querelle entre deux Maçons. C'est assurément grâce à Raymond du Temple que la Maçonnerie française traversa la seconde moitié du XIV⁰ siècle sans se heurter au pouvoir et qu'elle obtint des commandes suffisantes pour faire vivre l'ensemble des membres de la confrérie.

Vers 1370 sont rédigés à York des règlements maçonniques faisant suite à des ordonnances de 1352. Il s'agit de chartes et de constitutions qui forment ce que l'on appelle les « Anciens Devoirs » dont il y aura plus de cent trente versions entre 1390 et le début du XVIII⁰ siècle. C'est incontestablement le grand événement maçonnique du XIV⁰ siècle; pour la première fois, les Maçons constructeurs mettent par écrit une partie de leur règle de vie. Ce besoin de législation n'est pas un progrès, bien au contraire; si les Maîtres l'ont ressenti, c'est qu'ils craignaient pour l'avenir spirituel et matériel de l'Ordre.

Que retirer de ces manuscrits? Nous apprenons qu'une prière ouvre régulièrement les assemblées maçonniques et que les initiés doivent obligatoirement célébrer des fêtes annuelles. Celui qui demande l'entrée en Maçonnerie fait l'objet d'une période probatoire pendant laquelle on examine ses capacités; lors de son admission, il prête un serment de fidélité à l'Ordre et jure de garder les secrets qui lui seront confiés.

La plupart des manuscrits insistent sur les origines légendaires de la Franc-Maçonnerie créée par Dieu au premier matin du monde; nous les avons rappelées dans un chapitre précédent. David, Salomon, Euclide, Pythagore comptent parmi les anciens Grands Maîtres qui ont enrichi l'Ordre de leurs connaissances ésotériques; on célèbre volontiers la mémoire du grand roi Edwin dont nous avons déjà évoqué l'action. De grands seigneurs, disent les manuscrits, ont toujours pratiqué l'art royal de la géométrie; les règles intérieures et les règlements administratifs ont été établis pour permettre aux initiés de vivre en communion et d'apprendre à respecter leurs devoirs.

La plus importante des règles, qui figure déjà dans les Annales de l'abbaye d' York en 1370, est sans doute celle de l'unanimité. Toute décision, en effet, devra être soumise au consentement unanime des Maîtres et des surveillants. Sinon, elle n'aura aucune valeur. On préservait ainsi le ciment fraternel et la cohérence des Loges.

A notre avis, les Maîtres d'Œuvre du XIVᵉ siècle avaient une parfaite conscience de l'instabilité de leur époque. Sensibles à l'avertissement du concile d'Avignon, ils estimèrent que la « révélation » de certaines lois propres à leur organisation atténuerait le caractère dangereux du secret. En offrant au « public » l'image d'une corporation régie par des lois strictes, les responsables maçonniques mettaient en valeur l'honorabilité de leur institution et prouvaient qu'elle ne tolérait aucun désordre. De plus en plus isolée, la Maçonnerie redoute une action violente semblable à celle qui détruisit les Templiers; modestement, elle se rabaisse au rang d'une corporation parmi tant d'autres et prône la discipline de ses adeptes qui, assurément, n'ont pas la moindre intention de se mêler de politique.

Les manuscrits parlent abondamment des « Quatre couronnés » qui sont représentés comme des saints patrons de l'Ordre. « Les Quatre couronnés, dit la légende dorée, furent Sévère, Séverin, Carnophore et Victorin qui, sur l'ordre de Dioclétien, furent fouettés à coups d'escourgées de plomb jusqu'à ce qu'ils en moururent. D'abord leurs noms furent inconnus, mais longtemps après, Dieu les révéla. On décida donc que leur mémoire serait honorée sous les noms de cinq autres martyrs, Claude, Castorius, Symphorien, Nicostrate et Simplicien, qui souffrirent deux ans après eux. Or, ces derniers martyrs étaient d'habiles sculpteurs qui, ayant refusé à Dioclétien de sculpter une idole et de sacrifier aux dieux, furent placés vivants dans des caisses de plomb et précipités dans la mer vers l'an du Seigneur 287. » La légende est embrouillée; selon un texte du IVᵉ siècle, quatre sculpteurs nommés Claudius, Castorius, Symphorianus et Nicostratus avaient accepté de faire pour Dioclétien des statues et des colonnes à chapiteaux. Lorsque l'empereur commanda une statue d'Esculape, ils refusèrent. Au total, il y eut donc neuf martyrs dont le nombre fut ensuite ramené à quatre. Ils sont représentés notamment sur une clef de voûte de l'église de Chars, entourant l'agneau mystique.

Les Maçons allemands furent les premiers à reconnaître les Quatre couronnés pour saints patrons. Ils signifiaient l'universalité de la Franc-Maçonnerie et ce choix n'était pas sans rapports avec la situation historique; de même que les initiés de l'antiquité avaient été suppliciés par un empereur cruel, de même les Maçons auraient peut-être à subir bientôt la tyrannie des gouvernants qui ne comprendraient plus leur mission sacrée.

Ces craintes si fondées procurèrent à l'ancienne Maçonnerie quelques années d'existence supplémentaires; en 1396, de nombreux ouvriers travaillent à la cathédrale de Canterbury et chacun les appelle « Francs-Maçons ». Ils taillent la pierre avec le ciseau et la laye, exécutent de grandes sculptures et ont plusieurs « frères servants » sous leurs ordres. Comme l'écrit Marcel Aubert, « il semble que, peu à peu, le terme « francmaçon » désigne les plus habiles des maçons, formant un corps supérieur à part ». Cette élite artisanale et spirituelle est tout entière résumée dans la maxime justement célèbre du Maître d'Œuvre parisien Jean Mignot : « L'art sans la science n'est rien. »

A la fin du XIVᵉ siècle, le terme « Franc-Maçon » est donc passé dans les mœurs; la confrérie est encore puissante et respectée, car elle maintient l'épreuve du chef-d'œuvre que doit réaliser le néophyte pour faire partie de l'Œuvre. Chacun sait que seuls les Francs-Maçons sont capables d'élever les grands édifices et d'accomplir les travaux d'architecture et de sculpture les plus difficiles. Notons qu'il n'existe pas d'organisme maçonnique central prenant des décisions pour la totalité des loges européennes; chaque loge conserve son autonomie au point d'employer le manuscrit des « Anciens devoirs » qui lui convient le mieux.

Une innovation importante doit être signalée; on construit davantage de loges en dur qui deviennent des lieux de réunion habituels. Autrefois, on démontait la loge construite le long d'un mur de la cathédrale en construction.

Le xve siècle s'ouvre, pour les confréries maçonniques, par un événement dramatique : en 1401, à Orléans, se produit une scission des Compagnonnages. Les Compagnons du Devoir de Liberté prennent leur autonomie, ne voulant plus être inféodés à l'Eglise, si peu que ce soit. Les autres Maçons gardent un certain attachement à la religion. Cette crise de conscience interne est rapidement connue à l'extérieur; à Chartres, par exemple, les privilèges des Maçons sont supprimés. En 1404, le Grand Maître Raymond du Temple disparaît; c'est une perte cruelle pour l'Ordre qui est très critiqué en France. En Angleterre, l'archevêque de Canterbury est à la tête de la Franc-Maçonnerie depuis le début du siècle; il lui apporte donc une caution officielle.

Vers le milieu du siècle, les Maîtres d'Œuvre comprennent qu'il faut de nouveau définir les bases de la Maçonnerie qui est suspectée d'hérésie. En 1459, dix-neuf maîtres et vingt-six compagnons se réunissent à Ratisbonne sous la présidence de Jost Dotzinger, maître de la Loge de Strasbourg dont la gloire rayonne encore sur l'Europe entière. Ils décident de réviser les anciennes coutumes des Loges et de rédiger de nouvelles constitutions à l'intention des tailleurs de pierre. Les règlements de Rastisbonne et les Constitutions de Strasbourg précisent plusieurs points de la règle de vie des initiés et seront encore appliqués au début du xviiie siècle.

Relevons quelques détails : la hiérarchie comprend trois grades, à savoir Apprenti, Compagnon et Maître. Nul profane ne sera admis dans les assemblées maçonniques qui n'accueillent que les initiés passés par les épreuves rituelles. L'Ordre se gère lui-même sur le plan administratif et se rend sa propre justice. Les saluts et les signes particuliers à la confrérie sont maintenus, le symbolisme reste la base de l'enseignement maçonnique. Les Frères se réuniront régulièrement pour travailler à des problèmes d'ordre spirituel ou technique; ils célébreront des banquets rituels qui ne devront pas dégénérer en beuverie, car le Franc-Maçon respecte en toutes circonstances la dignité de l'homme initié. Dans le travail, il faudra toujours rechercher la perfection sans pour autant glorifier l'ouvrier qui n'est que l'instrument de Dieu. C'est pourquoi tout Maçon est obligatoirement un homme de Foi.

Jost Dotzinger et ses Frères insistent tout particulièrement sur un point : le secret maçonnique sera intégralement conservé et nul Maçon n'aura le droit d'en divulguer la plus infime parcelle. L'importante réunion de 1459 avait un enjeu capital : fallait-il ouvrir la Franc-Maçonnerie au monde extérieur et offrir à tous ses richesses? En leur âme et conscience, les Maîtres répondirent par la négative. L'époque ne leur semblait pas préparée à une telle transmission; ils estimèrent qu'ils affrontaient les rigueurs d'un âge sombre et que la seule solution bénéfique consistait à se replier sur eux-mêmes en attendant des jours meilleurs. La suite des événements devait leur donner raison.

En 1495, une attaque inattendue contre la Maçonnerie part d'Angleterre. Le roi Henri VIII déteste les assemblées secrètes des Maçons qui, à son avis, sont en désaccord avec sa manière de gouverner et cherchent à l'entraver. Pour briser la puissance de l'Ordre, il interdit l'usage des signes de reconnaissance. Cette décision assez naïve et pratiquement inapplicable n'aura aucune conséquence.

A la fin du XVe siècle, la Franc-Maçonnerie compte plus de trente mille membres dont les plus influents se trouvent en Allemagne. Ils voyagent encore beaucoup, effectuant de véritables tours d'Europe pendant lesquels ils identifient les innombrables signes lapidaires gravés sur les édifices, signes qui forment « le très noble et très droit réseau fondamental des tailleurs de pierre ». C'est sans doute de cette époque que date un récit auxquels tiennent beaucoup les Maçons : un passant observait trois ouvriers travaillant sur un chantier. Que faites-vous, leur demanda-t-il. Je gagne ma vie, répondit le premier. Je taille une pierre, répondit le second. Je cons-

Les Quatre couronnés, tailleurs de pierre martyrisés, symbolisent les quatre Orients rayonnant à partir d'un centre qui se trouve en l'initié lui-même. La représentation de Venise insiste sur la fraternité qui unit les hommes en quête de la royauté intérieure.

Tout autour du chapiteau est figurée la chaîne d'union des Maçons qui évoque l'indissoluble union des initiés dans le cosmos. Symbole de fraternité, mais aussi d'Amour connaissant qui fait de la communauté des bâtisseurs un seul esprit et un seul corps.

Le Maître Maçon, qui connaît déjà le secret du niveau, utilise le compas pour tracer le plan d'un édifice. Il « corporise » ainsi les lois célestes qu'il a le devoir de rendre perceptibles aux hommes. (Stalle de la cathédrale de Poitiers.)

L'Apprenti-Maçon, utilisant le maillet et le ciseau, apprend à tailler la pierre, symbole de la matière céleste qui sommeille au plus profond de lui-même.

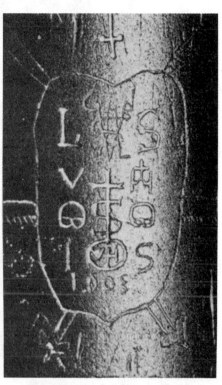

Plusieurs exemples des célèbres marques gravées par les Maçons. Certaines sont des signatures, d'autres offrent des clefs géométriques pour la construction des édifices.

La porte de l'enceinte sacrée est surmontée du pélican, symbole présent dans les hauts grades maçonniques. Pour franchir la porte étroite, le Maçon doit vivre selon la charité du Pélican, cette flamme extraordinaire qui permet de créer le chemin vers la Connaissance. (Abbaye de Saint-Wandrille.)

Épisode de l'initiation au grade d'Apprenti. Le Parrain du nouvel initié s'apprête à détacher le bandeau pendant que les Frères dirigent leurs épées vers l'adepte, enrichissant sa conscience de multiples traits de lumière. Un Maître fait également franchir l'épreuve du feu à l'Apprenti.

Épisode de l'initiation au grade de Maître. Le Vénérable frappe du maillet le front du postulant qui est identifié à Hiram. Chaque Maître Maçon subit à nouveau la passion de Hiram afin de la ressusciter en lui-même.

Photos F. Brunnier.

truis une cathédrale répondit le troisième qui était un Compagnon initié.

Les Maîtres ne parvinrent pas à empêcher une évolution dont il est difficile de dire si elle fut plus profitable que nuisible : l'acceptation de non-professionnels dans les Loges. A cette époque, il ne s'agit pas encore d'intellectuels et de philosophes mais d'hermétistes, d'anciens Templiers, d'affiliés au Catharisme, de divers sectaires qui touchent de près ou de loin à un ésotérisme dont la qualité est parfois contestable. L'intolérance commençant à régner dans plusieurs états européens, tous ceux qui désirent se livrer à des recherches spirituelles hors du dogmatisme affluent vers la Franc-Maçonnerie dont on connaît le potentiel symbolique et la chaleureuse fraternité. Les Maîtres Maçons ne refusent pas l'entrée du temple à ces hommes qui poursuivent ardemment une vérité.

Avec l'aube du XVIᵉ siècle survient la mort de l'épopée médiévale. Les Maçons dits « acceptés » sont de plus en plus nombreux dans des loges où les authentiques constructeurs se font rares. Après les hermétistes viennent les bourgeois, les prêtres, les gentilshommes et les noblions. Le milieu social qui compose la Franc-Maçonnerie est totalement bouleversé et la réaction ne se fait pas attendre : les « opératifs » et les manuels quittent la Maçonnerie et créent un Compagnonnage maintenant bien organisé qui s'oppose résolument à la bourgeoisie d'argent, à l'église corrompue et à toute forme d'autorité séculière.

Nous sommes parvenus à la dramatique rupture entre les Francs-Maçons et les Compagnons. Ces deux ordres sont pourtant issus de la même Tradition, ils utilisent les mêmes symboles, ils pratiquent la même initiation. Les premiers cèdent à la pression de leur époque, les seconds veulent rester bâtisseurs et se tenir à l'écart des bouleversements sociaux. Il faudra attendre la seconde moitié du XXᵉ siècle pour que de timides échanges de vue unissent à nouveau les deux Ordres.

Les pouvoirs en place n'ignorent pas la nouvelle situation et se méfient du caractère frondeur des Compagnons.

La Franc-Maçonnerie

En juillet 1500 et en juillet 1505, le Parlement de Paris rend deux arrêts qui interdisent purement et simplement les réunions des maçons et des charpentiers, sous peine de confiscations de leurs biens et de leur déchéance professionnelle. Le parlement aurait reçu nombreuses plaintes faisant état de la dégradation morale régnant dans ces assemblées; il est donc défendu que « sous ombre de confrérie, messes, service divin ou autre cause et couleur quelle qu'elle soit, ils ne s'assemblent ». Sont également interdits les banquets, les cérémonies d'initiation et la perception de droits d'entrée dans l'Ordre sous peine de châtiments corporels. L'ensemble de ces mesures est rappelé par le Parlement en 1506.

L'Occident tente d'anéantir les confréries qui, pendant plusieurs millénaires, ont créé ses formes artistiques. Les Compagnons ne s'inclinent pas; ils se cachent, mais n'interrompent pas leurs travaux. Dans d'autres pays, ils fondent des groupements qui reçoivent la protection de l'état ou de hauts personnages; en Angleterre, c'est la Guilde des bâtisseurs qui voit le jour en 1509 sous le patronnage de saint Jean et avec l'approbation de l'Eglise. En 1512 naît à Florence la Compagnie de la Truelle dont font partie des architectes et des alchimistes qui côtoient des membres de la famille des Médicis.

En 1515, François Ier monte sur le trône de France qu'il occupera jusqu'en 1547. Sous ce règne, l'esprit du XVIe siècle transforme toutes les structures précédemment acquises qu'elles soient spirituelles, artistiques ou politiques. La noblesse de cour exhibe ses vanités au grand jour, la culture de l'intellect remplace celle de l'âme et le clergé devient mondain. Un Octavien de Saint-Gelais, évêque de la cité d'Angoulême où subsistent tant de trésors maçonniques, n'est plus qu'un aimable poète chargé de distraire les favorites du Roi. Le commerce se dresse contre l'artisanat; désormais, il n'y a plus d' « œuvrant » ou d' « opératif », mais des ouvriers, c'est-à-dire des gens considérés comme de pauvres bougres sans intelligence qui forment la plus basse classe de la société.

Les banquets des confréries sont de nouveau interdits en 1524 parce qu'ils gênent la sécurité du royaume. Un décret identique est publié en 1539, en 1576 et en 1579 : ils sont tous inopérants, et contribuent à rendre plus secrètes encore les réunions maçonniques. Détail piquant, ce sont les Compagnons pourchassés par le pouvoir qui construisent la totalité des châteaux de la Loire!

Les années 1534-1535 sont extrêmement troublées. Les protestants les plus vindicatifs sont emprisonnés et, parfois, exécutés. Parmi eux, il y avait des Francs-Maçons qui n'étaient pas les moins virulents dans la critique du catholicisme. 1534, c'est aussi l'année de la fondation de l'Ordre des Jésuites par Ignace de Loyola, à Montmartre. Certes, à cette époque, les Maçons ne soupçonnent pas encore l'importance du fait.

Un surprenant personnage, l'évêque de Cologne Herman, estime que le destin des constructeurs est sérieusement menacé et qu'il faut définir à nouveau le rôle de la Franc-Maçonnerie par rapport aux grands problèmes du temps. C'est pourquoi, en 1535, il provoque la grande assemblée de Cologne où se réunissent des délégués maçonniques venant de toutes les grandes capitales européennes. Leur premier travail consiste à rédiger une charte où est affirmée l'antiquité de l'institution et sa profonde originalité. On décide de conserver les signes et les mots rituels et l'on réclame toujours le patronage de saint Jean. Il est également précisé qu'une loge désirant initier un profane doit comprendre au moins sept Frères placés sous la direction d'un Maître. Les bases traditionnelles de l'Ordre sont conservées dans leur ensemble.

La réunion de Cologne est surtout celle du doute et de l'angoisse. Les Maçons sont attaqués de toutes parts et s'interrogent sur leur utilité future dans la société; sont-ils capables de faire renaître un art sacré et de provoquer ainsi un renouveau des commandes architecturales? La tendance strictement artisanale est déjà minoritaire, et personne ne peut proposer de solutions concrètes. Le centre des entretiens est la religion. Le catholicisme, encore puissant, perd du terrain en Europe, notamment en Angleterre; la Franc-Maçonnerie dans son ensemble doit-elle adopter à l'égard de la foi une attitude très nette? La question est finalement éludée, et l'on adopte un texte selon lequel les hommes répandus sur la surface de la terre ne sont que les membres dispersés d'un même corps; il faut, par conséquent, aimer tous les hommes comme des frères.

Cette déclaration d'intentions ne masque pas l'échec de l'assemblée réunie à Cologne. Les Maçons se sont mutuellement interrogés sur leur vocation qui semble désuète aux uns, hérétique aux autres. Ils sentent que leur Ordre cèle des vérités essentielles, mais comment leur donner une place suffisante dans le monde du XVIe siècle.

Les tailleurs de pierre professionnels demeurent insensibles à ces cas de conscience; en 1560, ils publient les règlements de Strasbourg dont le sujet est l'adoption des marques et des blasons propres à la confrérie; l'article traitant des écussons des Maîtres est ainsi rédigé : « Attendu qu'en l'honneur du métier, on a fait faire un long tableau commun, en conformité des anciens statuts et aux frais de la tribu, il a été arrêté et ordonné : chaque membre de la tribu... peut y placer son écusson. Si quelqu'un s'en va par décès, on doit sortir son écu et le placer dans un autre tableau fait pour cela, en avançant les autres, afin que les descendants puissent voir quels ont été leurs ancêtres et quand ils ont vécu. » Aucun maître ne peut changer sa « marque d'honneur » de sa propre volonté; c'est le « Métier » qui la lui accorde.

Comme on le voit, les artisans se penchent sur leur filiation traditionnelle et sur l'organisation interne de leurs confréries. Une fois pour toutes, ils ont rejeté une société matérialiste où ils trouvent simplement l'occasion d'exercer le métier; ils laissent aux Francs-Maçons, leurs frères en esprit, le soin de se débattre avec les problèmes de civilisation.

En 1561, les Francs-Maçons tiennent à York leur assemblée annuelle. La reine huguenote Elisabeth, qui était montée sur le trône d'Angleterre en 1558, fait appel à ses soldats qui reçoivent l'ordre de renvoyer les Maçons dans leurs foyers après avoir interdit la réunion. C'est Sackville qui préside; il reçoit les soldats d'Elisabeth avec le plus grand calme et entame une discussion. Il finit par les convaincre de déposer leurs armes et les convie même à participer aux débats! Selon certains récits, ils auraient tout simplement été initiés aux mystères de la Maçonnerie dès leur arrivée à York. Elisabeth, surprise par le courage et la dignité des Maçons, cesse toute répression; elle craignait leur catholicisme affirmé mais prend conscience que la Franc-Maçonnerie n'a aucun désir de lutter contre la Couronne. Aussi prend-elle l'Ordre sous sa protection après avoir tenté de le persécuter.

A partir de 1599, on voit apparaître des documents maçonniques administratifs, par exemple les procès-verbaux de la loge Saint Mary's Chapel, à Edimbourg. Le premier procès-verbal d'initiation daterait du 9 janvier 1598, date à laquelle Alexandre Cerbie aurait été admis dans une loge d'Ecosse. C'est le début de l'ère de la paperasserie et de la réglementation administrative qui pèsera bientôt sur l'ensemble des loges.

En Ecosse, c'est la fin d'une mutation décisive; les loges sont maintenant fixées dans les villes et, de ce fait, sont plus facilement accessibles aux profanes. Les artisans gardent la direction de la plupart d'entre elles et maintiennent l'ancienne tradition; c'est sans doute pourquoi la Maçonnerie dite « Ecossaise » sera considérée par la suite comme la plus respectueuse des idéaux de la Maçonnerie primitive.

Arrêtons un instant notre récit et jetons un regard sur ce XVIe siècle si défavorable à la Franc-Maçonnerie. Deux écrivains français, Montaigne et Rabelais, nous paraissent résumer assez bien les valeurs de ce temps. Montaigne est un grand bourgeois, il aime par-dessus tout son individualité et ne nourrit pas d'affection particulière pour les communautés et les confréries. Philosopher et méditer sont pour lui des tâches essentielles; cela nécessite l'isolement et l'indépendance. Montaigne

déteste les architectes qui s'enflent de ces « gros mots »
de pilastres, d'architraves, de dorique ou d'ionique; il
est un intellectuel et un homme respectable qui ne se
soucie guère de la tradition initiatique. Rabelais, en
revanche, est passionné par cette tradition. Il fut très
probablement affilié à la Franc-Maçonnerie et se livra
pendant de nombreuses années à la pratique de l'astrologie et de l'alchimie; ami de Philibert Delorme, maître
des Maçons du royaume, il fréquente aussi les cercles
d'hermétistes et les quelques organisations chevale-
resques qui subsistent encore. Rabelais est un « spécula-
tif », un penseur, mais il sait concrétiser son expérience
initiatique par l'écriture. Montaigne d'un côté, Rabelais
de l'autre; deux styles de vie qui s'ignorent, deux types
de personnages que les Francs-Maçons observent avec
attention sans percevoir parfaitement leur raison d'être.

En 1600, la loge maçonnique la plus importante est
celle d'Edimbourg. Elle accepte dans ses rangs un « spé-
culatif » pur, c'est-à-dire un penseur qui ne s'intéresse
nullement au travail de la main. Cet exemple sera suivi
un peu partout. En 1607, c'est l'architecte Inigo Jones
qui est Grand Maître des Maçons anglais. Jones n'est
plus un Maître d'Œuvre traditionnel mais un homme
cultivé et brillant qui goûte les plaisirs mondains; ses
préférences vont au style italien académique dépourvu
de tout symbolisme et de tout ésotérisme. Dès 1620, on
peut affirmer que l'ancienne Maçonnerie est nettement
minoritaire par rapport aux intellectuels qui fournissent
à présent les plus forts contingents de Maçons; peu à
peu, l'ancienne confrérie devient une « société de pensée » qui ignore les Compagnonnages ouvriers. Très naturellement, les loges maçonniques commencent à s'intéresser à toutes les idées nouvelles et à toutes les doctrines étranges qui traverseront d'une manière souter-
raine le xviie siècle.

En 1623, de curieuses affiches ornent les murs de
Paris. Elles sont signées d'une certaine confrérie des
« Rose-Croix » dont les membres parlent toutes les
langues. Que les hommes de bonne volonté viennent les
rejoindre; ils les rendront invisibles et les transporte-

ront dans le pays de leur choix. Que les postulants, prennent garde, cependant; si leurs intentions ne sont pas pures, ils ne trouveront jamais le refuge des **Frères Rose-Croix**. Dès 1614, le mouvement Rose-Croix était connu en Allemagne où il avait publié d'importants textes ésotériques. La rose était symbole du secret; s'assembler « sub rosa », sous la rose, c'est célébrer un banquet initiatique où chaque convive tente de découvrir le mystère de la vie, le « pot aux roses ». Les rosaces de nos cathédrales et la rose d'or rituelle du pape attestent l'ancienneté de cette pensée; très curieusement, on voit sur le sceau de Martin Luther une croix comportant une rose en son centre.

Les mystérieux Rose-Croix ont fait couler beaucoup d'encre et l'on s'interroge encore sur leurs rapports exacts avec la Franc-Maçonnerie. Certes, les Maçons célèbrent leur message dans le degré des hauts grades qui porte le nom de « Rose-Croix » et certains ont pensé que l'énigmatique mouvement du XVIIe siècle était un mythe créé de toutes pièces par des Maçons férus d'ésotérisme. L'un des plus célèbres Rose-Croix, Johann-Valentin Andreae (1586-1654) fut abbé de Bebenhausen et eut des contacts avec les constructeurs.

L'affiche de 1623 donnait d'autres précisions; les Rose-Croix ne connaissent ni la faim, ni la soif, ni la vieillesse. Ils possèdent un Livre sacré où sont révélés tous les secrets de l'univers, un Livre où tout est dit. Pour les rencontrer, il faut avoir des yeux plus perçants que l'aigle qui est le seul être à pouvoir regarder la lumière sans se brûler les yeux; l'aigle figure d'ailleurs dans les hauts grades maçonniques. Les Rose-Croix fonderont une société nouvelle après avoir détruit la puissance du Pape, qu'ils identifient à l'antéchrist. Ils poursuivent l'œuvre de leur fondateur, Christian Rosenkreutz (c'est-à-dire Christian Rose-Croix), ce grand voyageur qui reçut de nombreuses initiations et mourut à l'âge de 106 ans. L'emplacement de son tombeau n'est connu que des initiés; ce dernier détail évoque le mythe de Maître Hiram dont la sépulture n'est également accessible qu'aux Maîtres

Les textes des Rose-Croix sont d'un très grand intérêt;

ils prouvent leur connaissance étendue du symbolisme ésotérique et témoignent également d'une grande science de l'architecture traditionnelle. Sans rien affirmer d'une manière définitive, on peut supposer que des membres de la Maçonnerie traditionnelle ont essayé, en façonnant le mythe-Rose-Croix, d'amener à l'initiation un certain nombre de personnes par la voie de l'étrange et du merveilleux qui bousculait un peu le rationalisme étroit du xviiᵉ siècle.

En 1634, la Loge d'Edimbourg admet trois nobles qui ne la fréquenteront guère par la suite. C'est néanmoins une évolution importante; après avoir reçu des non-manuels, la Maçonnerie commence à s'intéresser aux plus hautes classes de la société profane.

De 1642 à 1649, l'Angleterre est déchirée par la guerre civile. Catholiques, anglicans et presbytériens s'entre-déchirent et les massacres succèdent aux exécutions. Sous le ministère de Mazarin, la France ne connaît pas des jours moins sombres et la Fronde laisse le pays bouleversé et désargenté. En 1645, La Faculté de théologie de Paris condamne les pernicieuses assemblées des Compagnons qui continuent à désapprouver tout régime politique et à critiquer le comportement de l'église. C'est l'ouverture d'un véritable « tir de barrage » contre les constructeurs qui durera jusqu'en 1655; les Compagnonnages sont déclarés sacrilèges et impies et des enquêtes sont menées par la Compagnie du Saint Sacrement pour les discréditer. La Franc-Maçonnerie laisse faire.

En 1646, un certain Elias Ashmole (1617-1692) est initié dans une loge maçonnique du Lancashire. Ashmole est astrologue, alchimiste, physicien et mathématicien; d'une curiosité inépuisable, il occupera la fonction d'héraut d'armes à la cour de Charles II et contribuera à accentuer les tendances hermétiques de l'Ordre. Un relevé des membres d'une loge d'Aberdeen, en 1670, est d'ailleurs très significatif : elle compte trente-neuf « spéculatifs » et seulement dix « opératifs ». Les penseurs prennent définitivement le pas sur les artisans.

En 1673, Colbert, qui méprise les sciences parallèles comme l'astrologie et l'alchimie, établit une réglementation très sévère pour uniformiser au maximum les multiples corporations. Il supprime les franchises médiévales qui étaient encore en vigueur et ordonne une révision des anciens statuts. Hanté par l'idée d'un complot possible contre l'état, il introduit des « mouchards » dans les loges maçonniques et compagnonniques.

En 1688, le roi Jacques II Stuart, en exil à Saint-Germain-en-Laye, fonde probablement une loge maçonnique en ce lieu avec la bénédiction de Louis XIV. Depuis 1649, des membres de la noblesse écossaise avaient trouvé refuge en France après l'exécution de Charles 1er; avec eux et avec quelques soldats fidèles, Jacques II inaugure la première maçonnerie écossaise en France. Pour beaucoup de Maçons, cette date de 1688 est capitale; les Ecossais auraient introduit en France les rites les plus anciens, inspirés des initiations de bâtisseurs et de la tradition templière.

Louis XIV n'avait rien à craindre; il pouvait surveiller très facilement l'activité des Maçons et, de plus, il aimait la personnalité de Jacques II. Il recevra même l'accolade fraternelle de sa part à Saint-Germain.

En 1697 paraît le « Dictionnaire historique et critique » de Pierre Bayle qui donne à l'Europe entière les raisons pour lesquelles il est nécessaire de ne pas sombrer dans une croyance aveugle en Dieu. Bayle prône la tolérance et l'analyse discursive; sa thèse pourrait se résumer ainsi : l'homme qui croit sans réfléchir n'est pas un homme qui pense, c'est un esclave de traditions révolues qui nuisent au progrès de l'humanité. L'histoire sacrée, à son avis, n'est qu'un vaste mensonge destiné à servir la puissance des églises. Immédiatement, catholiques et protestants critiquent Bayle sans le moindre ménagement; son livre obtient pourtant un grand succès, et bien des Maçons l'étudient avec intérêt. Il leur procure des arguments contre ce pouvoir ecclésiastique qui, après les avoir soutenus pendant des siècles, s'est retourné contre eux.

Le dernier Grand Maître de l'ancienne Maçonnerie, Christopher Wren, doit quitter son poste en 1702, à cause de ses opinions religieuses. Il avait dirigé la construction de la cathédrale Saint-Paul, le dernier chantier maçonnique traditionnel. Cette fois, l'ancienne Maçonnerie rend le dernier soupir. Les artisans, pratiquement exclus de l'Ordre qu'ils avaient animé depuis les premiers âges de l'humanité, entrent tous dans les Compagnonnages qui sont condamnés et interdits par toutes les autorités civiles et religieuses. La scission entre Franc-Maçonnerie et Compagnonnage est définitivement consommée; le grand schisme de la tradition initiatique de l'Occident sépare les initiés en « penseurs » et en « artisans », creusant un profond fossé entre des Frères qui, jusque-là, avaient été unis pour ennoblir leur civilisation. Désormais, nous nous consacrerons au destin de la seule Franc-Maçonnerie qui, en conservant ses symboles et ses rituels ancestraux, change de nature.

DEUXIÈME PARTIE

LA FRANC-MAÇONNERIE MODERNE

CHAPITRE PREMIER

DE LA NAISSANCE DE La FRANC-MAÇONNERIE MODERNE
(1717 à 1789)

L'année 1717, nous l'avons vu dans un précédent chapitre, marque la naissance de la Franc-Maçonnerie moderne en Angleterre. Un pouvoir maçonnique centralisateur est constitué, une « Loge Mère » se donne à elle-même la toute-puissance législative. Assez rapidement, elle essaye d'avoir la mainmise sur les assemblées maçonniques françaises où l'on trouve quelques intellectuels et des soldats appartenant à des régiments écossais et irlandais. Les constructeurs se réfugient maintenant dans leur totalité dans l'Ordre du Compagnonnage, et il n'existe en fait qu'une minorité maçonnique étrangère résidant en France.

A Londres, les Grands Maîtres se succèdent rapidement; en 1718, c'est George Payne; en 1719, Désaguliers; en 1721, Payne à nouveau; en 1721, le duc de Montaigue. Les journaux britanniques parlent volontiers de l'activité de ce dernier qui amène un certain nombre de protestants à la Maçonnerie.

En France, le duc d'Orléans assume la Régence et gouverne tant bien que mal un état très affaibli; Montesquieu publie un best-seller, « Les lettres persanes », où il fait une critique acerbe du pouvoir personnel qui débouche obligatoirement sur l'intolérance.

Les débuts de la Franc-Maçonnerie française moderne sont très obscurs. L'existence d'une loge à Dunkerque en

1721 est très contestée; en réalité, c'est probablement en 1725 que des émigrés jacobites fondent une ou plusieurs loges dans une auberge de Saint-Germain-des-Prés. Ces ateliers sont d'obédience catholique et se placent sous l'autorité du duc de Wharton qui, après avoir été Grand Maître de la Grande Loge de Londres, devient ainsi le premier Grand Maître des loges « françaises ». A cette date, écrit Gustave Bord, « la Franc-Maçonnerie est une secte religieuse qui, après quelques tâtonnements. s'organise, surtout en Europe, vers 1725, professe une doctrine humanitaire internationale et se superpose aux autres religions ».

Le grade de Maître apparaît également vers 1725, ou, plus exactement, un grade de maître « démocratique ». Pendant la période médiévale, ce titre était réservé à celui qui dirigeait une Loge après avoir été installé dans la chaire du roi Salomon. Il était « Maître » ou « Vénérable Maître », et régnait sur un atelier composé de Compagnons et d'apprentis. Désormais, la hiérarchie comprend les trois grades d'apprenti, de Compagnon et de Maître, le président d'un atelier n'étant plus qu'un Maître parmi les autres.

En 1725, le Franc-Maçon Ramsay dont nous détaillerons bientôt les activités, anime le « Club de l'Entresol » installé dans un hôtel particulier de la place Vendôme. Ce club s'occupe surtout de politique et se livre à une critique intellectuelle des institutions françaises. Fait beaucoup plus grave, il milite contre les associations ouvrières et notamment contre le Compagnonnage dont il souhaite la dissolution. Un Franc-Maçon aussi célèbre que Ramsay profite donc de ses relations pour mettre en péril un Ordre initiatique traditionnel; en raison de telles pratiques, on ne saurait reprocher au Compagnonnage son animosité contre la Franc-Maçonnerie du XVIII° siècle.

Le cardinal André Hercule de Fleury devient le véritable maître de la France en 1726 à l'âge de 73 ans. Assez populaire au début de son « règne », il souhaite une paix durable avec l'Angleterre et impose une discipline de fer à l'intérieur du pays. Pour lui, la surveillance policière est le plus sûr instrument de l'équilibre national. La naissance d'une Grande Loge de France en 1728 passe presque inaperçue, sauf aux yeux de la police du cardinal qui surveille avec beaucoup d'attention les activités maçonniques. Fleury n'est pas attiré par l'esprit maçonnique, d'ailleurs assez flou à cette période; il prend les Maçons pour des contestataires timides qu'il faut empêcher de sortir des limites raisonnables.

La Franc-Maçonnerie commence à se répandre dans le monde; en 1727-1728, des loges sont créées en Espagne où elles se heurtent presque immédiatement à l'Inquisition. L'Angleterre ouvre des ateliers dans ses possessions coloniales et, en 1730, une loge voit le jour à Calcutta. La même année, Montesquieu est initié à Londres. La presse rend compte de l'événement et fait beaucoup de publicité à ce grand seigneur assez distant. Mais 1730 est une année difficile pour la Franc-Maçonnerie anglaise qui est attaquée par plusieurs journaux; des articles acides traitent les Maçons d'ivrognes qui ne songent qu'à chanter des paillardises lors de banquets pantagruéliques; la plupart d'entre eux sont qualifiés d'homosexuels et leurs réunions défient la morale que prône le courant méthodiste de John Wesley.

Samuel Pritchard divulgue les secrets maçonniques dans son ouvrage « Masonry dissected » et un journal publie le récit d'une initiation : « Quand j'arrivai à la première porte, raconte le parjure, un homme armé d'une épée nue me demande si j'étais armé. Je répondis que non. Il me laissa alors pénétrer dans un passage obscur. Là, deux surveillants me prirent par le bras et me conduisirent des ténèbres à la lumière en passant entre deux rangs de Frères qui se tenaient silencieux. De la partie supérieure de la pièce, le Maître descendit à l'extérieur des rangs et touchant un jeune frère à l'épaule, il dit : « Qui avons-nous ici? » A quoi celui-ci répondit : « Un homme qui désire être admis membre de la Société. » Après quoi, il revint à sa place et me demanda si je venais ici de mon plein gré ou sur la demande de quelqu'un d'autre. Je répondis : « Du mien propre. » Il me dit alors que si je voulais devenir un Frère de leur société, je devrais contracter l'Obligation que l'on fait prêter en cette occasion » (traduction Pierre Morlière). En quoi consiste le serment? Pritchard en donne le contenu :

« Qu'êtes-vous venu faire ici? » demande le Vénérable au postulant.

« Ce n'est pas pour faire ma propre volonté, mais pour soumettre ma passion et la réduire au silence, pour prendre en main les Règles de la Franc-Maçonnerie et faire des progrès journaliers. »

Tout cela est assez exact, mais les divulgations irritent profondément les dirigeants de la Grande Loge d'Angleterre qui prennent alors une décision aux conséquences assez graves : changer de place dans la loge un certain nombre de symboles et intervertir les mots de passe et les signes de reconnaissance des premier et second gradés. Cette réaction, inspirée par un désir de cachotterie plus que par la nécessité d'un authentique secret, entraînera une certaine confusion dans l'ordonnance symbolique de la loge maçonnique. Aujourd'hui encore, on constate dans les temples des interversions ou des erreurs de disposition qui remontent à cette époque coupable de traiter le symbolisme à la légère.

Charles Radcliffe, connu également sous le nom de lord Derwentwater, dirige les loges écossaises de France à partir de 1731. Certains historiens contestent sa nomination à ce poste; quoi qu'il en soit, ce catholique fervent donne une certaine impulsion à la Maçonnerie française et la maintient sur la voie de la croyance. Des loges sont peut-être créées à Paris, à Valenciennes et à Bordeaux, mais les preuves formelles manquent. Nous obtenons une première certitude en 1732; la loge Saint-Thomas-au-louis-d'argent est installée rue de Bussy et son existence est reconnue légale par l'Angleterre.

Les années 1732-1733 voient de nouvelles implantations de la Maçonnerie; des loges sont créées en Amérique, en Italie et en Russie où l'Ordre connaît aussitôt un immense succès dû au mysticisme slave qui donne libre cours à son goût des réunions secrètes et des pratiques occultes. Les Britanniques sont satisfaits, mais demandent à l'ensemble des loges de refuser les israélites qui frapperaient à la porte des temples. Bien que cette mesure n'ait pas été appliquée avec rigueur, elle témoigne cependant d'une grave intolérance.

Deux personnalités de la Maçonnerie anglaise, le pasteur Désaguliers et le duc de Richmond, se rendent à Paris en septembre 1734 pour favoriser l'essor de la branche française de l'Ordre. Au même moment, Voltaire publie ses « Lettres anglaises » où il fait l'apologie du système de gouvernement britannique en l'opposant à la despotique société française dont les préjugés chrétiens gênent les progrès de la raison. Cet heureux concours de circonstance met à la ronde les importations intellectuelles, notamment la Franc-Maçonnerie. En 1735, il existe au moins cinq loges en France, puisqu'elles sont répertoriées par la Grande Loge d'Angleterre; au mois de septembre, le comte de Saint-Florentin est initié dans la loge de l'hôtel de Bussy. Evénement remarquable, puisqu'il sera ministre de 1725 à 1775 et fréquentera de très près tous les personnages influents de l'état.

Alors que la Grande Loge d'Ecosse est fondée en 1736, la Maçonnerie française n'est pas encore très florissante. Il y a probablement moins d'une centaine de Maçons et seulement trois ou quatre loges à Paris. Ce petit contingent maçonnique n'est même pas cohérent; les catholiques et les protestants ne s'entendent guère, certaines loges obéissent à Londres, d'autres tiennent à leur indépendance. Cette situation peu reluisante est aggravée par une Bulle du pape Clément XII qui décrète que la Franc-Maçonnerie nuit au salut des âmes. Une artiste de l'Opéra, La Carton, ajoute une note sombre au tableau en dévoilant quelques secrets rituels; maîtresse de plusieurs Francs-Maçons, elle est sans doute une indicatrice de la police qu'elle renseigne volontiers.

Pour donner un élan plus constructif à la Maçonnerie, il fallait une déclaration précisant les buts de l'Ordre et la nature de sa pensée. C'est André Michel de Ramsay qui réussit dans cette entreprise en prononçant un Discours bientôt imprimé; le texte circule sous le manteau et connaît une diffusion assez large pour toucher la noblesse et les intellectuels.

Ramsay est un Ecossais né en 1686; il a voyagé dans toute l'Europe où il est parvenu à conquérir les bonnes grâces de plusieurs familles nobles. Membre de l'Académie royale d'Angleterre et docteur en droit civil à Oxford, il possède deux personnalités bien distinctes; d'un côté, Ramsay est un disciple de Fénelon dont il fut l'exécuteur testamentaire; secrétaire de madame Guyon, il adhéra à la doctrine du « pur amour » et favorisa le courant maçonnique d'obédience catholique contre les pasteurs protestants. De l'autre, Ramsay est un politique assez retors qui bénéficie d'appuis officiels; pour beaucoup, il jouait un rôle d'espion à la solde des Stuarts qui l'envoyaient dans les diverses capitales européennes afin d'obtenir des renseignements de source sûre. Sa foi maçonnique ne saurait être mise en doute; dans son discours aux Maçons français, il prêche la tolérance universelle et donne ainsi une sorte de « mot d'ordre » qui sera constamment repris par la suite. Pour lui, la Maçonnerie est d'origine chevaleresque; il rejette les ascendances ouvrières, puisqu'il est hostile aux Compagnonnages qui n'apprécient guère le catholicisme. Il désirait que le cardinal de Fleury nommât les dirigeants de la Maçonnerie française qui, de la sorte, auraient été inféodés à l'église. Ramsay se faisait une haute idée de l'Ordre; dans une lettre adressée au marquis de Caumont en avril 1737, il écrit : « Nous avons dans notre société trois sortes de confrères; les novices ou les apprentis; les compagnons ou les profès; les maîtres ou les adeptes. Nos symboles allégoriques, nos hiéroglyphes plus anciens, et nos mystères sacrés apprennent trois sortes de devoir à ces différents degrés de nos initiés : aux premiers les vertus morales et philanthropes, aux seconds les vertus héroïques et intellectuelles, aux derniers les vertus surhumaines et divines. »

En faisant du Franc-Maçon idéal un citoyen du monde et un nouveau chevalier du XVIIIᵉ siècle, Ramsay séduit une grande partie de la noblesse française et la

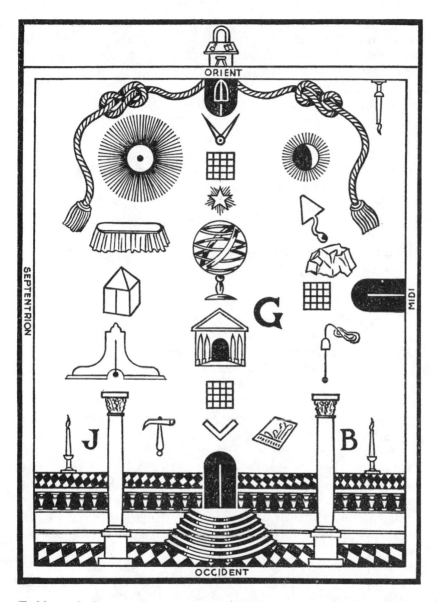

Tableau de Loge comportant les symboles des grades d'apprenti et de compagnon. Notons que le soleil et la lune, aujourd'hui inversés sur les tableaux de loge, sont ici correctement situés : le soleil au nord, la lune au midi.

prépare à entrer dans les Loges. Les intellectuels, en revanche, le détestent. Montesquieu le méprise et Voltaire trouve « fade » ce « pédant Ecossais ». Voltaire est d'ailleurs d'assez mauvaise foi; comme les Jésuites approuvent la démarche de Ramsay et se félicitent de son appartenance au catholicisme militant, l'auteur de « Candide » confond obscurantisme chrétien et maçonnerie chevaleresque, les livrant toutes deux à sa critique. Un poème anonyme intitulé « La Ramsyade », tout en prouvant la popularité de Ramsay, montre qu'il avait des ennemis féroces :

« Proxénète consolateur, dit-on de lui en faisant allusion à son amitié avec madame Guyon,

> *A toutes mains, à toute brigue,*
> *Vrai caméléon en intrigue,*
> *Ce ténébreux illuminé*
> *Dans Edimbourg Quokre effréné*
> *A Cambrai se montra déiste*
> *Pour vendre au prélat quiétiste*
> *L'honneur de sa conversion*
> *A la charge de pension. »*

Ces railleries populaires plus ou moins fondées ne gênent pas l'œuvre de Ramsay qui ne cherche pas à recruter de nouveaux Maçons dans le peuple mais dans les plus hautes classes de la société; incontestablement, son entreprise fut couronnée de succès et, à son image, la Maçonnerie française devint catholique et aristocratique.

Dans l'Angleterre de 1737, la Maçonnerie se porte mieux. Des manifestations officielles sont même autorisées et, lors de l'installation du Grand Maître Darnley, une procession maçonnique fort brillante passe dans les rues de Londres. Le matin, les grands officiers se rendent chez le comte de Darnley; après le déjeuner, on organise le cortège. En tête vient le Grand « Tuileur » avec son épée flamboyante; suivent, dans l'Ordre, les principaux dignitaires, les Maîtres des Loges, les officiers des loges et tous les autres maçons. La Maçonnerie anglaise s'installe dans l'honorabilité qui lui permettra d'obtenir une audience favorable de la part de la population.

En 1737, les Français prennent en main la Maçonnerie nationale. Les Anglo-Saxons, qui lui avaient donné sa première impulsion, sont maintenant en minorité. Le duc d'Aumont, au mois d'avril, célèbre son titre de « Maître des Loges » par un dîner mondain où il invite seulement les Frères qui font partie de la noblesse. Les autres sont laissés à l'écart.

Paris découvre enfin l'existence de l'Ordre. Un peu partout, on parle de ténébreux secrets, de serments redoutables, d'une très vieille tradition; la mode est venue de la tolérante Angleterre, et les Nobles adhèrent de plus en plus volontiers à la Confrérie. Cette découverte ne provoque pas une admiration unanime; un avocat au Parlement de Paris, Barbier, écrit ces lignes désapprobatrices : « Nos seigneurs de la Cour ont inventé tout récemment un ordre appelé des Frimaçons, à l'exemple de l'Angleterre où il y avait différents ordres de particuliers; et nous ne tardons pas à imiter les impertinences étrangères... Comme de pareilles assemblées aussi secrètes sont dangereuses dans un Etat, étant composées des seigneurs, surtout dans les circonstances du changement qui vient d'arriver dans le ministère, le cardinal de Fleury a cru devoir étouffer cet ordre de chevalerie dans sa naissance, et il a fait défense à tous ces messieurs de s'assembler et de tenir de pareils chapitres. »

Effectivement, la police interdit les réunions maçonniques mais cette mise en garde n'est pas écoutée et demeure théorique. Le vieux cardinal est mécontent; après avoir mûrement réfléchi, il décide d'agir de manière préventive. Le 10 septembre 1737 le commissaire du roi, Delespinay, prend la tête des soldats du guet et se rend vers vingt et une heures trente dans la boutique du marchand de vin Chapelot, à la Rappée. Il sait qu'une réunion maçonnique se tient en ce lieu. Personne, d'ailleurs, ne songe à le nier puisque de nombreux carrosses stationnent à la porte de l'échoppe!

149

Delespinay franchit aisément le barrage des laquais et pénètre dans le temple provisoire. Fort de son bon droit, il annonce que la réunion est interdite à plusieurs grands seigneurs en tenue maçonnique; ces derniers ne sont pas autrement émus et le commissaire, qui trouve le terrain brûlant, préfère se retirer sans exiger davantage.

Seul le malheureux Chapelot fait l'objet de sanctions; il devra payer mille livres d'amende et son cabaret est fermé pour une durée de six mois. Ses Frères ne l'abandonnent pas dans cette épreuve; ils lui prêtent de l'argent et assurent en partie sa subsistance pendant l'interruption de son travail. L'intervention policière a donc échoué; les nobles qui appartiennent à la Maçonnerie sont trop connus pour être vraiment inquiétés. Certes, quelques bruits injurieux courent au sujet de la nouvelle secte; on accuse une fois de plus les Maçons de pédérastie et de déviations sexuelles diverses, mais tout cela ne dépasse pas le stade du ragot. De plus, les Francs-Maçons s'affichent publiquement à la cour de Lunéville, dans le duché de Lorraine.

Une évolution irrésistible commence. Le 24 juin 1738, le Grand Maître anglais Richmond nomme le duc d'Antin Grand Maître de la Franc-Maçonnerie française. L'événement est considérable; pour la première fois, l'Ordre est dirigé par un membre de la haute noblesse qui occupe des fonctions officielles, puisque le duc d'Antin, né en 1707, est gouverneur de l'Orléanais. En raison d'une assez belle carrière militaire, il jouit d'un certain prestige à la Cour bien que sa liaison avec la célèbre actrice Le Duc fasse quelque peu jaser. En fait, il s'agit d'un petit coup d'état car Richmond, qui sera assassiné peu de temps après par un mari jaloux, n'est nullement mandaté par la Grande Loge de Londres. Il agit par conviction personnelle et par amitié pour le duc d'Antin; les Anglais sont fort mécontents de ne pas avoir été consultés pour préparer cette nomination qui rend définitivement indépendante la Maçonnerie française; ils sont obligés de s'incliner devant le fait accompli.

De nouvelles Constitutions sont promulguées. L'article I en donne le ton : « Nul ne sera reçu dans l'Ordre qu'il n'ait promis et juré un attachement inviolable pour la religion, le roi et les mœurs. » Le duc d'Antin veut une Maçonnerie croyante et morale, respectueuse de l'ordre établi et des convenances sociales. Il veille à l'amélioration des décors maçonniques, à l'élégance des costumes et à la propreté des lieux de réunions. On quitte les tavernes des temps héroïques pour des salons cossus où abondent les tentures et la dentelle.

Lorsque Frédéric II de Prusse est initié en 1738, il envisage le destin de la Maçonnerie d'une autre manière. Passionné de sciences ésotériques dans sa jeunesse, il estime que l'Ordre n'a pas pour mission de monter des fêtes de charité mais plutôt de préserver les secrets initiatiques. Par la suite, Frédéric se brouillera avec un certain nombre de Vénérables et sera plutôt hostile à l'organisation qu'il avait tant aimée autrefois; ses idées de départ, néanmoins, porteront des fruits en Allemagne où le caractère ésotérique de la Maçonnerie sera beaucoup plus développé qu'en France pendant le XVIIIe siècle.

Avril 1738 réserve une surprise désagréable aux Maçons : par une bulle, le pape Clément XII, âgé de 86 ans, excommunie les Francs-Maçons parce qu'ils sont hérétiques et admettent dans leur sein des personnes de toute religion. On glosa beaucoup sur ce texte, et les catholiques Francs-Maçons estimèrent qu'il n'était pas question d'hérésie à proprement parler mais plutôt d'une « gêne » de l'église produite par le secret maçonnique qui paraissait incompatible avec les dogmes de la religion révélée. Comme Clément XII ajoute qu'il condamne la Maçonnerie « pour d'autres causes justes et raisonnables à Nous connues », maints historiens se sont évertués à les découvrir. Alec Mellor, par exemple, qui souhaite aujourd'hui le rapprochement de la Maçonnerie et de l'église, imagina une explication ingénieuse qui élimine tout conflit religieux à l'origine de la Bulle. D'après lui, c'est le chevalier de Saint-George, prétendant Stuart au trône d'Angleterre, qui aurait demandé au Pape une condamnation officielle de la Maçonnerie, laquelle gênait son projet de retour dans son pays. Il aurait promis au pape de restaurer le catholicisme en Angleterre si la Bulle était suffisamment explicite.

Quelle que soit la nature de l'inspiration de Clément XII, ce dernier ouvre l'ère des luttes entre les deux puissances. De 1751 à 1902, la Maçonnerie subira dix condamnations sévères de la part de l'Eglise, sans compter de multiples escarmouches. L'entreprise du Pape, cependant, n'est pas couronnée d'un plein succès, puisque le Parlement de Paris refuse d'enregistrer la loi promulguée par un souverain étranger! Le cardinal de Fleury, peu suspect de sympathie envers l'Ordre, préfère désobéir au souverain pontife plutôt que de mécontenter la noblesse et de troubler la sérénité de la France. Les Maçons français, par conséquent, ne sont pas officiellement excommuniés. Les Maçons anglais, en dépit de cette astuce administrative, sont assez choqués et critiquent ouvertement leurs Frères français qu'ils accusent d'immoralité et de libertinage.

En 1740, Paris compte une dizaine de loges et la province une quinzaine. Malgré cet effectif réduit, l'Ordre est un sujet d'actualité; on joue une pièce intitulée « Les Frimaçons » où l'on voit un pauvre poète frapper à la porte du temple dans l'espoir de trouver un emploi qui le sortira de la misère. Les Jésuites suivent une voie identique en faisant représenter dans leurs collèges un petit drame burlesque qui tourne en ridicule l'initiation maçonnique.

La police, après avoir emprisonné quelques Maçons un peu trop turbulents, exerce une surveillance de plus en plus discrète sous la direction du lieutenant général de police Berryer. En 1742, c'est De Marville qui lui succède. Moins tolérant que son prédécesseur, il use de son caractère tatillon et grincheux dans tous les domaines qui lui sont réservés. Répondant à l'inquiétude chronique de Louis XV quant à la sécurité intérieure du royaume, il épie les moindres faits et gestes des Maçons, recueillant dans de gros dossiers les potins les plus insignifiants. Heureusement, le ministre Maurepas, qui est peut-être Franc-Maçon, met un frein à cette belle ardeur et empêche le policier de dépasser les limites de son bureau. Cette situation durera jusqu'en 1747.

L'abbé Pérau publie en 1742 « Le secret des Francs-Maçons »; il s'agit d'une maladie incurable propre aux anti-Maçons qui, périodiquement, dévoilent enfin au public les horreurs que chacun soupçonnait en silence. Le succès, bien entendu, est immense et les lecteurs se passionnent pour ces rituels bizarres pratiqués par la grande noblesse. Les Maçons français sont consternés; ils se sentent trahis et bafoués. Les Maçons anglais, comme de coutume, sont choqués et accusent leurs Frères français de négligences intolérables. Ils sont pourtant assez mal placés pour jouer le rôle de juges de paix, car un conflit profond oppose les tenants du rite d'York à la Grande Loge de Londres. Avec un bel autoritarisme, cette dernière radie 45 loges trop insolentes dans le seul district de la capitale anglaise. Des plaisantins se permettent d'apposer des affiches annonçant qu'il est possible de devenir Maçon si l'on dispose de deux shillings et six pences!

Le sémillant duc d'Antin meurt en décembre 1743. Aussitôt posé, le problème de la succession est résolu : c'est Louis de Bourbon Condé, comte de Clermont, qui dirigera la Maçonnerie. Il naquit en 1709 et eut comme parrain et marraine Louis XV en personne et la duchesse de Berry. Pourvu de six abbayes aux revenus confortables en 1733, il sera également abbé de Saint-Germain-des-Prés, ce qui lui rapporte une assez coquette fortune. Ce gros homme sensuel et gourmand avait une grande passion : la carrière des armes. Malheureusement, il s'y rendit ridicule assez rapidement et se consola en courant le jupon. Ses liaisons avec des « artistes » furent parfois si scandaleuses que le roi, pourtant peu porté sur la morale, fut obligé de lui demander un peu plus de discrétion. Aimant protéger les arts, les lettres et les sciences, le comte de Clermont donne de fastueuses réceptions où il brille aux côtés des beaux esprits.

Diriger la Franc-Maçonnerie est pour lui une gloriole supplémentaire. Il veut de l'ordre et de la dignité, et demande l'exclusion de tous ceux qui ne sont pas gentilshommes et bon bourgeois. Très vite, les assemblées maçonniques l'ennuyent; peu de temps après son élection, il quitte Paris et repart à la guerre où il espère accomplir de grands exploits. Décidément inapte à cette profession, il alternera les maîtresses et les plaisirs mondains en s'occupant épisodiquement de la Maçonnerie.

Dès son élection, le duc d'Antin se décharge des obligations administratives de sa fonction en les confiant à un substitut, le banquier Christophe-Jean Baur, d'origine suisse. Nous ne possédons guère de renseignements sûrs à propos de cet homme qui, placé dans une position délicate, fut accusé de pratiquer l'usure et de s'enrichir en « vendant » des grades, c'est-à-dire en attribuant des titres initiatiques contre espèces sonnantes et trébuchantes. Certes, Baur prêtait de l'argent à plusieurs artistes de l'Opéra et à quelques fils de noble famille; il est impossible, néanmoins de l'accuser formellement de trafics financiers à l'intérieur de la Maçonnerie. Quelques historiens ont pris sa défense, supposant que les nobles, placés sous l'autorité d'un petit-bourgeois, ont lancé contre lui une campagne de calomnies.

Dans ce climat que l'on ne peut qualifier de serein, la Maçonnerie continue à se répandre à Paris et en province. Les Vénérables Maîtres sont nommés à vie et leur élection revêt une grande importance, puisqu'ils « teintent » la loge de leurs opinions personnelles pendant plusieurs années.

Les Maçons qui recherchent l'initiation sont quelque peu déçus. C'est pourquoi ils favorisent la création de « hauts grades » au delà des trois premiers degrés d'apprenti, de compagnon et de Maître. A l'origine, ces nouveaux grades constituent des tentatives d'échapper à la médiocrité ambiante; nous verrons plus tard les dangers propres à une telle démarche. Notons également que des Maîtres Maçons dont le nom n'a pas été conservé réintroduisent dans les rituels plusieurs éléments symboliques, notamment les épreuves de la terre, de l'eau, de l'air et du feu. Sans avoir été complètement oubliés, ces éléments fondamentaux de l'initiation maçonnique ne plaisaient guère aux grands seigneurs. La minorité initiatique, quoique peu écoutée, parvient donc à agir.

Les Anglais se méfient de la Maçonnerie française. Un certain Jacques Douglas, ancien Grand Maître, arrive en France en 1743. Ses frères lui ont confié une mission bien précise : visiter le plus grand nombre possible de loges françaises, critiquer le duc d'Antin et ses émules, apprendre à tous que la véritable voie maçonnique est celle de l'Angleterre. Douglas n'obtient pas de résultats spectaculaires en trois années de voyage et, suspecté par la police d'entretenir une activité subversive, finit à la Bastille. Le cardinal de Fleury meurt en 1743; avec lui s'achèvent les tracasseries policières qui avaient gêné l'expansion de la Maçonnerie naissante. Fleury n'était pas un fanatique, un catholique exacerbé, mais un opposant intellectuel à la Maçonnerie. Il ne croyait pas à ses buts humanitaires et la considérait plutôt comme un futur parti politique qui se mêlerait un jour des affaires de l'état.

En 1746, lord Derwentwater, l'un des premiers animateurs de la branche française de l'Ordre, est exécuté à Londres pour des motifs politiques. Il fait preuve d'un remarquable courage, et ses dernières paroles sont un message pour tous ses Frères : « Je meurs, dit-il, en fils humble et vraiment obéissant de la Sainte Eglise apostolique et catholique, en parfaite charité avec tous les hommes. » Beaucoup de Maçons recueillent ces mots avec émotion et sont décidés à maintenir l'Ordre sur une voie spirituelle qui complète celle de l'Eglise sans s'y opposer.

1746 est aussi l'année d'une nouvelle divulgation sensationnelle, « Les Francs-Maçons écrasés », attribuée à un abbé non identifié. L'auteur révèle que les profanes qui veulent s'introduire en cachette dans une loge sont sévèrement punis : à l'aide d'un tuyau, on les arrose de la tête aux pieds! Les parjures subissent d'abominables châtiments : on leur arrache la langue, et l'on accroche leur cœur encore chaud à un clou. Pour mettre fin à ces réjouissances, on brûle leur cadavre. Méfions-nous des Maçons, prophétise l'auteur; ils sont implantés dans plusieurs pays d'Europe et veulent anéantir toutes les sociétés existantes. Ces incroyables mensonges ne reçoivent pas une grande audience et prêtent plutôt à sourire.

L'expulsion des Jésuites est l'événement le plus marquant de 1746. La Compagnie de Jésus était pourtant très influente mais son attitude rigide provoqua le mécontentement du Parlement, de l'Université, des intellectuels en renom et, accessoirement, des Francs-Maçons. Il ne serait pas sérieux d'évoquer, à cette époque, un conflit ouvert entre Jésuites et Maçons; les premiers se sont moqués des seconds, les seconds n'aiment pas les premiers. Les Jésuites se souviendront de ce revers, et apprendront l'art de la diplomatie; quelques-uns estiment que la Maçonnerie n'est pas complètement étrangère à l'expulsion et garderont une rancune qui ne fleurira que plus tard.

En 1747, trois écrivains ont les honneurs de l'actualité. Montesquieu, d'abord, qui estime que le peuple tombe dans le malheur lorsque ceux à qui il accorde sa confiance sont corrompus et cherchent à corrompre les autres. L'auteur de *l'Esprit des Lois,* Franc-Maçon notoire, est à la recherche d'une nouvelle morale publique et songe à employer la Maçonnerie pour réaliser ce dessein. Voltaire se trouve à la cour maçonnique de Lunéville où il s'entretient avec de nombreux Frères qui aimeraient l'admettre dans l'Ordre; intéressé, Voltaire garde ses distances. Diderot, enfin, est chargé de la direction de *l'Encyclopédie* en compagnie de D'Alembert. Fiévreusement, il se met au travail avec l'intention de proposer au monde une philosophie inédite et la somme des connaissances acquises jusqu'à ce jour.

L'année 1750 marque le point de départ d'une Franc-Maçonnerie mystique. Selon un écrit contemporain, « la plupart des Frères ne savent presque rien de notre art parce qu'on néglige leur instruction ». Un jeune homme de vingt ans, Jean-Baptiste Willermoz, est initié à Lyon cette année-là; il perçoit immédiatement les faiblesses de l'Ordre et décide d'y remédier. Sa personnalité est suffisamment affirmée pour qu'il soit élu Vénérable à vingt-deux ans; ce grand commerçant, disciple de Martinès de Pasqually et ami de Claude de Saint-Martin, consacre toute sa vie à l'élaboration d'un christianisme ésotérique où les pratiques occultes sont au premier plan. Willermoz fera de Lyon le centre d'une mystique maçonnique aux adeptes peu nombreux mais très convaincus qui lutteront contre le matérialisme et la philosophie rationnelle. Malheureusement, Willermoz ne parviendra pas à fonder un système de pensée cohérent et sombrera, à la fin de sa vie, dans le spiritisme et le somnambulisme. Les autorités catholiques, assez bienveillantes à son égard, n'encourageront pas son mouvement, et les autorités maçonniques se détacheront progressivement de lui. Willermoz est un excellent exemple de ces Maçons du XVIIIe siècle qui ont l'intuition que leur Ordre contient des valeurs spirituelles et ésotériques, mais qui ne parviennent pas, faute de connaissances symboliques solides, à les mettre pleinement en valeur.

En 1751, le pape Benoît XV condamne la Maçonnerie en reprenant les vieux leitmotive : secret inadmissible, serment inavouable, etc. Les Anglais sont divisés en Maçons « modernes » et Maçons « anciens », ces derniers étant dirigés par un peintre en bâtiment irlandais, Laurence Dermott. Les injures fusent des deux côtés sans attirer l'attention du grand public.

Les petites querelles maçonniques s'estompent devant la grande bataille de l'Encyclopédie qui commence en 1752, avec la parution du premier tome. Jésuites et Jansénistes tombent d'accord pour protester contre l'entreprise, au moment où le Conseil d'Etat interdit la vente de l'ouvrage. La belle madame de Pompadour, si influente, n'aime guère les Jésuites et la vertu moralisatrice; afin de contrebalancer le mouvement hostile à l'Encyclopédie, elle la favorise avec discrétion et efficacité.

Le XVIIIe siècle découvre la raison, la science, les inventions techniques; certes, ce courant intellectuel existait auparavant mais il trouve dans l'Encyclopédie un prodigieux instrument de diffusion. Diderot n'est pas athée; il refuse la vision catholique du monde parce qu'elle lui paraît trop restreinte et parce qu'elle étouffe les facultés raisonnantes de l'être humain. Socialiste avant la lettre, il écrit cette phrase étonnante dans le Discours préliminaire : « Les noms des artisans, les véritables bienfaiteurs de l'humanité sont presque tous ignorés alors que ceux des destructeurs, c'est-à-dire des conquérants, ne sont ignorés de personne. Cependant, c'est peut-être chez les artisans qu'il faut aller chercher les preuves les plus admirables de la sagacité de l'esprit, de sa patience et de ses ressources. » Diderot n'était pas Maçon, et la Maçonnerie de son époque n'était plus composée d'artisans auxquels l'écrivain accordait tant d'intérêt. Curieux paradoxe, en vérité : c'est un non-Maçon qui exprime une opinion assez juste sur la véritable nature d'une Franc-Maçonnerie qui n'est plus ce qu'elle devrait être!

Très curieusement, un texte publié à Londres en 1753 donne une autre définition très intéressante de la Franc-Maçonnerie plus profonde que celle de Diderot; il s'agit d'un écrit attribué à Henri VI qu'aurait recopié Johann Leylande. A la question : « Quel est le mystère de la Maçonnerie », il est répondu : « C'est la connaissance de la nature, le discernement de la puissance qu'elle renferme et de ses œuvres multiples, en particulier la connaissance des nombres, des poids, des mesures et de la bonne manière de façonner toutes choses pour l'usage de l'homme, surtout des habitations et des édifices de tout genre, ainsi que toutes les autres choses contribuant au bien de l'homme. »

Bien que des minorités maçonniques défendent les valeurs ancestrales de l'Ordre, la Maçonnerie française connaît de sérieuses difficultés internes. Le banquier Baur, détesté de tous, cède sa place de substitut du Grand Maître au maître de danse Lacorne qui soutiendra le parti des petits-bourgeois contre les aristocrates. Des haines solides s'affichent et entretiennent un climat dont le degré fraternel est assez bas.

En 1756 le baron de Hund fonde la Stricte Observance qui est destinée, dans un premier temps, à ressusciter l'Ordre du Temple. Quelques Maçons s'y intéressent, notamment Willermoz. L'entreprise connaîtra un grand succès en Allemagne, car Hund charge le nouveau rituel d'allusions symboliques qui enchantent le romantisme germanique. De plus, un mythe apparaît : celui des « Supérieurs inconnus » qui dirigeraient la Maçonnerie et la maintiendraient sur la bonne voie sans jamais rencontrer les initiés des grades les plus bas. Pour certains, les supérieurs inconnus n'étaient pas des hommes, mais des entités vivant dans l'astral d'où ils émettaient des influences occultes. La Stricte Observance contribua à l'expansion d'un rite maçonnique particulier, le Rite Ecossais rectifié qui est à la fois d'inspiration chrétienne et templière. Sur le plan symbolique, il engage les initiés à participer à la construction de temples successifs qui se résorbent dans la Jérusalem céleste que ne bâtit pas la main de l'homme.

L'occultisme maçonnique est à la mode, en cette année 1758, où l'énigmatique comte de Saint-Germain écrit à la Cour qu'il a découvert le moyen de faire de l'or. Il se montre très persuasif, puisque la Pompadour l'autorise à s'installer à Chambord et même à Versailles; sans doute rencontre-t-il Louis XV qui lui confia une mission d'agent secret dans plusieurs pays étrangers. Choiseul déteste Saint-Germain et tente de le faire arrêter; prévenu à temps, il s'enfuit en Angleterre. Bien entendu, pour l'opinion publique les protections dont il bénéficie ne sauraient être que maçonniques. Saint-Germain n'est que l'un de ces personnages insaisissables qui contribuent à rendre mystérieux un Ordre restant pourtant très fidèle à l'église et se souciant de la bonne réputation de ses membres.

En 1761 se produit un très curieux événement dont les conséquences seront considérables. Un Maçon nommé Stephen Morin reçoit une « Patente » qui lui donne l'autorisation de fonder des loges en Amérique et d'y propager les hauts grades. Tout est enveloppé de mystère; le personnage, d'abord, ce Morin né à New

159

York dans une famille protestante qui vint ensuite à La Rochelle. Il semble posséder naturellement une vocation d'ambassadeur et accomplit sa tâche à la perfection. La fameuse « Patente », ensuite; elle fut délivrée par la Grande et Souveraine Loge de Saint-Jean de Jérusalem qui met en relief la filiation antique de l'Ordre, les titres ronflants qu'il décerne et l'idéal fraternel qu'il entretient, toutes choses extrêmement séduisantes pour la jeune nation américaine qui admire beaucoup le passé européen. Il est bien difficile de faire la part de la légende dans cette affaire qui est néanmoins l'expression d'une nouvelle réalité maçonnique : la profusion des hauts grades, regroupés dans un système de vingt-cinq degrés, le Rite de Perfection, d'où naîtra le Rite Ecossais Ancien et Accepté. Ce dernier occupera désormais une position très forte et très originale au sein de la Maçonnerie mondiale.

Voltaire, en 1764, dirige ses attaques contre l'église et contre la Franc-Maçonnerie qui ne lui apparaissent pas fondamentalement différentes. « Que tous les ecclésiastiques, écrit-il, soient soumis en tous les cas au gouvernement, parce qu'ils sont sujets de l'Etat. » Il n'admet plus l'autonomie du monde religieux qui, à son avis, se mêle trop de politique. Ne croyons pas, cependant, qu'il attribue à la Maçonnerie la possibilité d'opérer une telle révolution; dans son Dictionnaire philosophique, il traite avec mépris les « pauvres Francs-Maçons », aimables plaisantins qui n'ont aucune philosophie sérieuse à proposer. « Tout ce que je vois jette les semences d'une révolution qui arrivera immanquablement », prophétise l'écrivain dans une lettre au marquis de Chauvelin. Il ne sait pas encore que quelques extrémistes opposés au régime royaliste français sont admis dans les loges.

Dans son ensemble, la Maçonnerie est fort peu préoccupée par les idées révolutionnaires qui sont en train de germer, tant son anarchie administrative est évidente. Le maître à danser Lacorne, substitut du comte de Clermont, est de plus en plus détesté; les aristocrates, qui veulent sa perte, le traitent de « marchand de flics-flacs ». Irrité, Clermont le remplace par un noble, Chaillon de Joinville contre lequel se dressent aussitôt les petits-bourgeois, partisans de Lacorne. En 1765, la plupart des « Lacornards » sont chassés des postes de responsabilité qu'ils occupaient. Ils ne s'avouent pas vaincus pour autant, et le ton monte entre les deux factions « fraternelles ».

En décembre 1766, pendant la fête de l'Ordre, les Frères ennemis en viennent aux mains et se livrent une véritable bataille rangée. Clermont, malade de la goutte, n'assiste pas à cette profanation du Temple. Les Lacornards sont les grands vaincus de ce rude échange de vues; tous les Vénérables qui se réclament de cette tendance sont destitués. Pour se venger, ils dénoncent plusieurs aristocrates à la police. Le parti adverse agit de même, excédée par ces conflits qui lui paraissent plutôt embrouillés, la police interdit les réunions maçonniques à Paris et oblige la Grande Loge à cesser la majeure partie de ses activités pendant quatre ans. C'est probablement le comte de Clermont lui-même qui a demandé cette intervention, afin que « son » Ordre retrouve un peu de calme et de dignité.

Nous retrouvons la trace de la Maçonnerie en 1770, dans la région de Lunéville, où se déroule un procès symptomatique. Les accusés sont l'évêque de Toul et le curé de Lunéville qui refusaient de célébrer une messe pour le repos de l'âme d'un Maçon. Immédiatement, l'Ordre avait amené l'affaire devant les tribunaux qui lui donnent raison; la messe est célébrée.

Le duc de Clermont meurt le 16 juin 1771, alors que les réunions de la Grande Loge sont toujours interdites. Le bilan administratif est catastrophique, l'idéal de la Maçonnerie française est des plus flous, les rites anarchiques pullulent, les Frères composent de petits cénacles qui s'enferment dans des disputes stériles. Apparemment, la Maçonnerie est dans l'impasse. Lacorne et ses amis réussissent alors un coup de maître; ils gagnent la confiance d'un très grand seigneur, baron du royaume, Anne-Charles-Sigismond, duc de Montmorency-Luxembourg. Très intéressé par la Maçonnerie, il est prêt à la sortir de l'ornière. Cousin du roi, il connaît parfaitement les membres les plus influents de la cour; pour ressusciter la Maçonnerie, il faut élire un personnage de premier plan, un homme suffisamment connu pour abriter l'Ordre sous son aile et lui conférer de nouveaux titres de noblesse après tant d'années d'anarchie. Cet homme n'est autre que Philippe, duc d'Orléans et duc de Chartres, prince du sang, qui devient Grand Maître à 24 ans. Né en 1747, il sut épouser en 1769 une riche héritière dont la fortune lui permit d'assouvir son goût prononcé pour les plaisirs mondains. Sa forme de libertinage est assez grossière et le rend odieux à de nombreuses dames de la cour. Encouragé par son célèbre secrétaire, Choderlos de Laclos, il manifeste son goût pour tout ce qui vient d'Angleterre et son dégoût pour le gouvernement français. Philippe, en effet, est dévoré par l'ambition politique; la meilleure voie pour parvenir à ses fins lui semble être une opposition nuancée au régime en place; elle lui vaut, d'ailleurs, l'estime du peuple. En 1770, par exemple, il avait pris le parti du Parlement contre Louis XV, recueillant ainsi une belle popularité dont il n'était pas peu fier. Sur les conseils de Choderlos de Laclos, il entretient une équipe de pamphlétaires et d'émeutiers à la petite semaine qu'il paye pour maintenir un léger climat d'agitation qui, à son avis, lui servira un jour.

Le duc de Montmorency-Luxembourg a peu de points communs avec le nouveau Grand Maître. Très cultivé et fort attaché à ses privilèges de grand seigneur, le duc est un adepte d'une morale assez rigoureuse contre le libertinage de la cour. Nommé administrateur général de l'Ordre, il en est le véritable dirigeant et fait preuve, dès le début, d'un grand talent d'administrateur. En fait, cette double direction de la Maçonnerie renaissante porte en elle une grave contradiction; le duc de Chartres a l'intention d'utiliser l'Ordre pour critiquer le pouvoir et l'obtenir à son propre compte, tandis que Montmorency-Luxembourg veut en faire un soutien fidèle de la royauté.

L'euphorie des premiers moments laisse dans l'ombre

ces dissensions d'origine. Luxembourg travaille d'arrache-pied à la réorganisation administrative de l'Ordre; il réunit de nombreux comités restreints, s'entretient avec les principaux dignitaires et met rapidement au point un projet définitif. En décembre 1772, la Grande Loge de France est dissoute. C'est le Grand Orient de France qui la remplace officiellement le 26 juin 1773. Il sera désormais la seule puissance législative française et l'unique instance supérieure regroupant tous les ateliers.

Ce coup d'état autoritaire mécontente un certain nombre de loges non consultées par l'administrateur général; plusieurs Vénérables, dont le privilège d'inamovibilité est mis en cause, refusent de se plier aux nouvelles directives et restent unis à l'intérieur de la Grande Loge de France. Mais Montmorency-Luxembourg est trop puissant; avec l'aide de la police, il exerce une pression discrète sur les Maçons dissidents et les oblige, pour la plupart, à s'intégrer au Grand Orient. La contestation s'effiloche très vite, d'autant plus que les dignitaires du G. O. sont assez habiles pour « récupérer » la quasi-totalité des archives que détenaient les quelques opposants se réclamant encore de l'ancienne Grande Loge.

Tout est en place pour assurer le succès du Grand Orient; de « grands officiers » sont nommés, les cadres administratifs (notamment les trésoriers) entrent en fonction, un « Grand collège des rites » reçoit mission de s'occuper des grades supérieurs à celui de Maître afin de faire cesser la prolifération des « hauts grades ». Notons au passage que le Grand Orient interdit l'entrée de ses temples aux artisans et aux domestiques, restant fidèle à la ligne de conduite de la Maçonnerie moderne hostile aux Compagnonnages.

Les protestations contre la création du Grand Orient ne cessent pas complètement. Certains Maçons, par trop réfractaires, sont emprisonnés pendant quelques mois. Les Loges écossaises se tiennent prudemment à l'écart, attendant la suite des événements. Dans l'avenir, le Grand Orient entamera avec elles de nombreuses négociations sans jamais parvenir à les absorber. Rappelons que ces Loges ne sont pas composées d'Ecossais, mais pratiquent un système symbolique à trois degrés qui se prolonge par une série de « hauts grades », progressivement organisé au cours du XVIII⁰ siècle; l'ensemble des Loges qui le respecte représentent l' « Ecossisme », courant de pensée maçonnique qui tient avant tout à une spécificité que ni le Grand Orient ni les différents pouvoirs politiques ne parviendront à détruire.

En 1773, le philosophe Joseph de Maistre est initié à Chambéry, dans la loge « Les trois mortiers » dont l'activité intellectuelle lui paraît très vite insuffisante. Attaché aux symboles de la Maçonnerie, il tentera de la faire entrer dans un « christianisme transcendantal » qui serait à la fois au delà du catholiscisme temporel et de la maçonnerie élémentaire. Joseph de Maistre s'appuiera essentiellement sur les « hauts grades » du Rite Ecossais Rectifié, dont nous avons évoqué le rattachement à l'Ordre des Templiers. Les Maçons contemporains qui pratiquent ce rite tiennent encore à cette forme de christianisme initiatique qui n'est pas l'une des moindres originalités de l'Ordre.

Une amusante anecdote de cette même année situe bien les rapports de l'église et de la Maçonnerie. A Lourdes, le notaire Cambotte et l'abbé Dorléac se prennent d'une violente querelle. Meilleur pugiliste, l'abbé rosse sévèrement son adversaire qui porte plainte. L'abbé n'hésite pas à proclamer publiquement son appartenance à la Franc-Maçonnerie et la plainte se dilue dans les méandres de l'administration judiciaire. Plus sérieuse est l'attaque des Maçons de Boston contre les vaisseaux britanniques; c'est un véritable prélude à la guerre, et le Maçon Washington trouve aussitôt une oreille favorable dans la Maçonnerie française qui a beaucoup contribué à l'implantation de l'Ordre en Amérique.

Le Grand Orient occupe son premier grand local en 1774, à l'actuel n⁰ 82 de la rue Bonaparte; à cet endroit était auparavant installé le noviciat des Jésuites! Les dirigeants du G. O. sont assez satisfaits; leurs effectifs croissent, alors que ceux de la Grande Loge, toujours

164

réfractaire à l'union, diminuent. De plus, les loges militaires connaissent un certain essor. Composées, en général, de nobles dotés de grades importants, elles se déplacent avec les régiments et contribuent à diffuser l'esprit maçonnique en province.

Les rapports entre Eglise et Maçonnerie se tendent. Le curé des Sables-d'Olonne refuse de dire la messe pour la fondation d'une loge de Maçons qui sont pourtant de bons chrétiens. L'appel à l'évêque, puis aux autorités parisiennes, se heurte à un refus. En 1775, le duc de Chartres ne parvient pas, semble-t-il, à obtenir une grand-messe en l'honneur de l'Ordre. C'est sans doute à cause de sa personnalité libertine et frondeuse que le clergé commence à se méfier de la Maçonnerie. Seule la Maçonnerie de la cour de Lunéville préserve sa réputation; à la suite d'un refus de l'évêque de Toul concernant la célébration d'un service funèbre pour des Maçons défunts, le tribunal, saisi par des dignitaires maçonniques, réprimande l'ecclésiastique.

En 1776, la Maçonnerie compte au moins 30 000 Frères dans toute la France. Le succès du Grand Orient est indéniable, mais un grave danger le menace; cette année-là apparaît la secte des Illuminés de Bavière fondée par Weishaupt, homme d'un tempérament violent et colérique. Ce professeur de droit canon désire semer la tempête en Europe en abolissant les lois en vigueur qu'il juge iniques et en militant pour l'égalité et la liberté. A Wilhelmsbad, il se heurte à l'immobilisme des Francs-Maçons qu'il voulait rallier à sa doctrine. Furieux et déçu, il demande à ses adeptes de pénétrer en force dans les Loges et de les utiliser pour préparer une grande Révolution. Weishaupt échouera, mais quelques Illuminés devenus Francs-Maçons en raison de la faiblesse des critères de recrutement, feront des déclarations extrémistes au nom d'un Ordre qui les désavoue. Plusieurs historiens confondront par la suite La Maçonnerie et la secte des Illuminés, chargeant la première d'intentions qu'elle n'a jamais eues.

En 1778, les 310 loges du Grand Orient refusent toujours l'entrée du temple aux ouvriers parce qu'ils ne sont pas des « hommes libres ». Cette rigidité doctrinaire explique en partie les persécutions que la Maçonnerie subira bientôt pendant la Révolution; comment les « opératifs » pouvaient-ils admettre une institution qui les traitait comme des esclaves et leur refusait l'accès aux doctrines humanitaires qu'elle professait? La scission entre Compagnonnage et Maçonnerie n'est pas étrangère aux grands conflits sociaux qui s'annoncent.

Le 8 avril 1778, tous les regards se tournent vers la Loge « Les neuf sœurs », dirigée par l'astronome Jérôme Lalande. Il a l'immense privilège de recevoir Voltaire apprenti-Franc-Maçon lors d'une cérémonie très mondaine, en présence de Benjamin Franklin. Tout le corps maçonnique s'emplit d'une intime fierté pourtant peu justifiée : Voltaire est un vieillard auquel on épargne les légères épreuves physiques. Il mourra d'ailleurs le 30 mai suivant après avoir critiqué la Maçonnerie pendant la majeure partie de sa vie. Son parrain en loge, l'abbé Cordier de Saint-Firmin, essaye de faire oublier ces pénibles souvenirs grâce à un brillant discours; « Très cher Frère, dit-il à Voltaire, vous étiez Franc-Maçon avant même que d'en recevoir le caractère, et vous en avez rempli les devoirs avant que d'en avoir contracté l'obligation entre nos mains. »

En fait, l'initiation de Voltaire procure à la Maçonnerie plus d'ennuis que de bienfaits. L'écrivain, en effet, meurt hors de l'église; la Loge « Les neuf sœurs », outrée par l'intransigeance écclésiastique, réunit une manifestation publique pour célébrer la mémoire de l'illustre Frère. Diderot, Condorcet et d'Alembert refusent de s'y joindre; la Cour n'apprécie pas cet acte d'indépendance, et les instances supérieures du Grand Orient moins encore. Elles reprochent au Vénérable Lalande ses décisions insensées qui troublent l'ordre public et interdisent aux « neuf sœurs » de prendre des initiatives comparables dans l'avenir. Benjamin Franklin remplace Lalande l'année suivante et fait taire les passions de l'atelier; il a trop besoin de l'appui global de la Maçonnerie pour sortir de l'orthodoxie.

1778 est également l'année glorieuse du Franc-Maçon

et magnétiseur Antoine Mesmer qui ouvre à Paris un cabinet de consultation fréquenté par la meilleure société. Traité de charlatan par ses confrères et par beaucoup d'historiens, Mesmer n'était peut-être pas le personnage ridicule que l'on a souvent décrit. Ses idées étaient parfois assez proches de la géniale médecine homéopathique, et il fut l'un des premiers savants contemporains à mettre en rapport la situation du cosmos avec le déclenchement des maladies. Il fonda la loge intitulée « Société de l'harmonie universelle » et tenta de prolonger les recherches des médecins de l'antiquité qui avaient une conception synthétique du corps humain. Pour des raisons très obscures, Mesmer se brouilla avec les Maçons qui avaient largement favorisé son succès en faisant de lui un homme public; il fut alors obligé de quitter Paris et mourut dans l'oubli.

Franklin, quant à lui, fait une vaste propagande dans les loges pour la cause américaine. Partout, il est encouragé et obtient des armes et de l'argent. Les Maçons s'enthousiasment pour cette noble lutte dans laquelle s'illustre le Frère La Fayette. Cette générosité d'intentions n'est malheureusement pas complète, puisque des circulaires du Grand Orient, datant de 1779, ordonnent aux loges de restreindre l'admission des petites gens sous prétexte qu'elles n'ont pas assez d'argent pour pratiquer la bienfaisance!

L'aventure française de Cagliostro, à partir de 1780, dessert la Maçonnerie. Cet homme infatué de lui-même et intrigant dans l'âme fonde des loges et distribue de fausses statuettes égyptiennes à de pseudo-grands initiés qui se laissent prendre à son bagout. Lorsqu'éclatera l'affaire du Collier de la Reine, il sera arrêté en même temps que son protecteur, le cardinal de Rohan. On soupçonnera les Maçons d'avoir trempé, par son intermédiaire, dans de sordides combines.

La cour de Louis XVI n'est pas hostile à l'Ordre. Le roi ne fut probablement jamais Maçon, en dépit de nombreuses affirmations sur ce sujet; il laissa l'Ordre se développer sans contraintes. Une lettre de Marie-Antoinette (dont l'authenticité est contestée) exprime bien le sentiment général de l'époque : « Je crois, écrit-elle à sa sœur Marie-Christine, que vous vous frappez beaucoup trop de la Franc-Maçonnerie pour ce qui regarde la France; elle est bien loin d'avoir ici l'importance qu'elle peut avoir en d'autres parties de l'Europe, par la raison que tout le monde en est; on sait aussi tout ce qui s'y passe; où donc est le danger? On aurait raison de s'en alarmer, si c'était une société secrète de politique; l'art du Gouvernement est, au contraire, de la laisser s'étendre, et ce n'est plus que ce que c'est en réalité, une société de bienfaisance et de plaisir. On y mange beaucoup, et l'on y parle, et l'on y chante... » Quel que soit le degré d'authenticité de cet écrit, il rend parfaitement compte de l'état de la Maçonnerie française huit ans avant la Révolution.

Lisons, par exemple, l'article I d'un règlement maçonnique à l'usage des loges, datant de 1782 : « Ton premier hommage appartient à la divinité. Adore l'être plein de majesté qui créa l'univers par un acte de sa volonté, qui le conserve par un effet de son action continue, qui remplit ton cœur, mais que ton esprit borné ne peut concevoir, ni définir. » A cette phrase d'inspiration catholique rigoureuse s'ajoute l'article VII qui contient une donnée intéressante : « En te dévouant au bien d'autrui, n'oublie pas ta propre perfection et ne néglige pas de satisfaire ton âme immortelle. La connaissance de soi-même est le grand pivot des préceptes maçonniques. »

Voilà précisé le point qui nous échappe : dans cet Ordre de parade où s'affichent tant de nobles et de personnes respectables, combien de Maçons se soucient encore de l'initiation traditionnelle qui était la base des anciennes confréries? Aucune statistique ne nous répondra jamais, mais les divers faits évoqués tendent à prouver que la tendance initiatique était faible et peu influente.

En 1783, ce sont de grands aristocrates comme les Polignac ou les Rohan qui donnent le ton à la Maçonnerie française. Ils acceptent de côtoyer les riches bourgeois et les gros commerçants, parce que ces derniers détiennent le véritable pouvoir économique, mais refusent obstinément de siéger aux côtés de cultivateurs ou d'artisans. Les ecclésiastiques Francs-Maçons sont assez nombreux; on cite souvent l'exemple de la loge « La Vertu », installée à Clairvaux et composée presque totalement de religieux. Jusqu'au début de la Révolution, ces Maçons célébreront leurs « tenues » à l'intérieur même du monastère.

Le 14 décembre 1784, Wolfgang Amadeus Mozart est initié à la Loge de Vienne « La bienfaisance ». Autant l'initiation de Voltaire était une ultime boutade, autant celle de Mozart est le signe d'un engagement spirituel profond dont les traces sont aisément décelables dans l'œuvre du grand compositeur. Sans parler des concertos, des sonates et des symphonies où cet homme encore très jeune manifeste une exceptionnelle profondeur de pensée, on constate l'influence de la symbolique maçonnique dans les « Cantates maçonniques » et les chants destinés aux loges; ces œuvres peu connues sont admirables et atteignent un niveau comparable au grand opéra maçonnique « La flûte enchantée » inspiré en grande partie par von Born, l'un des Vénérables les plus érudits de son époque.

La Maçonnerie française semble assez éloignée des préoccupations ésotériques de la branche allemande de l'Ordre. Une chanson maçonnique de 1787, sur l'air de « Que j'estime mon cher voisin », traduit tout un état d'esprit :

> *Dans ce doux et charmant festin*
> *Où règne l'innocence,*
> *Chaque Maçon, le verre en main,*
> *Bénit l'intelligence.*

Nul ne songe à nier le grand succès maçonnique des années 1788-1789, la création de la Constitution américaine. Le maçon George Washington, initié en 1752, devient président des Etats-Unis d'Amérique le 30 avril 1789 et n'oubliera jamais sa dette envers les Frères français. Ces derniers ne vivent pas une période eupho-

rique, bien au contraire, après la déclaration de Mira-
beau qui désire tout simplement exterminer la Franc-
Maçonnerie qu'il considère comme une société « mauvaise ». Pour lui, elle n'est rien d'autre qu'une hypocrite
émanation des Jésuites.

A la veille de la Révolution, le nombre des Maçons est
peut-être de 50 000. Certes, ils prônent la fraternité, et
l'aristocrate échange du « mon Frère » avec le grand
bourgeois; mais ce caractère « démocratique » est des
plus restreints et ne favorise nullement un bouleversement social. Il faut rechercher ce dernier dans les très
nombreux clubs politiques qui se créent à une cadence
accélérée, dans les « académies » et les « sociétés littéraires » qui sont, en fait, des groupuscules révolutionnaires très actifs qui préparent la mort de l'Ancien
Régime.

CHAPITRE II

DE LA RÉVOLUTION DE 1789
A CELLE DE 1848

Après la prise de la Bastille, le 17 juillet 1789, Louis XVI se rend à l'Hôtel de Ville. Au moment où il arrive au pied du grand escalier, les officiers de la garde nationale, qui sont presque tous Francs-Maçons, tirent leur épée. Louis XVI a une réaction de recul, il craint d'être assassiné. En fait, les officiers forment une voûte d'acier de leurs armes, et le marquis de Nesles dit au roi : « Sire, ne craignez rien. » Louis XVI passe sous cette voûte, symbole réservé aux plus hauts dignitaires maçonniques et pénètre dans l'Hôtel de Ville.

Un noble, M. de Saint-Janvier, est interrogé par un révolutionnaire. Comment t'appelles-tu? lui demande-t-il. De... Il n'y a plus de De. Saint... Il n'y a plus de saint. Janvier... Il n'y a plus de Janvier. Et le révolutionnaire inscrit sur les papiers officiels : « Citoyen Nivôse. »

Ces deux anecdotes, éloignées dans le temps, évoquent le profond malaise ressenti par le corps maçonnique pendant toute la révolution. Les nobles qui dirigent la Maçonnerie sont dépassés par les événements, les royalistes sincères n'acceptent pas la déchéance de la monarchie. Dès 1789 survient une violente rupture entre le Grand Maître, le duc d'Orléans, et l'administrateur général, Montmorency-Luxembourg. Le premier espère recueillir enfin le résultat de ses intrigues en profitant de la chute inévitable du roi; le second, au contraire, jure à Louis XVI que la noblesse lui sera fidèle et lui donnera sa vie si le souverain l'exige. Louis XVI ne comprend pas ou feint de ne pas comprendre; délibérément, il rejette l'appui de la Maçonnerie aristocratique. Les Maçons se divisent en deux partis et la fraternité n'est plus qu'un vain mot; les nobles espèrent garder leurs privilèges, les bourgeois obéissent à Orléans, dont la popularité est croissante.

Le Grand Orient, qui n'a aucune ligne politique définie, rappelle à ses membres que les discussions d'ordre politique sont interdites dans les loges et qu'il est préférable de n'avoir aucun contact avec les clubs révolutionnaires. Orléans ne souhaite pas un changement social profond, mais simplement sa propre accession au pouvoir.

Lorsque la tourmente révolutionnaire éclate, la plupart des loges sont obligées de cesser leurs travaux. Les agitateurs professionnels transforment certaines d'entre elles en clubs politiques auxquels participent les Frères partisans de la nouvelle doctrine. Le Grand Orient, dont le déficit financier est considérable, est incapable de faire face à cette situation extrême et l'on relève cette déclaration désabusée d'un Frère : « La plus grande partie de nos membres n'étaient Maçons que par le ton. »

En 1791, le duc de Luxembourg se joint à l'armée des Princes et travaille de son mieux à la contre-Révolution. Il ne pourra jamais revenir dans son pays et mourra au Portugal en 1805. A ce moment, la quasi-totalité des pays d'Europe se montre résolument hostile à la Franc-Maçonnerie qui est déjà plus ou moins accusée d'avoir favorisé la chute de la monarchie et de l'ordre établi. Frédéric II de Prusse, Maçon fervent dans sa jeunesse, fait surveiller les loges par une police implacable; Catherine II de Russie les fait fermer et même l'Angleterre ôte une partie de sa confiance aux respectables Maçons de son territoire. Le Portugal, imitant l'Espagne, met en place une redoutable Inquisition qui oblige les Frères à s'expatrier. Quelques Maçons persécutés deviennent eux-mêmes des persécuteurs, tel Le Chapelier qui fait voter le 14 juin 1791 une loi interdisant les corporations et le Compagnonnage, héritier de la Maçonnerie ancienne.

La Franc-Maçonnerie moderne

La bataille de Valmy (20 septembre 1792) redonne à l'armée française une pleine confiance en ses moyens. En fait, il n'y a pratiquement pas eu de combat et les régiments prussiens se sont inclinés sans engager une lutte acharnée. Le Maçon Goethe s'écrie : « De ce jour date une ère nouvelle pour l'histoire du monde! » Certes, Danton et Dumouriez sont Maçons; certes, le duc de Brunswick, commandant en chef des Autrichiens, est entouré de Maçons et l'est sans doute lui-même. Faut-il en conclure que les Frères ont décidé d'un commun accord de ne pas livrer bataille à la suite d'une intervention du Maçon Choderlos de Laclos, présent sur le champ des opérations?

Même s'il y a une part de vérité dans cette hypothèse, les Révolutionnaires n'en éprouveront pas pour autant la plus petite reconnaissance envers la Maçonnerie. Pendant la Terreur de nombreux Frères sont guillotinés; ironie cruelle, Guillotin était Franc-Maçon. Aucun atelier ne peut travailler normalement, emprisonnements et exécutions se succèdent.

En 1793, le Grand Maître de l'Ordre, qui a pris pour nom Philippe-Egalité est maintenant conscient de l'échec de ses manœuvres. Craignant pour sa vie, il se décide à renier ses Frères et, le 22 février, écrit à un journaliste une lettre d'une incroyable bassesse : « Comme je ne connais pas la manière dont le Grand Orient est composé, affirme le Grand Maître, et que d'ailleurs je pense qu'il ne doit y avoir aucun mystère, ni aucune assemblée secrète dans une république, surtout au commencement de son établissement, je ne veux plus me mêler en rien du Grand Orient, ni des assemblées de Francs-Maçons. » Pour lui, la Maçonnerie est un fantôme qu'il faut quitter pour la réalité. On sait que la mort de Louis XVI sera votée à une voix de majorité, celle de Philippe-Egalité, cousin du roi. Les Révolutionnaires les plus extrémistes sont écœurés par cette lâcheté; épouvanté par l'idée de sa mort prochaine, Philippe-Egalité prétendra qu'il n'est pas de noble extraction mais fils d'un cocher devenu l'amant de sa mère.

L'ex-Grand Maître n'échappera pas à la guillotine.

La Franc-Maçonnerie

Très déçus, les Maçons prononcent sa déchéance et célèbrent même une cérémonie de dégradation en brisant son épée. Trahi par celui qui le dirige, l'Ordre n'est pas au terme de ses souffrances; les archives sont pillées, toute correspondance maçonnique devient impossible. La jeune république ne tolérera à aucun prix de petits cénacles fermés qui s'abritent derrière des secrets. De plus, les Maçons sont considérés comme des Révolutionnaires beaucoup trop tièdes qui se placent en dehors du grand courant populaire. Les chiffres, dans leur sécheresse, procurent un dramatique constat : en 1796, le Grand Orient ne compte plus que 18 ateliers au travail dans toute la France.

Lorsque le calme revient, la Maçonnerie est exsangue et semble agonisante. Un Maître Maçon, Alexandre-Louis Roettiers de Montaleau, refuse de sombrer dans le pessimisme. Ce haut fonctionnaire, passionné d'ésotérisme, a sauvé de nombreuses archives maçonniques et croit au destin spirituel de l'Ordre dont le message, à son avis, est immortel. Avec un courage assez extraordinaire, il « réveille » plusieurs loges dès sa sortie de prison et prend la direction du Grand Orient. Sa foi est communicative; presque aussitôt, les Maçons trouvent dans leur fraternité de nouvelles raisons d'espérer. Comme toutes les communautés persécutées, ils puisent dans le malheur une énergie que la douce période des salons aristocratiques leur avait fait perdre.

Dès 1797, une légende commence à se former. Dans « Les véritables auteurs de la Révolution », Jourde écrit : « Ce furent les Francs-Maçons qui ont été les meneurs de la Révolution. Ils auraient même procuré de l'argent aux révolutionnaires dont ils assuraient la propagande. En 1797-1798 paraissent les 5 volumes de l'abbé Barruel, intitulés « Mémoires pour servir à l'histoire du Jacobinisme ». Rarement falsification historique eut tant de succès et d'influence; pour l'abbé, les Maçons ont préparé la Révolution de longue date dans les ténèbres de leurs loges et favorisé les violences, l'anarchie, les torrents de sang. Les arrière-loges ont exécuté les Frères qui n'obéissaient pas à leurs mots d'Ordre subversifs. Tout au long de son ouvrage, l'abbé confond la Franc-Maçonnerie avec la secte des Illuminés de Bavière et prouve sa profonde méconnaissance de l'Ordre en lui attribuant des doctrines antichrétiennes et antiroyalistes. De nombreux historiens s'appuieront sur ces contrevérités pour faire de la Maçonnerie un organe révolutionnaire qu'elle n'a pas été. Certains Maçons contribuèrent à propager cette légende en s'attribuant avec fierté la naissance de la République et de la démocratie.

Le phénomène révolutionnaire est beaucoup trop complexe pour être le fait d'une seule communauté; s'il est exact que plusieurs Maçons furent des meneurs révolutionnaires, n'oublions pas qu'ils agissaient en leur nom propre sans être missionnés par l'Ordre. N'oublions pas non plus que de très nombreux Maçons furent guillotinés et, qu'au lendemain de la Révolution, la Franc-Maçonnerie, loin d'être au pouvoir, était suspectée de royalisme.

La Révolution française est l'aboutissement d'un processus intellectuel et social dont la majorité des Maçons n'avait qu'une conscience très relative. L'Ordre, au demeurant, ne donna pas de consignes unitaires, et nous avons vu que les deux principaux dirigeants de la Maçonnerie avaient des théories radicalement opposées.

On a beaucoup reproché à la Maçonnerie le symbolisme d'un des hauts grades où l'initié « tue » un roi identifié à Philippe le Bel. Il s'agit d'un grade dit « de vengeance », les Maçons s'acharnant à combattre les destructeurs de l'Ordre templier et non d'une allégorie montrant une quelconque hostilité à Louis XVI.

Le fait le plus important est sans doute celui-ci : avant la Révolution, l'Ordre maçonnique connaît les mêmes divisions que la société. Il n'y a aucune doctrine politique cohérente capable d'unir les Frères pour ou contre un bouleversement social. Le Frère La Fayette se trouve à la tête de la foule qui conspue les gardes suisses dont le chef est le Frère D'Aumont; les Frères royalistes ne comprennent pas les Frères révolutionnaires qui traitent les premiers de traîtres à la République. Que certaines loges aient servi de bases à des menées révolutionnaires est à peu près certain; que la Maçonnerie entière ait encouragé la Révolution est une contrevérité flagrante. A la suite d'une réouverture de loge à Laval, ne lisons-nous pas dans le « Journal des Hommes libres », daté du 29 pluviose an VI : « La réouverture de cette société monstrueuse est du plus sinistre augure pour les républicains et ils ne voient pas sans une certaine surprise redoubler l'activité de ces éternels conspirateurs, de ceux-là mêmes qui ont royalisé les dernières élections. »

L'abbé Barruel, qui était peut-être un homme sincère, faisait de la mauvaise histoire en identifiant la Maçonnerie à un club révolutionnaire. Les recherches récentes des écrivains Maçons ou non Maçons ont définitivement prouvé le contraire.

En 1799, Roettiers de Montaleau peut contempler son œuvre avec satisfaction; il vient de réussir la fusion des obédiences françaises sous la tutelle du Grand Orient qui est le seul garant de la régularité maçonnique en France et le correspondant autorisé de la Grande Loge d'Angleterre. Seules les loges écossaises, qui tiennent décidément à leur indépendance comme au trésor le plus précieux, refusent de participer à l'union. La même année, Bonaparte est premier consul. Il ne mésestime pas l'importance de la Maçonnerie renaissante et, dès 1800, envoie dans les Loges un fort contingent d'indicateurs qui le renseignent sur les intentions et les travaux des Maçons.

Le 24 décembre 1802, Roettiers de Montaleau inaugure le nouveau local du Grand Orient, rue du Vieux-Colombier; de très nombreux Frères assistent à la cérémonie où l'on invoque le Grand Architecte de l'Univers. Après le rite du feu purificateur, plusieurs discours insistent sur les origines très anciennes de l'Ordre et sur sa pérennité; puis les Maçons entonnent les chants fraternels en bénissant l'ère nouvelle qui s'ouvre pour la confrérie.

La police veille, et soigne particulièrement les rapports d'enquête concernant la Maçonnerie dont les membres sont classés en deux catégories: les « bons Maçons » qui s'occupent exclusivement de fraternité et de bienfaisance, les « mauvais Maçons » qui auraient l'idée saugrenue de critiquer Bonaparte. Quelques épurations sont indispensables; il faut notamment chasser de l'Ordre des Italiens au cerveau échauffé qui risqueraient d'entraîner la Maçonnerie sur une pente dangereuse. Roettiers de Montaleau, mis en demeure d'obéir, doit s'incliner.

« Dans cette tragique période révolutionnaire qui s'achève, écrivent J. A. Faucher et A. Ricker, la Franc-Maçonnerie française a failli mourir des coups qui lui ont été portés par ses membres civils, soit que les uns, par leur appartenance à la noblesse, aient été compromis lors de la chute de la Monarchie, soit que les autres, adeptes des nouvelles idées républicaines, aient aidé au succès d'un nouvel ordre politique qui, comme tous les régimes autoritaires et totalitaires, traita les loges maçonniques en associations suspectes. Par contre, ce sont les Frères appartenant aux Loges militaires qui vont assurer pendant la période impériale la renaissance de la Maçonnerie et le rayonnement de son esprit à travers l'Europe. »

Dès sa Renaissance, en effet, l'Ordre est assujetti à l'empire que proclame Napoléon en 1804. Il nomme Joseph Bonaparte Grand Maître du Grand Orient; Cambacérès sera son adjoint. Le préfet de police Fouché est l'un des grands dignitaires. Comme on le voit, la direction du Grand Orient n'est pas laissée au hasard. Cette même année, le comte de Grasse-Tilly, venant de la Jamaïque, arrive à Paris. Il a dans ses bagages des chartes et autres documents pompeux assurant qu'il est Souverain Grand Commandeur du Rite Ecossais. En cette qualité, que les Maçons Ecossais ne semblent pas mettre en doute, il fonde le Suprême Conseil du rite le 22 septembre et adresse une circulaire à l'ensemble des Maçons français : « Ce foyer de lumières ne pourra que rejaillir sur tout l'Ordre, puisqu'il n'a pour objet que de concentrer les lumières éparses que pour les distribuer dans une proportion sage et d'asseoir sur des bases inébranlables l'administration la plus juste et la plus éclairée. » Le premier « Suprême Conseil » avait été installé à Charleston (Etats-Unis d'Amérique) en 1801; le Rite Ecossais Ancien et Accepté est divisé en trente-trois grades et, après une négociation avec le Grand Orient, il est décidé que ce dernier sera chargé de la gestion du 1er au 18e degré tandis que le Suprême Conseil aura la haute main sur les degrés suivants. Ce compromis ne dure guère; les Ecossais « reprennent » la totalité de leurs grades et le Grand Orient crée un Grand Collège des rites pour ses propres hauts grades. Plusieurs Maçons du Grand Orient obtiendront d'ailleurs l'initiation aux hauts grades de l'Ecossisme. Il est clair, néanmoins, que la Maçonnerie française est maintenant divisée en deux grandes puissances résolues à ne pas s'unir malgré les desiderata de Napoléon.

L'empereur, qui n'était pas Maçon, adopte une attitude de prudence face au Suprême Conseil du rite Ecossais qui refuse la fusion avec le Grand Orient. Pour obtenir un droit de contrôle, il nomme le fidèle Cambacérès à la tête du Suprême Conseil. La Maçonnerie d'empire encense Napoléon, à l'image de la loge « Napoléomagne » de Toulouse qui célèbre régulièrement les victoires de l'empereur. Les loges militaires se développent dans des proportions considérables et donnent à l'Ordre entier le ton du loyalisme et de l'admiration respectueuse. De nombreux maréchaux et généraux sont Maçons, et il est presque certain que chaque régiment comporte une loge.

Cette bienveillance de l'empereur n'était pas gratuite; Napoléon avait compris que les liens fraternels des Maçons retrouvant la paix civile pouvaient servir ses ambitions européennes. L'esprit maçonnique donnait aux militaires l'occasion de façonner des amitiés profondes, favorables à la cohérence de l'armée. De plus, les troupes d'occupation rencontraient des Frères dans les pays vaincus et l'on vit assez souvent fraterniser les Maçons des deux camps, fidèles à la définition du Maçon qui s'affirme de plus en plus comme un citoyen du monde capable de vivre au-dessus des partis et des conflits nationaux. Grâce à la Maçonnerie, l'empereur renforce sa propre armée et assoit ses conquêtes.

Lors d'une grande fête maçonnique, en 1805, l'Ordre inaugure le buste du héros immortel, Napoléon Ier, et cette « sainte effigie » est couronnée de myrthe et de laurier par le Vénérable en chaire. Le Grand Orient est totalement dévoué à l'empereur et ne manque pas de critiquer les Loges écossaises qui font bande à part.

« Les chrétiens, dit un catéchisme maçonnique de 1806, doivent aux princes qui les gouvernent, et nous devons en particulier à Napoléon 1er, notre empereur, l'amour, le respect, l'obéissance, la fidélité, le service militaire, les tributs ordonnés pour la conservation et de la défense de l'empire et de son trône. » La Maçonnerie de 1807 ne s'occupe ni de religion ni de politique et moins encore de symbolisme; « les Francs-Maçons, écrit L. Prudhomme, lisent des vers et de la prose, font de la musique, tiennent un ou deux banquets par mois; on fait une quête dans chaque assemblée, et le produit est envoyé au comité de bienfaisance, ou distribué à des familles indigentes ».

C'est l'empereur en personne qui, par le truchement des dignitaires maçonniques qu'il a lui-même nommés, commence à introduire dans l'Ordre des sentiments anticléricaux. Pie VII, en effect, avait eu l'audace d'excommunier Napoléon 1er qui le fait arrêter en 1809. En 1812, il l'oblige à signer un Concordat à Fontainebleau. La Franc-Maçonnerie, toujours obéissante, félicite l'empereur pour son action résolue.

Vers 1811, un mouvement révolutionnaire, les « Bons Cousins charbonniers », commence à s'étendre et l'on constate son existence à Besançon. La secte calque ses rituels sur ceux de la Maçonnerie et, rééditant la tentative des Illuminés de Bavière tente de faire pénétrer ses membres dans les Loges maçonniques afin d'incliner la confrérie vers une contestation du régime. Cette manœuvre politique est un échec, mais quelques « Bons Cousins » sont assez habiles pour échapper à tous les contrôles et ébranler la belle sérénité de certains Maçons.

C'est en 1813 que naît une « Grande Loge Unie

d'Angleterre » où se regroupent les Maçons du parti des
« Anciens » et ceux du parti des « Modernes ». L'institution est forte et profite de ses nouvelles assises pour
promulguer une loi en des termes très autoritaires : tout
homme qui désire devenir Maçon devra obligatoirement
croire dans le Dieu révélé de la Bible. A l'époque, ce
dictat passe inaperçu, la quasi-totalité des Frères étant
chrétiens.

Le Grand Orient de 1814 règne sur plus de neuf cents
loges, chiffre énorme, et garde une ligne de conduite que
même la Révolution n'a pas entamée : « Rarement,
lisons-nous dans les Constitutions, on admettra un artisan, fût-il maître... Jamais on n'admettra les ouvriers
dénommés « Compagnons » dans les arts et métiers. »

Que dire de cette Maçonnerie des premières années du
XIXe siècle, sinon qu'elle ne répond certainement pas
aux vœux de l'ésotériste Roettiers de Montaleau; le
jugement le plus sévère fut formulé par l'écrivain Charles Nodier pour lequel la Maçonnerie est « une farce
sérieuse, jouée par d'honnêtes oisifs entre des châssis de
bateleurs et dont la représentation, bonne pour amuser
les loisirs d'une vieille femme, n'a jamais ému le sommeil d'un tyran ».

Lorsque Napoléon part pour l'île d'Elbe, la Maçonnerie est quelque peu désemparée. Les dignitaires tournent
casaque et glorifient la venue au pouvoir de Louis XVIII
qui fait exercer sur les loges une rigoureuse surveillance policière. En Savoie, c'est pratiquement la
fin de la Maçonnerie. L'empire, affirment les Maçons,
n'était qu'une tyrannie sanglante qui nous a opprimés.
Des centaines de Frères, écœurés par cette duplicité,
donnent leur démission. Pendant les Cent Jours, nouveau
retournement de situation : persuadée que l'empereur
sera le plus fort, la Maçonnerie lui accorde sa confiance
et rejette la royauté.

Le 18 juin 1815, la bataille de Waterloo marque la mort
de la Maçonnerie militaire, selon Faucher et Ricker. Revenus au pouvoir, les royalistes « épurent » l'armée et ins-
taurent l'abominable « Terreur blanche » qui décime
nombre de loges et brise la Maçonnerie favorable à

l'empire. En Savoie, les Jésuites profitent du vide laissé par les Maçons pour devenir l'unique autorité spirituelle.

Par chance, le préfet de police de Louis XVIII est le Franc-Maçon Decazes, membre du Suprême Conseil du rite Ecossais. Très écouté par le roi, il joue une partie difficile et ne favorise pas l'Ordre avec ostentation, préférant occuper un juste milieu entre les courants sociaux qui se font jour en Maçonnerie et les Catholiques qui appellent de leurs vœux la destruction de l'Ordre parce qu'il fut antiroyaliste.

Trois Israélites, les frères Bédarride, choisissent cette période délicate pour fonder le rite de Misraïm qui ne comprend pas moins de quatre-vingt-dix grades! Les Bédarride détestent Louis XVIII et son gouvernement, abominent les Jésuites et toute forme de catholicisme; farouchement athées, ils souhaitent l'avènement d'une Maçonnerie politique qui secouerait l'immobilisme du Grand Orient. Connaissant le goût des Maçons pour les titres et les décorations, ils ne font pas un mauvais calcul; les quatre-vingt-dix degrés offrent maintes occasions de décerner moults cordons chamarrés. Le Grand Orient mord à l'hameçon et voit d'un assez bon œil le rite de Misraïm; les Bédarride, trop pressés, dévoilent rapidement le dessous des cartes et la police dissout cette branche maçonnique qu'elle juge subversive. Les Bédarride quittent Paris et continuent leur œuvre dans la région de Besançon, tandis que le Grand Orient affirme bien haut que le rite de Misraïm est tout à fait hérétique.

Les années 1818-1822 ne sont guère favorables à la Maçonnerie. En France, quelques Loges sont dirigées par des athées qui ne cachent pas leurs tendances révolutionnaires. Decazes les surveille de très près et les empêche, autant que faire se peut, de propager leurs idées. Dès 1818, les gouvernements espagnols et portugais persécutent les Loges; certains Maçons sont obligés de se suicider, d'autres sont emprisonnés. Alexandre Ier de Russie interdit la Maçonnerie qui était en plein essor.

Pourtant, il est clair qu'une fraternité maçonnique est née à l'échelon international comme le prouve un événement de juin 1823. Le navire hollandais « Minerva » est attaqué par un corsaire espagnol à la hauteur du Brésil. Les corsaires se rendent maîtres de la situation et leur chef ordonne de massacrer les passagers parmi lesquels se trouvent des Maçons; ces derniers, voyant leur dernière heure arrivée, font à tout hasard le signe de détresse maçonnique. Le chef corsaire, qui est lui-même initié, demande des preuves supplémentaires; les Maçons lui demandent de repêcher des débris de diplômes maçonniques qui flottent sur l'eau. Vérifications faites, les corsaires Maçons relâchent le bateau hollandais.

Avec l'avènement de Charles X, en 1824, c'est aussi la montée sur le trône d'un Franc-Maçon, mais d'un Maçon qui s'est éloigné des Loges depuis longtemps et n'a plus aucun goût pour l'Ordre. Amateur de filles légères, il est pourtant tourmenté par la morale et se laisse influencer par les milieux ecclésiastiques. Les évêques qui siègent au Conseil d'Etat demandent à cet ancien Frère la suppression de la Maçonnerie qui ne semble pas nécessaire à la bonne marche des affaires du royaume. Charles X hésite; bien sûr, il y a quelques Loges contestataires, mais la police les connaît. Il est préférable de canaliser l'agitation plutôt que de la rendre « sauvage » et de ne plus avoir aucune prise sur elle. Par ailleurs, beaucoup de grands personnages appartiennent encore à l'Ordre et le roi ne souhaite pas les mécontenter par une décision aux allures dictatoriales. La France de 1826 est très digne; elle traite de séditieuses les œuvres d'un Diderot et d'un Lamennais, elle condamne l'éditeur des chansons de Béranger, coupable d'outrage à la religion de l'état et d'attaque contre la dignité royale. Les Maçons se tiennent coi et composent des chansons à la gloire du monarque :

Charles, sois notre protecteur,
Notre soutien, notre espérance,
Réponds au vœu de notre cœur,
Que notre Ordre sacré doive à ta bienveillance
Pour prix de son amour, la gloire et le bonheur!

La Franc-Maçonnerie moderne

En octobre 1830, pendant la première année de règne de Louis-Philippe, la Maçonnerie organise une grande fête en l'honneur du Frère La Fayette auquel les Américains ont décerné les plus hautes dignités maçonniques. On ne tarit pas de louanges sur la nouvelle conduite de l'état, sur l'admirable roi-citoyen qui dirige la France, sur les grandes libertés qui s'annoncent. Louis-Philippe refuse la Grande Maîtrise de la Franc-Maçonnerie; les Maçons l'ont aidé à prendre le pouvoir, il n'en demande pas plus.

Jusqu'en 1848, la vie maçonnique est assez paisible. Thiers introduit ses mouchards dans la majorité des Loges et, dès que des velléités d'opposition se manifestent, oblige les dirigeants du Grand Orient à les étouffer dans l'œuf.

A partir de 1844, quelques Maçons se plaignent de la médiocrité générale de l'Ordre qu'ils attribuent à un recrutement aveugle. On leur répond que plus la Maçonnerie comptera de Frères, plus elle sera forte. Le reste est sans importance. Désabusé, le Frère Clavel écrit : « Peut-être n'y a-t-il pas un seul habitant de Paris qui n'ait été vivement sollicité de se faire agréger à la société maçonnique. » Les hauts grades ne trouvent pas grâce à ses yeux; il les appelle « masse informe et indigeste, monument de déraison et de folie, tache imprimée à la Franc-Maçonnerie par quelques trafiquants éhontés et dont le bon sens des Maçons eût depuis longtemps fait justice, si leur vanité n'avait été séduite par les titres et les croix qui en forment le cortège obligé. »

La Franc-Maçonnerie de 1847 est un grand corps sans épine dorsale; elle est malade de ne pas penser, de ne pas s'attacher aux valeurs ésotériques qu'elle continue à véhiculer sans en avoir une parfaite conscience.

CHAPITRE III

DE 1848 A LA DISPARITION
DU GRAND ARCHITECTE DE L'UNIVERS
(1877)

En cette année 1848, Paris a l'âme révolutionnaire. Boulevard des Capucines, des soldats tirent sur les membres d'un défilé; la mesure est comble, et c'est bientôt l'émeute populaire déclenchée contre Louis-Philippe et son ministre Guizot. Comprenant qu'il n'a plus aucune chance de conserver le pouvoir, le roi s'enfuit sans demander son reste. Avec lui disparaît la monarchie bourgeoise qui n'a satisfait ni les monarchistes ni les bourgeois, dont une bonne partie souhaite un changement de politique. La proclamation de la République s'accompagne de quelques batailles de rues qui ne dépassent pas le stade de l'anecdote; l'armée attend la suite des événements.

Tous les opposants au régime jubilent et, parmi eux, il y a nombre d'ecclésiastiques et de Francs-Maçons. Le Suprême Conseil du Rite Ecossais reste fidèle à son principe de non-engagement, tandis que le Grand Orient rappelle aux Frères que les Loges ne doivent pas devenir des assemblées à caractère politique. Vœu pieux, car la Maçonnerie participe franchement à la naissance de la seconde République. Le 6 mars, une délégation maçonnique se rend à l'Hôtel de Ville où elle est accueillie par les Maçons qui font partie du gouvernement provisoire; l'enthousiasme est total, un magnifique mouvement national et social orientera la France sur la voie de la justice. Les bannières maçonniques n'ont-elles pas toujours porté la devise : « Liberté, Egalité, Fraternité » qui figure à présent sur le drapeau français? Et le Grand Orient déclare : « La République est dans la Maçonnerie. La République fera ce que fait la Maçonnerie, elle deviendra le gage éclatant de l'union des peuples sur tous les points du globe sur tous les côtés de notre triangle, et le Grand Architecte de l'Univers, du haut du ciel, sourira à cette noble pensée de la République. »

Peu après, les Maçons rendent visite à Lamartine dont l'audience est alors assez considérable. Le poète politicien n'appartient pas à l'Ordre qui lui est pourtant très sympathique; à son avis, le nouvel esprit républicain est né dans les ateliers maçonniques et ses déclarations donnent à la Maçonnerie une véritable caution morale : « Je vous remercie, dit-il aux Maçons, au nom de ce grand peuple qui a rendu la France et le monde témoin des vertus, du courage, de la modération et de l'humanité qu'il a puisé dans vos principes, devenus ceux de la République française. Ces sentiments de fraternité, de liberté, d'égalité qui sont l'évangile de la raison humaine, ont été laborieusement, quelquefois courageusement, scrutés, propagés, professés par vous dans les enceintes particulières où vous renfermiez jusqu'ici votre philosophie sublime. »

Tout est pour le mieux dans le meilleur des mondes maçonniques possible. On a pu dire que la Révolution de 1848 était sous-tendue par une sorte de mystique politique qui donnait aux hommes de ce temps l'espoir d'un paradis social dont la Maçonnerie aurait détenu l'une des clefs. Certes, dès le départ, il y a quelques « accrochages » auxquels on refuse de prêter attention. Le Frère Raspail, par exemple, se montre hostile au Frère Louis Blanc qui fait partie du gouvernement provisoire; le 10 avril 1848, le Compagnon Agricol Perdiguier réunit plusieurs milliers de ses Frères place des Vosges, rappelant aux Maçons que l'autre branche de la tradition initiatique occidentale est toujours bien vivante et entend, elle aussi, recueillir les faveurs de la République.

Contrairement à ce que l'on pourrait croire, la Maçonnerie n'est pas placée par les nouveaux dirigeants au-dessus de l'état. Elle demeure une association ordinaire, et les loges qui désirent se créer doivent obtenir une autorisation sans laquelle elles seraient déclarées illégales. C'est une première déception pour les dirigeants du Grand Orient qui durcit encore la position maçonnique à l'égard des Compagnons et des travailleurs manuels; les cotisations augmentent d'un tiers afin d'éliminer ceux qui ne disposent que de petites bourses, à savoir les artisans. On reprend, à cette occasion, un prétexte déjà utilisé : la Maçonnerie est une société de bienfaisance et, pour être un bon Maçon, il faut donner beaucoup d'argent aux œuvres charitables de l'Ordre.

La mystique républicaine de 1848 n'admet plus de théories aussi hypocrites et aussi sectaires. En 1849, quelques Maçons fondent une « Grande Loge Nationale de France » qui désire précisément changer la nature du recrutement en accueillant dans ses loges tous ceux qui veulent participer au travail maçonnique, quelle que soit leur condition sociale. Elle s'oppose sans nuances à l'institution des hauts grades considérée comme un refuge d'aristocrates avides de cordons chamarrés. C'est ainsi, pense la nouvelle Grande Loge, que la Maçonnerie accomplira en toute pureté la volonté du Grand Architecte. Les Maçons qui composent l'obédience croient profondément en sa vocation et font apposer des affiches sur les murs de Paris; la Grande Loge sera républicaine, démocratique, tolérante, simple et claire dans ses travaux comme dans ses intentions. Nous sommes en présence d'une tentative de réforme de la Maçonnerie en place.

Les réactions maçonniques et gouvernementales sont très défavorables; la police, inquiète, demande des comptes au Grand Orient. Ce dernier répond que la Grande Loge est une obédience dissidente dont l'existence est néfaste. En 1851, elle est officiellement interdite et doit se dissoudre; bien entendu, les calomnies vont bon train et les Maçons qui en faisaient partie se voient traiter de mauvais citoyens, eux qui agissaient dans le sens exact de la Révolution de 1848 et des discours prononcés par les dignitaires du Grand Orient. Lors d'une dernière tenue très émouvante, les Maçons de la Grande Loge mourante répondent à l'intolérance par la dignité; ils tirent une « batterie » rituelle en l'honneur du Grand Orient et du Suprême Conseil qui ont été leurs principaux adversaires.

Le Grand Orient triomphe. En 1849, il modifie sa Constitution pour affirmer avec plus de force que la croyance en Dieu et en l'immortalité de l'âme est la base intangible de l'orthodoxie maçonnique. Vingt-huit ans plus tard, cette « base intangible » aura disparu! Les thèses rousseauistes occupent le devant de la scène maçonniques et une tendance religieuse très forte fait avancer les Maçons sur le chemin de la foi. Un dieu humaniste et réconfortant prend le visage du Grand Architecte; la croyance, dit un texte, est un fait au-dessus de toute contestation, un article de foi qui n'est douteux pour personne. Si une période très courte fait l'objet de ce chapitre, c'est qu'elle marque l'une des évolutions les plus radicales de la Maçonnerie du Grand Orient passant du sentiment religieux le plus conformiste à un athéisme intellectuel qui prendra peu à peu force de loi.

L'année 1851 est importante à un double titre. Le premier fait est la rédaction définitive du « Voyage en Orient » dans lequel le maçon Gérard de Nerval donne la version la plus complète de la légende de Maître Maçon. Certes, ce livre ne change pas le cours des événements historiques et il n'est même pas apprécié par une majorité de Maçons. Pourtant, Nerval, dont la vie entière fut consacrée à des recherches symboliques et ésotériques, ouvre une ère nouvelle pour la Maçonnerie, bien que ses prémices soient des plus timides : celle de la redécouverte de l'initiation et du sens secret des rituels. L'apostolat de Nerval ne portera ses fruits que beaucoup plus tard, mais il amorce déjà le renouveau de ce que certains nomment la « spiritualité maçonnique ».

Le second fait est plus célèbre; il s'agit du coup d'état du 2 décembre 1851 qui amène au pouvoir le futur Napoléon III dont les intentions républicaines sont plus que suspectes! Le 10 décembre, le Grand Orient donne l'ordre d'interrompre momentanément les travaux, les dignitaires se réunissent et s'interrogent sur la ligne de conduite à suivre. Sans nul doute, l'Ordre doit se rallier au nouveau régime pour ne pas être inquiété. Toutes les loges n'approuvent pas cette orientation, notamment en province, et sont presque immédiatement interdites. Quelques Maçons récalcitrants sont emprisonnés et côtoient le Compagnon Agricol Perdiguier dans les geôles du régime.

Le 1ᵉʳ décembre 1852, l'empire est rétabli. Napoléon III ne désire pas supprimer la Maçonnerie; initié au Carbonarisme dans sa jeunesse, il sait que les sociétés secrètes se recomposent dès qu'elle sont détruites et deviennent alors très dangereuses. Comme Napoléon Iᵉʳ, il préfère surveiller l'Ordre de très près et connaître son évolution intellectuelle et sociale grâce aux mouchards qui, sur son ordre, s'introduisent dans les loges. Si la Maçonnerie est docile, dit-il aux dirigeants du Grand Orient, ses rapports avec l'Empire seront excellents.

En janvier 1852, le prince Lucien Murat, fidèle partisan du régime, est nommé Grand Maître du Grand Orient. Les empereurs changent, leurs procédés demeurent identiques. Le cousin de Napoléon III qui n'est pas Maçon, reçoit les trente-trois grades en une seule séance et assure une direction très autoritaire qui mécontente la majorité des Frères. C'est à lui que l'on doit l'acquisition de l'immeuble de la rue Cadet toujours occupé par le Grand Orient.

Le Grand Orient, parfaitement tenu en laisse, obtient à plusieurs reprises l'oreille bienveillante du pouvoir; il réussit, par exemple, à faire condamner de petits journaux provinciaux qui critiquent l'Ordre. Des prêtres trop acerbes dans leurs sermons reçoivent des avertissements; la Maçonnerie est une respectable institution d'Empire. Aussi la lettre du Grand Orient au Prince-Président Napoléon III, en date du 15 octobre 1852, ne doit-elle pas nous étonner; elle traduit à merveille le climat maçonnique du second Empire : « Jamais, Prince, nous n'avons oublié tout ce que nous devons à l'empereur votre oncle, qui nous accorda toujours sa puissante protection et voulut bien nous admettre à lui présenter nos hommages... La vraie lumière maçonnique vous anime, grand Prince. Qui pourra jamais oublier les sublimes paroles que vous avez prononcées à Bordeaux. Pour nous, elles nous inspireront toujours et nous serons fiers d'être, sous un pareil chef, les soldats de l'humanité! La France vous doit son salut; ne vous arrêtez pas au milieu d'une si belle carrière; assurez le bonheur de tous en plaçant la couronne impériale sur votre front; acceptez nos hommages et permettez-nous de vous faire entendre le cri de nos cœurs : « Vive l'empereur! »

Une telle lettre semble avoir été écrite par Napoléon III lui-même et plaçait la Maçonnerie, dès avant la proclamation de l'Empire, dans une subordination totale qui était d'ailleurs plus officielle que réelle. A partir de 1858, les Maçons s'aperçoivent que l'Empereur a fait supprimer beaucoup de loges que les indicateurs de police avaient classées comme suspectes; les Frères se montrent plus circonspects dans leurs déclarations au sein des loges des premiers degrés où pullulent les mouchards.

L'administration du prince Murat est assez catastrophique; la Maçonnerie est endettée, le prince aussi. Pour acquérir l'immeuble de la rue Cadet, il avait en effet puisé dans ses finances personnelles. L'Ordre emprunte et s'endette davantage. En 1860 se produit une situation très exceptionnelle : Persigny, très hostile aux milieux catholiques, décide de les punir en faisant l'éloge de la Franc-Maçonnerie, cette société si bienfaisante et si patriote. En 1861, il rédige même un projet de reconnaissance de l'Ordre qui deviendrait alors d'utilité publique.

Les Maçons, plus ou moins persuadés qu'il s'agit d'un piège destiné à les assujettir définitivement au pouvoir, refusent tout net. L'Ordre connaît d'ailleurs de graves difficultés; le prince Murat vient de radier quarante Vénérables qui ont l'impudence de critiquer sa gestion. Plusieurs dignitaires souhaiteraient offrir la Grande Maîtrise au prince Napoléon-Jérôme, le fameux Plon-Plon. Murat est furieux, querelles et injures diverses se multiplient. L'église, sa frayeur passée, se réjouit de ces divisions qu'elle accentuerait volontiers. En 1861 se pose le problème de la réélection de Murat ou de l'élection d'un nouveau Grand Maître; or, le prince Murat vient de déplaire à l'empereur en votant au Sénat pour le maintien du pouvoir temporel du pape. Plon-Plon, peu enthousiaste, accepterait à la rigueur la succession. La réunion consacrée à la préparation des élections est si houleuse que les indicateurs de police font des rapports alarmants. Le 11 janvier 1862, Napoléon III publie un décret selon lequel c'est lui seul qui nommera le futur Grand Maître. Il choisit le maréchal Magnan qui reçoit les trente-trois degrés en une journée, le 13 janvier.

Ce soldat très autoritaire désire remettre la Maçonnerie sur la bonne voie. Il aimerait que l'Ordre soit reconnu d'utilité publique et reprend le projet de Persigny; les Maçons continuent à désapprouver cette démarche et le Conseil d'Etat lui est également défavorable. Assez vite, l'idée sombre dans un oubli total.

La grande affaire du règne de Magnan est la tentative d'union des obédiences maçonniques. Dès les premiers jours de sa Grande Maîtrise, le maréchal s'aperçoit que le Grand Orient n'est pas la seule puissance officielle; il y a aussi ce Suprême Conseil du Rite Ecossais qui maintient son indépendance à travers vents et marées. La solution est simple : Magnan dirigea également le Suprême Conseil qui sera obligé de fusionner avec le Grand Orient et de s'y dissoudre à plus ou moins brève échéance.

En 1862, le Grand Commandeur qui préside aux destinées du Rite Ecossais est l'académicien Jean Pons Guillaume Viennet, né à Béziers en 1777. Cet homme de petite taille à la voix pointue fit partie de l'artillerie de marine où il fut nommé capitaine en 1814; foncièrement hostile à Napoléon Ier, il reste sur ses positions pendant

*Tableau de loge comportant les symboles du grade de Maître.
Remarquons surtout la marche du Maître qui part de l'équerre
(connaissance des lois qui régissent le monde) et atteint le compas (connaissance des lois de Création). (Ordre des Francs-
Maçons trahis, Genève, 1742).*

les Cent Jours. Elu député à Béziers en 1827, il entre à l'Académie en 1830; ses poèmes épiques et ses tragédies n'ont pas franchi l'épreuve du temps, mais témoignent d'une moralité et d'une rigueur d'écriture qui justifiaient alors cet honneur.

C'est donc un Maçon de 85 ans qu'affronte le maréchal Magnan afin de placer la totalité des Maçons sous sa férule. La victoire ne fait guère de doute, et le nouveau Grand Maître du Grand Orient écrit à Viennet que le schisme intolérable doit cesser immédiatement, selon les volontés de l'empereur. L'ensemble des ateliers maçonniques travaillera désormais rue Cadet, et le Suprême Conseil sortira de son isolement absurde.

Le 3 février 1862, Viennet répond à Magnan. Quelques phrases donneront le ton de cette réplique : « Nos deux Ordres sont tout à fait indépendants. Nos relations s'étendent jusqu'aux extrémités du monde alors que les vôtres ne dépassent pas la frontière. La fusion à laquelle vous nous invitez est totalement interdite par nos statuts... Permettez-moi de vous rappeler ce que vous m'avez fait l'honneur de me dire une heure avant votre installation : que vous ignoriez complètement ce que l'empereur vous avait chargé de diriger et que vous n'aviez aucune notion de la Maçonnerie. Je ne peux donc vous blesser, monsieur le Maréchal, en ajoutant que votre lettre en est la preuve. Seul l'Empereur, ajoute Viennet, peut emporter la décision et nommer qui il veut où il veut. » Quant à ce qui me concerne personnellement, ajoute le Grand Commandeur qui s'attend à de sérieuses représailles, j'ai perdu des dignités plus importantes sans en perdre ni le sommeil ni la santé et je suis tout résigné à n'avoir plus d'autre obligation dans ce monde que l'usage de ma plume. »

Il faut avoir une nette conscience du climat autoritaire de cette époque pour estimer à sa juste valeur l'incroyable audace de Viennet qui met en cause la compétence d'un Grand Maître nommé par l'Empereur. Les Maçons adversaires du Suprême Conseil l'attribueront à la sénilité, les autres feront de Viennet une sorte de héros.

Stupéfait et courroucé, le maréchal Magnan prépare une réplique cinglante. En mai, il annonce la dissolution de tous les Ordres maçonniques, à l'exception du Grand Orient qui sera à l'avenir l'unique puissance légale. Les contestataires — en l'occurrence Viennet et ses fidèles — encourent les sanctions les plus graves. « Aucune réunion du Suprême Conseil, écrit le maréchal au Grand Commandeur, ne sera plus tolérée. »

Le Vieux Maçon, qui n'est pas autrement surpris reprend sa plume : « Monsieur le Maréchal, vous me sommez pour la troisième fois de reconnaître votre autorité maçonnique et cette dernière sommation est accompagnée d'un décret qui prétend dissoudre le Suprême Conseil du Rite Ecossais Ancien et Accepté. Je vous déclare que je ne me rendrai pas à votre appel et que je regarde votre arrêté comme non avenu. L'Empereur seul a le pouvoir de disposer de nous. » Viennet, sentant que le terrain devient de plus en plus brûlant, demande audience à Napoléon III. Il annonce bien haut que le Rite Ecossais rentrera dans la clandestinité plutôt que de fusionner avec le Grand Orient. Cet argument a-t-il été suffisant pour convaincre l'Empereur, ou bien les deux hommes ont-ils échangé des propos plus déterminants que l'histoire n'a pas conservés? Quoi qu'il en soit, Napoléon III n'adresse aucune réprimande à Viennet et le Suprême Conseil n'est pas supprimé. Magnan est obligé de s'incliner et n'attaquera plus le Rite Ecossais qui triomphe ainsi d'une des plus rudes épreuves qu'il ait jamais connues.

La Loge Henri IV de Paris fait savoir aux autres ateliers que la Loge « Les Pyramides d'Egypte » a initié en son nom, le 18 juin 1864, le célèbre Abd el-Kader. La Maçonnerie affirme sa vocation internationale et soutient les causes qui lui paraissent favorables à la liberté des peuples.

En 1865, le pape Pie IX ne cache plus son hostilité croissante à la Franc-Maçonnerie qu'il définit comme le temple des machinations en tout genre. Un incident très exceptionnel place bientôt l'épiscopat français dans une position délicate; le maréchal Magnan meurt le 29 mai et l'on célèbre des obsèques officielles et grandioses à Notre-Dame de Paris. Beaucoup de Maçons regrettent ce bon administrateur dont le clergé n'a pas eu à se plaindre. En présence d'une assistance très fournie, Monseigneur Darboy bénit le cercueil revêtu des insignes maçonniques appartenant au Grand Maître. Stupéfait, le Vatican adresse d'amers reproches à Monseigneur Darboy qui, doté d'un solide sens de l'humour, répond qu'il n'a vu nulle part d'insignes maçonniques et que la Maçonnerie n'est pas, à sa connaissance, interdite sur le territoire français. Dans une majorité de trois quarts, les diocèses restent fidèles à une Maçonnerie qui est encore déiste, bien que le Grand Orient, en dépit des textes officiels, n'impose plus la croyance à ses futurs membres.

En fait, dès 1865, le Grand Architecte de l'Univers commence à gêner les Maçons du Grand Orient qui placent au premier chef de leurs préoccupations l'éducation laïque. C'est un Maçon, Jean Macé, qui fonde en 1866 la Ligue Française de l'Enseignement qui n'est inféodée à aucune politique et à aucune religion. Pour l'Eglise c'est un coup très sévère, puisqu'elle voit lui échapper une partie de la jeunesse. C'est sans doute l'une des causes les plus réelles du conflit qui s'intensifie peu à peu entre Eglise et Maçonnerie.

En 1868, un incident parmi d'autres illustre cette tension. Prenant connaissance d'un sermon du curé de Dax qui menace d'excommunier les Maçons de la ville, le général Mellinet, Grand Maître du Grand Orient, écrit au Garde des Sceaux : « Le discours tenu en chaire par le curé de Dax contient à la fois la critique ou censure des actes du gouvernement et l'excitation au mépris et à la haine d'une classe de citoyens qui, professant et pratiquant la fraternité universelle, fondée sur l'unité divine et l'immortalité de l'âme, croient servir utilement leur pays et l'humanité... qu'il me soit permis d'espérer, monsieur le Ministre, qu'une mesure administrative fera enfin cesser un état de guerre aussi nuisible à la religion qu'à l'honneur et à la dignité de l'Ordre Maçonnique. » Ces paroles sont écoutées, et le curé de Dax se voit contraint de cesser ses attaques contre la confrérie.

Un événement de 1869 creuse le fossé entre Chrétiens et Maçons : la proclamation de l'infaillibilité pontificale. Pour les Loges, c'est un acte dogmatique inconcevable, qui interdit tout dialogue. Cette réaction n'est encore qu'un murmure qui ne dépasse guère les murs des ateliers.

Le 2 décembre 1870 survient la capitulation de Sedan. Toutes les opinions maçonniques anti-impériales peuvent enfin s'exprimer; le Maçon Gambetta, très écouté par le peuple, lui demande de garder son calme afin que des hommes responsables réorganisent la France d'une manière sereine. Sur les onze membres du premier gouvernement de la troisième République, on compte neuf Maçons parmi lesquels on relève les noms de Gambetta, Jules Ferry, Arago, Garnier-Pagès et Jules Simon. Indéniablement, la Franc-Maçonnerie prend le pouvoir avec un fort courant de pensée rationaliste et pragmatique peu favorable à l'Eglise. A partir de 1870, l'Ordre subit une mutation profonde et devient peu à peu un parti politique de gauche anticlérical. Il recrute beaucoup parmi les fonctionnaires, les petits-bourgeois, les petits employés; l'aristocratie catholique disparaît presque complètement des Loges où l'on prépare de plus en plus activement les campagnes électorales à coups de grands discours et de débats passionnés contre les riches et les curés. Dans la nouvelle « clientèle » maçonnique, on trouve beaucoup d'hommes aigris qui n'ont pas réussi à occuper des places importantes dans la société et qui veulent se servir de l'Ordre pour se venger des nantis.

L'année 1871 est tragique pour la France. Sans parler des démêlés avec Bismarck, il faut surtout évoquer la naissance de la Commune de Paris qui pose aux Maçons de graves problèmes de conscience. Dès le début de la sanglante insurrection qui divise les Français, les Maçons se partagent en deux camps; les uns sont favorables à la Commune, les autres soutiennent « monsieur » Thiers. Les dirigeants du Grand Orient, soucieux d'éviter une guerre civile, n'exercent plus aucune influence morale sur les Frères qui n'écoutent que leurs propres sentiments. Dans les rangs des Communards Francs-Maçons figurent des poètes comme Jean-Baptiste Clément, auteur du célèbre « Le temps des cerises » et des savants comme Gustave Flourens qui sera tué à coups de sabre.

Le Grand Orient ne parvient pas à convaincre Thiers de se montrer moins intransigeant envers les insurgés. Le 29 avril 1871, plus de six mille Maçons se réunissent dans la cour du Carrousel pour soutenir officiellement la Commune. Observés par une foule qui n'en croit pas ses yeux, les Frères vont jusqu'à l'Hôtel de Ville où l'enthousiasme se déchaîne : si les mystérieux Francs-Maçons, qui détiennent tant de pouvoirs occultes, manifestent au grand jour leur adhésion aux insurgés, la Commune ne pourra que vaincre! Sur cette lancée presque mystique, le cortège maçonnique atteint les barricades de la porte Maillot où il se heurte aux soldats commandés par le général Franc-Maçon Montaudon. Ce dernier ordonne le « cessez-le-feu », ne pouvant se résoudre à faire tirer de sang-froid sur ses Frères. Un dialogue s'engage, et le général explique aux Maçons procommunards qu'il doit, en tant que militaire, obéir aux ordres de Thiers. Le meilleur parti, à son avis, consiste à lui demander audience. Thiers reçoit très mal la délégation maçonnique dont les suppliques ne l'intéressent pas; que les Communards rendent les armes, déclare-t-il, ou bien la révolte sera écrasée sans le moindre ménagement.

La tentative de conciliation des Francs-Maçons est donc un échec total. Des Frères se battront contre des Frères, les Maçons communards essayant en vain d'empêcher les exécutions d'otages, les Maçons versaillais essayant en vain de freiner la répression.

En août 1871, le Grand Maître du Grand Orient, Badaud-Laribière, annonce la réouverture des Loges après la tourmente de la Commune. Dans une lettre envoyée à tous les ateliers, il affirme que la Franc-Maçonnerie est restée étrangère à la révolte des Communards qu'il traite de « criminelle sédition qui a épouvanté l'uni-

196

vers ». Le Grand Orient désapprouve officiellement les Frères qui ont pris parti pour la Commune; en 1971, cent ans plus tard, le même Grand Orient honorera la mémoire des Communards par un défilé au cimetière du Père-Lachaise.

L'acte de soumission du Grand Orient au pouvoir politique lui est favorable puisque plusieurs Maçons font partie du gouvernement de 1871. L'éventail des tendances politiques est d'ailleurs représenté dans les Loges, quoique l'alliance la plus nette soit noué avec le radicalisme.

En septembre 1871, le Grand Orient politisé supprime le titre de « Grand Maître » et le remplace par celui de « Président du conseil de l'Ordre » qui plaît davantage au goût du jour. Apparemment, il s'agit d'un mince détail mais, en réalité, c'est le début d'une dégradation de l'ancienne Tradition qui entraîne les Maçons du xixᵉ siècle à supprimer des symboles ou des parties de rituels qu'ils ne comprennent plus. Un « Grand Maître » semblait trop aristocratique, un « Président » est plus démocratique. N'est-ce pas le signe de l'oubli de la fonction du Maître Maçon qui, loin d'être un despote, était l'homme accompli par excellence? Il faut noter que ce titre traditionnel resta ancré dans les mémoires des Frères et qu'on appelle souvent de nos jours « Grand Maître » le « Président » du Grand Orient.

A partir de 1872, l'état se rapproche de l'église. Un courant de piété populaire déferle sur la France et mécontente la bourgeoisie maçonnique surprise par ce qu'elle considère comme un retour à l'obscurantisme. Le symbole de cette nouvelle croyance quasi officielle est la construction de la basilique de Montmartre qui passionnera longtemps l'opinion. Les pèlerinages, notamment celui de Lourdes, attirent des foules considérables et un bon nombre d'hommes politiques n'hésite pas à afficher publiquement des convictions religieuses pour montrer que la direction de l'état est conforme aux préceptes évangéliques. La Commune avait ébranlé bien des consciences; le pays a besoin d'une sérénité que le catholicisme lui procure.

La Franc-Maçonnerie

Le Grand Orient se tient coi devant une telle exaltation. L'autre puissance maçonnique, le Suprême Conseil du Rite Ecossais, rappelle que la formule « A la Gloire du Grand Architecte de l'Univers » est une base fondamentale de l'Ordre maçonnique, maintenant une position qui n'a jamais varié. L'année 1875 voit d'ailleurs la réunion de neuf Suprêmes Conseils Ecossais à Lausanne où ils proclament avec force l'existence d'un Principe Créateur que les Maçons nomment Grand Architecte de l'Univers. Ces déclarations ne possédaient pas un caractère strictement législatif puisque douze Suprêmes Conseils étaient absents à Lausanne; la ligne intellectuelle de l'Ecossisme, différente de celle de la Maçonnerie du Grand Orient, était pourtant clairement définie.

En 1875, précisément, le Grand Orient est excédé par le cléricalisme et réclame la neutralité de l'Eglise sur le plan politique. Dès cette date, le Frère Combes propose aux Loges la séparation de l'Eglise et de l'Etat qui lui apparaît comme la meilleure solution pour éloigner les ecclésiastiques du pouvoir.

La même année, Jules Ferry et Littré sont initiés. Ils sont incroyants et « positivistes », symbolisant un type d'homme qui entraîne le Grand Orient vers une participation active à la vie politique doublée d'une glorification de la raison et du progrès. Lorsque Mac-Mahon, en 1877, tentera de museler la gauche en dissolvant des conseils municipaux, en interdisant des journaux ou même en fermant des Loges, il se heurtera de front à une Maçonnerie décidée à maintenir la République à tout prix. Les Loges auront suffisamment d'appuis politiques pour résister victorieusement à Mac-Mahon et favoriser l'épanouissement de la gauche.

Le Grand Orient a donc trouvé une voie : devenir le parti politique républicain par excellence. Et cette voie passe par une opposition très ferme à l'Eglise qui se confond avec la droite. Or, les dirigeants du Grand Orient sont gênés par cette « croyance en Dieu » et plus encore par ce « Grand Architecte de l'Univers » qui apparaît comme un legs désuet du catholicisme médiéval. Pour une future grande formation de gauche, de tels vestiges sont encombrants. En 1876 et en 1877, la grande majorité des Loges du Grand Orient étudie cette question brûlante : Faut-il nécessairement croire en Dieu pour être Maçon? Il s'agit d'un véritable sondage d'opinion, les dirigeants de l'obédience cherchant à savoir si la « base » les approuve.

Au Convent du Grand Orient de l'année 1877, le pasteur Frédéric Desmons présente une synthèse de toutes les études accomplies et se prononce en faveur de la suppression du Grand Architecte. « Nous demandons la suppression de cette formule, déclare-t-il, parce qu'elle nous paraît tout à fait inutile et étrangère au but de la Maçonnerie. Quand une société de savants se réunit pour étudier une question scientifique, se sent-elle obligée de mettre à la base de ses statuts une formule théologique quelconque? Non, n'est-ce pas? Ne doit-il pas en être de même de la Maçonnerie? » On pourrait répondre au pasteur Desmons que la plus grande « société de savants » du Moyen Age, à savoir les Maçons constructeurs, n'entrevoyait pas la possibilité d'une Œuvre qui ne fût pas offerte au Souverain Architecte des mondes; mais les temps ont changé. Les Maçons du Grand Orient approuvent ces conclusions et chassent des Loges le Grand Architecte. Le dieu maçonnique est mort, et l'article I de la nouvelle Constitution du Grand Orient est ainsi rédigé :

« La Franc-Maçonnerie a pour objet la recherche de la vérité, l'étude de la morale universelle, des sciences et des arts, et l'exercice de la bienfaisance. Elle a pour principe la liberté absolue de conscience et la solidarité humaine. Elle n'exclut personne pour ses croyances. Elle a pour devise Liberté, Egalité, Fraternité. » Certes, on prend quelques précautions en soutenant que, s'il n'est plus obligatoire de croire en Dieu, il n'est pas non plus nécessaire de faire profession d'athéisme. Ces nuances diplomatiques ne changent rien au fait essentiel.

La réaction des puissances maçonniques étrangères ne tarde pas. La Grande Loge d'Angleterre, qui est déiste et apolitique, déclare le Grand Orient « irrégulier » et, considérant qu'il ne fait plus partie de la Franc-Maçonnerie traditionnelle, rompt toutes relations avec lui. Les Etats-Unis d'Amérique, l'Ecosse, l'Irlande, la Suède, le Danemark sont les premiers pays à imiter l'Angleterre.

Après la scission entre Franc-Maçonnerie et Compagnonnage, nous assistons une scission maçonnique interne qui dure encore aujourd'hui. Précisons que le Suprême Conseil français s'oppose lui aussi à la politique du Grand Orient et préserve l'existence du Grand Architecte dont la suppression sera la cause, dans les années suivantes, d'innombrables conflits entre les obédiences.

CHAPITRE IV

LA FRANC-MAÇONNERIE MODERNE
APRÈS 1877

En janvier 1879, le Franc-Maçon Jules Grévy devient Président de la République. Le Franc-Maçon Gambetta obtient la présidence de la Chambre, et le Franc-Maçon Jules Ferry le poste de ministre de l'Instruction publique. Dès février, Ferry commence un combat sans merci contre l'enseignement religieux; il déteste surtout les Jésuites qu'il considère davantage comme un parti politique que comme un ordre religieux. Indéniablement, le principe de gratuité de l'enseignement laïque constitue un attrait pour beaucoup de familles françaises. Le Grand Orient soutient sans restriction la politique de Ferry, désirant arracher le maximum de jeunes aux mains des ecclésiastiques.

Que se passe-t-il, cette année-là, dans le domaine strictement initiatique? Une anecdote tout à fait symptomatique suffira à nous renseigner. Au mois d'août, un profane nommé Monat se rend vers 17 heures à la Loge « Les vrais Frères unis inséparables » pour s'y faire initier. L'admission étant votée, on donne des lunettes noires au profane qui demeure ainsi dans l'obscurité. Les Maçons le prennent par la main et le font sortir de l'atelier. Ils l'emmènent dans la cour du Carrousel, et le profane, un peu inquiet, sent brusquement qu'il s'élève. Docile, il ne pose pas de questions. On célèbre rapidement une cérémonie d'initiation, puis l'on retire les lunettes noires au nouveau Frère. Avec une fierté non dissimulée, le Vénérable lui annonce qu'il se trouve dans un ballon captif et que l'on vient de lui « donner la Lumière » à 900 mètres d'altitude. C'est, conclut le Vénérable, le symbole des hauteurs que peut atteindre la Franc-Maçonnerie!

La Maçonnerie écossaise subit alors une rude épreuve; douze loges, qui désapprouvent la direction autoritaire du Suprême Conseil, fondent une « Grande Loge symbolique écossaise » qui, à l'instar du Grand Orient, se débarrasse du Grand Orient, affirme son idéal républicain et son désir de combattre l'Eglise. Tout rentrera dans l'ordre par la suite, mais les péripéties de ce genre, à partir de la fin du XIXe siècle, sont nombreuses. Les obédiences rivales se portent des attaques discrètes, voire perfides, dont l'histoire est presque impossible à reconstituer et ne présente d'ailleurs guère d'intérêt pour l'évolution de la Maçonnerie. Notons que la « Grande Loge symbolique écossaise » fusionnera en 1896 avec la Grande Loge de France fondée cette année-là.

Revenons à 1880 où le gouvernement que l'on peut qualifier sans exagérer de « gouvernement maçonnique » ouvre les hostilités contre l'Eglise en supprimant la Compagnie de Jésus et en obligeant toutes les congrégations à demander une reconnaissance légale dans un délai de trois mois, sous peine d'être dispersées. On cause également les pires ennuis à l'aumônerie militaire, et l'on va jusqu'à faire chasser des moines de leurs couvents par la police. En 1881, une grande victoire réjouit les Maçons : la gratuité de l'enseignement primaire. La plupart des catholiques sont indignés et meurtris; jamais ils n'auraient imaginé que la Maçonnerie passerait ainsi à l'action. Ils répondent alors par la calomnie, soutenant, par exemple, que les Maçons foulent aux pieds le Saint Sacrement de l'autel dans les Loges. Certains catholiques sont plus tolérants, tel le cardinal de Bonnechose qui fait une analyse lucide de la situation; pour lui, le catholicisme subit un « choc en retour » inévitable. Il s'est trop préoccupé de politique en s'engageant résolument à droite; les mouvements de gauche devaient réagir un jour ou l'autre.

La Franc-Maçonnerie moderne

La Maçonnerie, politiquement très forte, n'est pas à l'abri des critiques pendant les années 1822-1824 qui voient la montée d'un antisémitisme sectaire. Si incroyable que cela paraisse, on accuse les juifs d'égorger les bébés chrétiens et, naturellement, ces juifs assassins trouvent refuge dans les Loges maçonniques qui sont secrètement « noyautées » par les Israélites. A ces propos ineptes s'ajoute l'Encyclique du pape Léon XIII, en date du 20 avril 1884. « Pour les Francs-Maçons, dit Léon XIII, il s'agit de détruire de fond en comble toute la discipline religieuse et sociale née des institutions chrétiennes et de lui en substituer une nouvelle, façonnée d'après leurs idées et dont les principes fondamentaux sont empruntés au naturalisme. » Cette fois, le Vatican laisse de côté les secrets et les serments redoutables de la Maçonnerie pour procéder à une analyse intellectuelle en profondeur; les phrases que nous venons de citer sont claires et traduisent une certaine peur de l'église romaine face à un Ordre qui, effectivement, renie la civilisation chrétienne et veut instaurer une société laïque qui n'aurait nul besoin de spiritualité au sens catholique du terme. Léon XIII, au début de son pontificat, n'avait aucune animosité particulière contre les Maçons; ce sont les transformations successives du Grand Orient qui l'ont obligé à réaffirmer la position doctrinale de l'Eglise.

La Franc-Maçonnerie et l'Eglise rompent donc tout contact et les espoirs de « négociation » s'évanouissent. Les Maçons accusent les Jésuites d'avoir encouragé le Pape à les condamner et de lui avoir dicté les termes de l'Encyclique; ils ne sont pas encore conscients d'un danger beaucoup plus grave, un danger qui se nomme Léo Taxil dont l'ouvrage intitulé « Les mystères de la Franc-Maçonnerie » est un fantastique succès d'édition de l'année 1885. C'est le début d'une incroyable mystification dont les conséquences sont encore durables.

Léo Taxil, de son vrai nom Gabriel Jogand-Pagès, est un homme de lettres du plus mauvais acabit. Il se crée une réputation à Paris grâce à des ouvrages comme « Les amours de Pie IX », « Les maîtresses du Pape » où

cet ancien élève des Jésuites donne dans l'anticléricalisme le plus sommaire. Les plaintes et les amendes lui
font perdre l'argent qu'il gagne, et pratique un peu
l'escroquerie sous diverses formes. Malgré de nombreuses condamnations dont les causes vont de la grivè-
lerie au proxénétisme, Taxil n'est guère inquiété par la
police dont il est un fidèle indicateur. Initié à la Maçonnerie par une loge qui ne devait pas être très exigeante
sur la qualité de ses membres, il en est très rapidement
exclu et ne dépasse pas le grade d'apprenti. Ce court
passage dans l'Ordre lui procure un nouveau thème lit-
téraire : la dénonciation des méfaits maçonniques. Il
compose alors de véritables contes à dormir debout où
les inepties se mêlent aux divagations les plus délirantes; Lucifer est le Grand Maître secret de l'Ordre qui se
livre aux pires horreurs dans la pénombre des arrière-
loges. Les Maçons adorent 44 435 633 démons infernaux
et un affreux diablotin porte aux Frères les convoca-
tions. Bien entendu, les Maçons empoisonnent tous ceux
qu'ils détestent et confectionnent des talismans qui leur
permettent de gagner de l'argent aux jeux de hasard.
C'est donc une organisation satanique qui dirige la
Maçonnerie et berne de nombreux Frères qui ne savent
pas que les dignitaires maçonniques promènent au bout
d'une pique les têtes de leurs victimes et font apparaître
les démons dans les Loges. Ces « révélations » sont
accompagnées de dessins suggestifs qui ne laissent plus
aucun doute sur la nature réelle de l'Ordre.

Les catholiques exultent. Aussi extravagant que cela
paraisse, ils prêtent foi aux écrits de Taxil malgré les
mises en garde de Jésuites comme le père Grüber ou le
père Portalié qui décèlent immédiatement cette énorme
supercherie. Les journaux publient des extraits de la
littérature « taxilienne », les croyants y trouvent les
preuves de leurs soupçons. Certaines revues d'érudition,
dirigées par des savants adeptes du rationalisme,
reprennent également les propos de Taxil. En 1893,
Monseigneur Léon Meurin, S. J., publie « La Franc-
Maçonnerie, synagogue de Satan », où il donne une caution ecclésiastique quasi officielle aux thèses de Taxil.

Pour l'évêque, la Maçonnerie est satanique dans son origine, dans son organisation, dans son action, dans son but, dans ses moyens. En résumé, c'est l'enfer lui-même. *L'Osservatore Romano* et *L'Echo de Rome* donnent leur plein accord à ces idées.

Taxil s'amuse beaucoup; en avril 1897, il prépare un nouveau coup de théâtre et, le 19, devant un auditoire médusé réuni à la salle de Géographie, il déclare nonchalamment : « Ne vous fâchez pas, mes Révérends Pères, mais riez de bon cœur en apprenant aujourd'hui ce qui s'est passé... » Taxil avoue que ses élucubrations étaient destinées à lui rapporter le maximum d'argent et que toute son « œuvre » n'est qu'un tissu de mensonges. Malheureusement, le falsificateur a convaincu plusieurs ecclésiastiques de haut rang; la conclusion du journal *Le Matin* du 20 avril 1897 est sévère : « Monter de toutes pièces une mystification, se jouer pendant douze ans de l'Eglise, bafouer les curés, les évêques, se rire des cardinaux et faire bénir cette fumisterie par le Saint-Père lui-même, telle est l'œuvre regrettable à laquelle s'est amusé Léo Taxil. » « Allons! proclamait ce dernier, la bêtise humaine n'a pas de limites »; de fait, on comprend mal la naïveté de cette époque où les bouffonneries d'un Taxil ont pris des allures relativement tragiques, puisque l'Eglise et la Maçonnerie sortent affaiblies de cette invraisemblable épreuve. La première a perdu la confiance de maints catholiques; la seconde subit encore le poids des calomnies « taxiliennes », et certaines personnes demeurent persuadées que le diable apparaît dans les arrière-loges où l'on égorge des nouveau-nés.

Délaissons cette déplorable passe d'armes truquées, et retournons à l'année 1886 qui voit le réveil de l'ésotérisme maçonnique grâce à des hommes comme Stanislas de Guaita et Oswald Wirth. Fouillant dans d'anciens grimoires, ils s'aperçoivent que le symbolisme de l'Ordre est riche de sens et qu'il mérite mieux qu'un dédain teinté d'ironie. Leurs premiers efforts sont discrets, car la majorité des Maçons a d'autres préoccupations, surtout dans le domaine de l'enseignement où les professeurs adhèrent de plus en plus volontiers à la Maçonnerie. Lorsque les Maçons symbolistes publieront un « Rituel interprétatif pour le Grade d'Apprenti », ils seront désapprouvés par les instances supérieures de l'Ordre et recevront l'adhésion d'une seule et unique Loge où ils pourront néanmoins se regrouper afin de poursuivre leur travail de recherches. En dépit des difficultés internes, le renouveau ésotérique débute.

En 1895 s'était créée une nouvelle obédience maçonnique, la Grande Loge de France, qui est aujourd'hui la deuxième puissance maçonnique française par le nombre des Frères. Elle a de bonnes relations avec le Suprême Conseil du Rite Ecossais qui lui octroie l'administration des loges dites « bleues » (grades d'apprenti, de compagnon, et de Maître) et conserve celle des hauts grades (du quatrième au trente-troisième degré du rite Ecossais). La nouvelle Grande Loge désire se différencier nettement du Grand Orient; ses ateliers travaillent à la gloire du Grand Architecte et ils comptent des Maçons symbolistes qui n'ont aucune ambition politique. En 1896 existent deux « blocs » maçonniques : le Grand Orient d'un côté, le Suprême Conseil du rite Ecossais et la Grande Loge de France de l'autre qui resteront unis jusqu'en 1964.

L'affaire Dreyfus éclate en 1898 et provoque une immense vague d'antisémitisme. Comme il est de règle dans les grandes affaires publiques, les Maçons se divisent en deux camps; les uns militent pour Dreyfus qu'ils jugent victime d'un complot de Jésuites, les autres se prononcent contre lui. Le journaliste Drumont n'hésite pas à prétendre que la Maçonnerie est un conglomérat de Juifs et de huguenots fanatiques qui, si l'on n'y prend pas garde, dirigeront bientôt la France.

En 1899, il y a environ 24 000 Francs-Maçons dans l'hexagone et, parmi eux, se trouvent les politiciens les plus influents. Les loges étudient des sujets comme la rémunération des instituteurs, les caisses de retraite, les modifications du code pénal, l'alcoolisme. Ce type de sujet est encore cher au Grand Orient contemporain. On fait également des études sur l'assistance publique, le problème de la vieillesse ou la démocratisation de l'enseignement. Le Grand Orient encourage la simplification des rituels et la suppression de symboles qu'il estime surannés.

Le Maçon Emile Combes obtient la présidence du conseil en 1802. Très croyant dans sa jeunesse, il passa un certain temps dans un séminaire mais fut refusé à l'ordination. Cet échec lui inculqua une haine viscérale de l'Eglise et de tout ce qui y touchait de près ou de loin. Les sentiments de Combes reposent sur l'idée que le catholicisme du XIXe siècle a trahi d'une manière fondamentale le message du Christ et la haute intellectualité de saint Thomas d'Aquin dont il a beaucoup étudié la pensée. La Maçonnerie sera l'instrument de la vengeance, elle détruira cette église renégate qui ne mérite plus de vivre.

Combes fait fermer des milliers d'écoles religieuses et ordonne l'expulsion de moines et de moniales; les congrégations féminines ne sont pas épargnées. En 1903, c'est l'armée qui chasse de leur couvent les moines de la Grande-Chartreuse. En 1904, aucun organisme religieux n'est autorisé à distribuer un enseignement. Léon XIII traite les Maçons de « manichéens » et les journaux catholiques s'enflamment, affirmant que Combes assiste à des messes noires! Le président du conseil soutenu par le Grand Orient, reste en place.

La très sombre affaire de 1904 ternit une fois de plus le renom de l'Ordre. Sur la dénonciation du Maçon Bidegain, l'opinion publique apprend que le Grand Orient détient des milliers de fiches destinées à bien différencier les officiers vraiment républicains des autres, c'est-à-dire des mauvais soldats qui sont encore catholiques. Ces fiches sont remises au ministère de la Guerre qui favorise l'avancement des « républicains » et entrave celui des catholiques. Le Grand Orient se défend maladroitement, en prétendant qu'il agissait dans l'intérêt de la nation; son but était simplement d'identifier les mauvais soldats capables de nuire à la République. Ce mensonge ne trompe personne, et le scandale est énorme. Bon nombre de Maçons du Grand Orient trouvent excessive cette guerre sournoise contre l'Eglise et deviennent hostiles à Combes qui doit démissionner en janvier 1905. L'un des plus grands artisans de sa perte n'était autre qu'Alexandre Millerand, son Frère en Maçonnerie, qui fut ensuite chassé du Grand Orient.

La grande espérance d'Emile Combes, la séparation de l'Eglise et de l'Etat, est pourtant réalité en 1905. Jusqu'en 1914, le gouvernement inspiré par la Maçonnerie fait voter des lois sociales pour améliorer le sort des ouvriers et développer le sens de la santé publique. Cela n'empêche pas quelques groupuscules d'extrême gauche d'attaquer la Maçonnerie qui gêne la lutte des classes à cause de sa fameuse « fraternité ». A côté de cette Franc-Maçonnerie sociale dont la bonne volonté n'est pas niable subsiste tant bien que mal une Franc-Maçonnerie initiatique dont le représentant le plus célèbre est Oswald Wirth qui fonde en 1912 la revue « Le symbolisme » où des écrivains maçonniques essayent de retrouver la signification de leurs rituels et de leurs symboles.

Edouard de Ribaucourt, professeur de sciences naturelles, pense que l'héritage des bâtisseurs médiévaux est le plus grand trésor de la Maçonnerie. Le Grand Architecte lui paraît une base intangible de l'Ordre, de même que le Volume de la Loi sacrée symbolisé par la Bible. De telles idées ne sont guère prisées au Grand Orient auquel appartient de Ribaucourt qui donne sa démission et fonde en 1913 une nouvelle obédience maçonnique, la « Grande Loge nationale indépendante et régulière pour la France et les colonies françaises », l'actuelle Grande Loge nationale française. Dans un manifeste du 27 décembre, il s'explique en ces termes : « Nous avons été amenés, pour sauvegarder l'intégrité de nos rituels rectifiés et sauver en France la vraie Maçonnerie de tradition, seule mondiale, à nous constituer en Grande Loge Nationale indépendante et régulière pour la France et les colonies françaises. » La Grande Loge d'Angleterre voit renaître en France une tendance maçonnique qu'elle approuve.

La Première Guerre mondiale apporte aux Maçons

comme aux autres Français son cortège de deuils et de souffrances. En 1917, la Maçonnerie française encourage l'éclosion de la révolution russe à laquelle participent les quelques loges clandestines de l'empire tsariste; leurs espoirs seront de courte durée, car Lénine et Trotski ne tolèrent la présence d'aucune société secrète sur le territoire de l'Union soviétique, situation toujours réelle de nos jours.

En France, le parti radical, principal soutien de l'Ordre, n'a plus la même audience après la guerre. Il entre en compétition avec de nouveaux partis de gauche qui ne sont pas inféodés à la Maçonnerie. L'Ordre demeure solide, puisqu'on compte en 1919 plus de 2 500 000 Maçons dans le monde qui font entendre leurs thèses humanistes par la voix de la Société des Nations que dirige le Franc-Maçon Léon Bourgeois. Le Frère Quartier la Tente essaye de mettre en contact toutes les obédiences mondiales par l'intermédiaire d'un Bureau international des relations maçonniques; son échec est consommé dès 1920, car les Anglais sont opposés à ce projet qui laisse dans l'indifférence la plupart des Loges.

Le Grand Orient et la Grande Loge de France participent au congrès de 1921, à Genève, où les tendances maçonniques présentes tentent de redéfinir la nature de l'Ordre après les épreuves de la guerre. De ces entretiens, il se dégage que tous les hommes sont Frères et que la Maçonnerie est essentiellement une institution philosophique et progressive qui recherche des améliorations matérielles, sociales, intellectuelles et morales pour le plus grand bienfait de l'humanité. Sur le plan politique, cela revient à dire que la Maçonnerie française doit se situer au centre de l'union des gauches afin d'organiser une puissante défense nationale et promouvoir l'esprit civique en toutes circonstances.

En novembre 1922, le quatrième Congrès de l'internationale communiste s'ouvre à Moscou. A l'ordre du jour figure la décision de rompre toute liaison avec la Franc-Maçonnerie mondiale. Autrement dit, il n'est plus possible d'être à la fois membre du parti communiste et

Franc-Maçon. Les communistes appartenant encore à l'Ordre devront donner leur démission dans les délais les plus brefs, puisque la Maçonnerie n'est qu'une émanation de la bourgeoisie réactionnaire parmi tant d'autres. La plupart des Maçons français quittent le parti communiste, mais cette dissension ne sera pas définitive; dès 1945, le Parti communiste et le Grand Orient renoueront des liens qui iront ensuite en s'amplifiant. En 1923, c'est le fascisme italien qui entreprend la guerre contre l'Ordre en pillant ou en détruisant des Loges.

Pendant l'année 1924, le Grand Orient essaie d'affermir ses positions politiques en réunissant à plusieurs reprises sous sa férule les principaux dirigeants des partis politiques de gauche. L'Union des gauches voit le jour à la suite d'un débat qu'abritait le local du Grand Orient. La Franc-Maçonnerie devient une sorte de super-parti politique qui « coiffe » l'ensemble des mouvements républicains en leur offrant une mystique humaniste nourrie par la certitude que la pensée humaine évolue constamment. Humanisme qui connaît des restrictions, cependant, puisque les Loges prussiennes n'admettent aucun juif et que les loges de la Juridiction Nord des Etats-Unis freinent au maximum leur admission. Le Frère Lantoine, qui fait une violente critique de la Maçonnerie en 1926, admet pourtant sa politisation; « il conviendrait, écrit-il, que nous imposions aux Francs-Maçons comme un devoir, sans préjudice toutefois de leurs convenances personnelles, l'examen des questions politiques, même et surtout des plus actuelles ».

Oswald Wirth, qui est à la tête de la tendance symboliste, n'est pas de cet avis. Il adresse deux critiques complémentaires, l'une à l'Eglise, l'autre à la Maçonnerie. Dans la première, il reproche aux catholiques : notamment à Monseigneur Jouin, de croire encore au caractère diabolique de l'Ordre. « L'orgueil ne serait-il pas le péché mignon de la Sainte Eglise qui, toute divine qu'elle soit, semble bien ne pas échapper à l'emprise insinuante du malin? » Dans la seconde, il insiste sur le fait que l'initiation maçonnique est l'œuvre ininterrompue d'une existence entière consacrée à la pratique du symbole. « Dans l'intérêt du bon recrutement de la Franc-Maçonnerie, écrit-il, il est grand temps que le public soit éclairé sur les questions initiatiques et qu'il comprenne bien que l'on ne saurait être initié par la vertu d'une cérémonie ou par l'admission formelle dans une association quelle qu'elle soit. »

La Franc-Maçonnerie des Pays-Bas prend, en 1927, une initiative à la fois habile et respectueuse de la tradition maçonnique pour faire cesser les différends entre les obédiences nationales; à l'assemblée de l'Association maçonnique internationale, elle propose à tous les Maçons de reconnaître l'existence d'un Principe supérieur symboliquement nommé Grand Architecte de l'Univers, une telle position laissant chaque Maçon libre de ses options religieuses. Cette tentative intelligente échoue, les obédiences s'en tenant à leurs doctrines particulières.

Exaspérée par ces dissidences, la Grande Loge d'Angleterre adresse aux obédiences françaises le grand ultimatum de 1929. Seule la Grande Loge Nationale Française, fondée en 1913, répond aux critères de régularité que dispensent les Anglais. Ils consistent d'abord à reconnaître la souveraineté absolue de la Grande Loge d'Angleterre, ensuite à croire à la volonté révélée du Grand Architecte, à placer d'une manière visible les trois Grandes Lumières dans la Loge (c'est-à-dire le Volume de la Loi sacrée, l'Equerre et le Compas), à interdire toute discussion politique ou religieuse dans les ateliers. Le Grand Orient reste parfaitement insensible à cet acte de souveraineté et préfère demeurer dans l' « irrégularité » plutôt que de céder aux exigences anglaises. Même le symboliste Oswald Wirth n'apprécie pas de telles volontés d'hégémonie, et il n'hésite pas à décrire ces lignes en 1930 : « Nous accordons toute notre indulgence aux faibles d'esprit, mais quand ils exigent que nous leur donnions raison, ils exagèrent. Ce n'est pas par opportunisme que nous renierons les principes qui font la grandeur et la force de la Franc-Maçonnerie. Dix fidèles valent mieux que des milliers d'égarés. »

La Franc-Maçonnerie

Selon l'analyse du Maçon Maréchal, la Franc-Maçonnerie du début du xxᵉ siècle est divisée en deux tendances qu'il estime également contraires au véritable esprit maçonnique; d'un côté on trouve la Grande Loge d'Angleterre qui croit détenir la vérité et l'imposer, de l'autre le Grand Orient et ses émules qui confondent initiation et politique. La description d'une tenue maçonnique par l'historien G. Huard, en 1930, image bien le climat interne du Grand Orient : « L'un d'eux se lève, pour faire une annonce : au programme de la séance, il y avait une causerie sur l'art de la mise en scène par un Maçon à la fois comédien et directeur de théâtre; hélas! ce bon Frère, dont on attendait la communication avec impatience, a prévenu tardivement le bureau qu'il ne pouvait venir; un autre ami des loges, député radical-socialiste et en ce moment titulaire d'un sous-secrétariat dans le ministère, traitera le même sujet à sa place, au pied levé. »

Alors que le gouvernement Edouard Herriot de 1932 compte douze Francs-Maçons qui maintiennent la puissance politique de l'Ordre, les Maçons symbolistes se montrent de plus en plus critiques et insistent sans ménagement sur les déviations de la confrérie. L'un des plus ardents analystes de la situation est l'écrivain René Guénon qui appartint à divers groupements occultistes qu'il renia par la suite. Reçu Franc-Maçon en 1907, il quitta définitivement les Loges après 1914. Pour Guénon, le monde moderne est foncièrement antitraditionnel et anti-initiatique; dans plusieurs ouvrages, il considère que la Maçonnerie et le Compagnonnage sont les deux dernières sociétés occidentales dont l'authenticité traditionnelle est incontestable, mais reproche à la première d'avoir oublié les principes de base de l'initiation qu'il se fait un devoir de lui rappeler. Sous le pseudonyme « le sphinx », il rédigea des articles critiques dans une revue antimaçonnique et s'attaqua à Oswald Wirth dont les interprétations symboliques lui paraissaient insuffisantes. Guénon créa une doctrine de l'initiation qui, comme toutes les doctrines, a ses limites et ses faiblesses; beaucoup de Maçons contemporains admirent son œuvre et en respectent les préceptes intellectuels.

Les années 1933-1934, infligent à l'Ordre de graves épreuves. Les pays où règnent des doctrines totalitaires, comme l'Allemagne ou l'Italie, persécutent les Maçons; il suffira de rappeler que le titulaire de la section SS chargée de liquider la Maçonnerie en Allemagne se nommait Eichmann. En France, les catholiques publient des listes où sont révélés les noms de milliers de Maçons. Les partis royalistes favorisent la création de ligues antimaçonniques qui passent à l'offensive et saccagent des loges de province. Le Grand Orient est obligé de faire protéger son local par des gardes armés. Dans la France de 1934, il est préférable de taire sa qualité de Franc-Maçon, surtout dans les petites localités provinciales où l'Ordre suscite des haines qui n'ont pas toutes disparu aujourd'hui. La vague antimaçonnique s'amplifie au point qu'un projet de loi concernant la dissolution de la Franc-Maçonnerie est déposé à la Chambre le 28 décembre 1935; il est repoussé par 370 voix contre 91.

La venue au pouvoir du Front Populaire, approuvée et encouragée par le Grand Orient, redonne une certaine vigueur au recrutement maçonnique qui avait considérablement diminué les années précédentes. On admet alors sans le moindre contrôle ni la moindre exigence tous ceux qui désirent entrer dans les loges pour obtenir une promotion sociale plus rapide et améliorer leur réseau de relations professionnelles.

Oswald Wirth, qui continue à désapprouver le formalisme de la Maçonnerie anglaise et le laisser-aller du Grand Orient, écrit en 1936 une phrase qui indique la ligne de conduite idéale d'une Maçonnerie fidèle à sa tradition ésotérique : « Il est indispensable que la Maçonnerie demeure initiatique, d'où l'obligation pour elle de maintenir tout ce qui se rapporte à l'initiation. C'est là une indubitable Landmark. » En 1937, le Maçon Lantoine, qui ne prise guère le symbolisme, constate cependant la dégradation spirituelle de son temps; il écrit une « Lettre au souverain pontife » dans laquelle il souhaite une sorte d' « alliance » de l'Eglise et de la Franc-Maçonnerie pour sauvegarder les valeurs profondes de la civilisation occidentale. Le Suprême Conseil Ecossais appelle de ses vœux la naissance d'une nouvelle conscience religieuse de nature cosmique qui irait au delà de tous les dogmes. L'Eglise observe ces démarches d'un œil lointain, les hautes instances maçonniques sont assez nettement désapprobatrices. Déçu, Lantoine constate avec amertume : « Polluée par un élément démagogique, qu'elle a laissé imprudemment pénétrer dans ses temples, la Franc-Maçonnerie a cessé de faire appel à la seule élite, et l'élite s'est retirée d'elle. »

La Seconde Guerre mondiale interrompt brutalement les travaux de la petite minorité de Maçons qui désirent restaurer l'ésotérisme de leur Ordre. Aux mouvements antimaçonniques succède une véritable persécution qui commence par le décret de Vichy du 14 août 1940, lequel supprima toutes les sociétés secrètes. On procède à des arrestations et à des exécutions sommaires, et les fonctionnaires Francs-Maçons sont chassés de leur poste. Ceux qui ont appartenu à la Maçonnerie se voient interdire l'accès aux fonctions administratives. Le gouvernement du maréchal Pétain n'avait dissous que la Grande Loge de France et le Grand Orient, oubliant les autres obédiences; les Allemands, qui identifient les Francs-Maçons aux Juifs, ont fait une enquête précise sur les courants maçonniques français et demandent l'interdiction des obédiences omises par le décret. Ce sont d'ailleurs des officiers allemands qui se rendent dans les divers locaux maçonniques où ils s'emparent des archives et des fichiers.

Plus grave encore est la nomination de Bernard Fay à la tête d'un bureau qui s'installe square Rapp et dont la mission consiste à pourchasser les membres des sociétés secrètes et plus particulièrement les Francs-Maçons. Administrateur de la Bibliothèque nationale et historien, Bernard Fay pense que c'est la Franc-Maçonnerie qui est à l'origine de la Révolution française et qu'elle est par nature antipatriotique. Avec un incroyable fanatisme, Fay dresse des listes de Maçons, pour la plupart des petites gens, et les fait arrêter; il est aidé dans cette tâche par quelques Maçons qui trahissent des Frères en révélant leurs noms, espérant ainsi échapper aux poursuites.

Pierre Laval entrave l'action de Bernard Fay. Il n'a pas le moindre désir de persécuter la Maçonnerie à l'intérieur de laquelle il compte quelques amis. C'est pourquoi il empêche la destitution de certains fonctionnaires Maçons et plusieurs arrestations demandées par Fay. Laval se rend compte que la loi sur les sociétés secrètes fut le prétexte de revanches personnelles, les non-Maçons de l'administration se vengeant des Maçons dont ils avaient constaté la promotion avec amertume.

L'histoire de cette sombre période est encore difficile à écrire, du moins en ce qui concerne la Maçonnerie; pourquoi, par exemple, le préfet de police Langeron qui appartenait à l'Ordre protégea-t-il moins ses Frères que Laval? Quels espoirs animaient les Maçons qui restèrent fidèles à Vichy malgré les persécutions? A l'intérieur de la grande guerre se produisait une non moins cruelle agression contre une Franc-Maçonnerie que l'on ne jugeait pas compatible avec un état tout-puissant.

En 1941, les documents saisis dans les Loges servent à monter une exposition destinée à tourner les Maçons en ridicule et à montrer la nocivité de leur institution. Ils sont traités de juifs usuriers et de bolcheviques qui désirent la perte de la France et de sa morale. Très curieusement, ces lamentables propos ne trompent pas les visiteurs dont une bonne partie se passionne pour la symbolique maçonnique et commence à constater les souffrances qui sont infligées à l'Ordre. Notons au passage que les archives détenues par les Allemands passeront ensuite aux mains des Russes lors de l'effondrement du nazisme; les obédiences françaises reconstituées demanderont au gouvernement soviétique de les leur restituer, mais ce dernier opposera un refus définitif.

Le Grand Maître de la Grande Loge de France, Dumesnil de Gramont, est un ami personnel du général de Gaulle. Il plaide auprès de lui la cause de la Maçonnerie et obtient gain de cause. Par une ordonnance du 15 décembre 1943, le général annule la loi de Vichy et redonne aux sociétés secrètes une existence légale. Dès 1943, les Maçons se réunissent à nouveau et tentent de préparer l'union de toutes les obédiences. Le projet échoue rapidement, le Grand Orient et la Grande Loge de France prenant des directions très différentes; le premier souhaite abandonner de plus en plus la recherche symbolique, la seconde désire au contraire approfondir la tradition maçonnique.

En 1944, c'est une Maçonnerie meurtrie qui s'interroge à nouveau sur sa vocation. Plusieurs Loges ont été décimées par la guerre, il faut procéder à une épuration en ne réintégrant dans l'Ordre que les Frères qui ne l'ont pas trahi d'une manière ou d'une autre. On utilisera même le terme de « nettoyage spirituel » pour qualifier cette période de transition. Il est tout à fait clair que l'Ordre maçonnique n'a plus aucune puissance politique à la fin du second conflit mondial. Le Grand Orient, ne disposant plus d'une influence suffisante pour participer à la direction des affaires de l'état, fait travailler ses Loges sur des sujets tels que la sécurité sociale, la démographie dans le monde ou l'enseignement laïc.

Le recrutement est assez important dès 1945 et, en 1947, les diverses obédiences maçonniques ont réorganisé leur administration. Le Grand Maître du Grand Orient, Francis Viaud, rappelle aux membres de son obédience que plus la Maçonnerie s'occupe de politique, plus elle est faible; ses efforts ne sont pas couronnés de succès, les Maçons du Grand Orient rêvant de restaurer leur puissance sociale d'antan. De la libération à nos jours, la Maçonnerie vit en paix et poursuit son aventure propre à l'intérieur de la société française qui s'intéresse avec moins de passion et plus de clairvoyance aux diverses tendances maçonniques qui vont d'un matérialisme dialectique teinté d'humanisme jusqu'à l'ésotérisme le plus profond. Les grandes obédiences tiennent toujours à leur originalité, et l'on assiste à diverses querelles dont la relation serait fastidieuse. Pour comprendre la nature des obédiences contemporaines, le plus simple est de les décrire en précisant leurs options fondamentales. Auparavant, tournons nos regards vers le passé afin de percevoir l'évolution de la Franc-Maçonnerie moderne de 1717 au milieu du XXe siècle.

CHAPITRE V

BRÈVES RÉFLEXIONS
SUR L'ÉVOLUTION ET LA NATURE
DE LA FRANC-MAÇONNERIE MODERNE

La Franc-Maçonnerie moderne dont l'acte de naissance officiel porte la date de 1717 est une institution sensiblement différente, nous l'avons vu, de la Maçonnerie ancienne dont l'art de bâtir le temple et l'homme était le critère essentiel. Au XVIᵉ siècle, secret, fraternité et tolérance sont encore des traits saillants de la confrérie qui approfondit la pratique des sciences hermétiques comme l'astrologie et l'alchimie. Avec l'entrée massive des aristocrates, des humanistes et des rationalistes, l'Ordre change de visage.

Pendant le XVIIIᵉ siècle, la Maçonnerie anglaise qui s'attribue la souveraineté législative est résolument religieuse et respectueuse de l'ordre établi. En France, le rite Ecossais affirme sa croyance dans le christianisme et ne connaît aucun conflit intellectuel et social avec l'église. On remarque simplement que certains Maçons commencent à mettre l'ensemble des religions sur le même plan et situent la Maçonnerie au delà des confessions, comme l'avaient fait leurs prédécesseurs de l'antiquité. En fait, les Loges du XVIIIᵉ siècle ont un assez grand pouvoir d'attraction, surtout en Province, parce qu'on peut y échanger un grand nombre d'idées banales ou originales à l'abri de toute censure. La vie régionale étant souvent terne à cette époque, les ateliers maçonniques donnent aux notables l'occasion de se rencontrer

218

et d'entreprendre en commun une recherche intellectuelle qui, sans atteindre des sommets, a au moins le mérite d'exister.

Vers 1775, l'idéal de la Maçonnerie moderne consiste à élever des temples à la vertu et à creuser des cachots pour le vice. Ces intentions morales assez élémentaires se doublent d'une volonté de bienfaisance que peuvent seuls exercer des hommes occupant un rang assez élevé dans la société. Des minorités s'occupent d'occultisme et l'on relève les noms du philosophe Saint-Martin, du mystique Willermoz, du forban Cagliostro. On confond aisément spiritualité et théosophie, symbolisme et devinette.

Identifier la pensée maçonnique du xviiie siècle à la philosophie des lumières serait une grave erreur. Elle fut commise par les historiens qui pensèrent que la Maçonnerie avait été le premier foyer d'athéisme alors que les penseurs les plus critiques rejetaient une telle attitude ; un Bayle, par exemple, estimait que l'athéisme ne pouvait être qu'un « hideux abrutissement » résultant d'une erreur intellectuelle. Il est fort probable qu'un Montesquieu devint Maçon parce qu'il aimait le régime politique anglais et que la Maçonnerie était alors considérée comme une parfaite émanation de l'humanisme britannique. Diderot n'eut pas besoin de la Maçonnerie pour diriger l'Encyclopédie, et Voltaire se moqua souvent des Loges dont le niveau intellectuel lui paraissait très insuffisant.

A la fin du xviiie siècle, la Maçonnerie peut être qualifiée d' « Ordre de Cour », les grands personnages du royaume adhérant volontiers à la confrérie qu'ils maintiennent sur la voie des bonnes mœurs. Or, la Cour n'est plus le centre de pensée du pays ; pour trouver les théories nouvelles et les analyses critiques de la société, il faut se tourner vers les salons dits « littéraires », vers les clubs à tendance politique, vers les cafés où se réunissent les « contestataires ». Si ces idées ont effectivement pénétré dans certaines Loges, ce ne sont pas les Loges qui les ont créées, et la mentalité maçonnique n'avait pas le moindre caractère révolutionnaire. Dans son « Histoire de la conjuration », Montjoie croit donner une preuve formelle du complot maçonnique en décrivant l'initiation du Grand Maître d'Orléans à l'un des hauts grades; dans un coin de la salle, écrit-il, il y avait un mannequin couvert des ornements de la royauté. On donnait un poignard au postulant afin qu'il l'enfonce dans le mannequin d'où jaillissait un liquide rougeâtre. Le mannequin n'aurait été autre que Louis XVI!

De telles inepties montrent une méconnaissance totale du symbolisme des grades maçonniques, méconnaissance qui est à l'origine de bien des jugements erronés. Ce grade dit « de vengeance » n'était pas dirigé contre la monarchie mais avait pour but d'honorer la mémoire des Templiers en accablant d'opprobe Philippe le Bel. On peut reprocher à la Maçonnerie d'avoir façonné de semblables allégories qui ouvrent la voie à des contresens. Quoi qu'il en soit, l'opposition que le Grand Maître d'Orléans tenta de développer contre le roi n'avait pas pour fin de préparer la Révolution, mais seulement de lui donner le pouvoir. Les Maçons furent pris dans une tourmente qui faillit d'ailleurs détruire l'Ordre.

Dès sa naissance, la Franc-Maçonnerie moderne se détache de l'artisanat et de toutes les pratiques manuelles qui avaient fait la gloire de la confrérie. « Le nom de Franc-Maçon, déclare Ramsay, ne doit pas être pris dans un sens littéral, grossier et matériel, comme si nos Instituteurs avaient été de simples ouvriers en pierre. » C'était pourtant le cas, mais les Maçons élégants du xviiie siècle préférèrent puiser leurs références dans la chevalerie qu'ils connaissaient très mal. Les Maçons rousseausistes aimaient cependant à rappeler que Jean-Jacques, dans son « Emile ou de l'éducation », faisait apprendre un métier manuel au jeune homme. Malheureusement, Rousseau estimait que l'état d'artisan rapprochait l'homme de l'heureux état de nature, se situant ainsi à l'opposé des Maîtres d'Œuvre du Moyen Age qui voulaient dépasser l' « Etat de nature » en offrant aux initiés le moyen de sacraliser le monde.

La Maçonnerie du xixe siècle est avant tout politique et sociale. La majorité des Maçons ne se préoccupe pas tant de l'initiation que de la puissance temporelle de l'Ordre; toutes les tendances sont confondues dans les Loges, et l'on oublie le message de Pythagore qui avait pris soin de diviser sa confrérie en deux cénacles, l'un réservé aux études ésotériques, l'autre aux fonctions honorifiques et sociales. La Maçonnerie ne s'appuie plus sur des temples, mais sur des grands mots d'ordre comme liberté, égalité et humanisme dont l'interprétation varie à l'infini. Aussi l'Ordre maçonnique n'a-t-il pas d'orientation spirituelle précise pendant le xixe siècle; il offre un cadre de discussions plus ou moins passionnées selon les moments.

La poigne de Napoléon Ier disparue, la Maçonnerie moderne prend des options politiques très nettes et veut assurer le plein essor des valeurs démocratiques et républicaines. La « libre pensée » sous toutes ses formes devient la denrée la plus précieuse, et la Maçonnerie petite-bourgeoise prend souvent l'allure d'un bureau de placement pour fonctionnaires ou de super-parti de gauche luttant pied à pied avec l'Eglise. Cette Maçonnerie trouve ses titres de gloire dans la création de la Ligue de l'enseignement ou de la Société des Nations; parmi ses hommes célèbres, elle compte le sculpteur Bartholdi, les écrivains Erckmann et Chatrian et le positiviste Littré. Il serait inutile d'allonger la liste, les tendances esthétiques, littéraires ou philosophiques de la Maçonnerie moderne se fondant essentiellement sur la Raison et le Progrès, valeurs fort secondaires en tant que telles dans l'Ancienne Maçonnerie.

Le xixe siècle maçonnique est aussi celui des grands discours pompeux où l'on exalte une fraternité totale entre tous les hommes, où l'on réclame une société républicaine et libérale. Les réunions maçonniques, nommées « tenues », sont pourtant de plus en plus négligées; on abandonne parfois le tablier, on simplifie les rituels en les vidant de leur substance symbolique. Fait symptomatique, le Grand Orient lui-même doit rappeler à ses membres qu'une certaine dignité est nécessaire dans les réunions. Indéniablement, il y a une perte de l'esprit initiatique dans la plupart des ateliers; il suffit de relire cette phrase de Bédarride, écrite en 1929, pour le constater : « La chimie n'emploie-t-elle pas des symboles pour noter l'identité des corps et leurs combinaisons? Et l'algèbre n'est-elle pas un symbolisme? » A cette confusion du signe abstrait et du symbole ésotérique s'ajoute une pauvreté intellectuelle due au positivisme. Dans un rituel du second degré, on introduisait des phrases du type « L'intelligence a son siège dans le système nerveux cérébro-spinal » qui, heureusement, ont été supprimées par la suite. Lorsque Le Maçon symboliste Oswald Wirth employa le vieux terme d' « art royal » pour caractériser la voie spirituelle propre à la Maçonnerie, on lui fit remarquer sans ménagement que cette expression était à bannir en raison de son caractère antirépublicain!

La Maçonnerie moderne s'attacha particulièrement à deux idées-forces, l'égalité et la fraternité. Gustave Bord pensait que la Maçonnerie disparaîtrait immédiatement si l'on tuait la première; pourtant, les rituels traditionnels expriment clairement la nécessité d'une hiérarchie initiatique où l'égalité n'existe pas. Ils mettent plutôt en relief l'identité divine de tous les humains, en précisant qu'ils se différencient par la pratique personnelle de l'initiation. Les historiens des religions ont parfaitement démontré qu'une société initiatique n'est jamais égalitaire puisqu'elle tend à développer l'originalité de chacun de ses membres au sein d'une vie communautaire. Cette volonté d'égalitarisme entraîna la confusion des valeurs spirituelles et politiques au sein des Loges, et le Maçon Lantoine put constater en 1926 : « La démocratisation de la Franc-Maçonnerie a fait baisser son niveau intellectuel et conséquemment diminué son autorité et compromis son influence. »

La fraternité, dans le cadre de la société du XVIIIᵉ siècle, était une novation; le bourgeois et le noble s'appelaient « mon Frère » et brisaient ainsi des barrières sociales. Le poème du Maçon Rudyard Kipling, intitulé « La loge mère », est certainement le texte qui exprime le mieux l'idéal d'une fraternité affective :

Il y avait Rundle, le chef de station,
Beaseley, des voies et des travaux,
Ackman, de l'Intendance,
Donkin, de la prison,
Et Blacke, le sergent instructeur...
Il y avait encore Bola Nath, le comptable,
Saül, le juif d'Aden,
Din Mohamed, du bureau du cadastre,
Le sieur Chuckerbutty,
Amin Singh, le Sick,
Et Castro, des ateliers de réparation,
Qui était catholique romain...
Et nous causions à cœur ouvert de religions et d'autres
choses,
Chacun de nous se rapportant
Au Dieu qu'il connaissait le mieux.
L'un après l'autre, les Frères prenaient la parole,
Et aucun ne s'agitait...
Dehors, on se disait : « Sergent, Monsieur, Salut, Salam »,
Dedans, c'était : « Mon Frère », et c'était très bien
ainsi...

A ce propos, on peut également évoquer une anecdote qui met en scène le Président des Etats-Unis, Théodore Roosevelt, et Root, son Secrétaire d'Etat. Le Président demande à ce dernier depuis combien de temps il se tient à l'égard des Loges. « Longtemps » répond Root. « Eh bien, répond Roosevelt, allons ce soir dans ma Loge. Il y a un excellent Vénérable; c'est le jardinier de mon voisin. » Tout, cependant, n'était pas aussi idyllique qu'on pourrait le supposer; en Europe, plusieurs obédiences maçonniques interdirent aux Juifs l'entrée des temples et d'autres ne les admettaient qu'avec réticence. Aux Etats-Unis, les noirs furent tenus à l'écart et se groupèrent dans une obédience particulière, Prince Hall. De plus, la fraternité prônée par la Maçonnerie moderne demeure trop souvent au niveau de la sensibilité la plus élémentaire et manque de force créatrice; la qualité d'une fraternité, selon les confréries anciennes, est toujours dépendante de la qualité de la vie initia-

223

tique. Lorsque cette dernière s'appauvrit, la fraternité n'est plus qu'un lien émotif d'une extrême fragilité.

Certains problèmes, inconnus de la Maçonnerie ancienne, ont marqué le destin de la Maçonnerie moderne, tel celui des hauts grades. Ces derniers furent le résultat d'initiatives individuelles, certains Maçons ayant pensé que la constitution des loges « bleues », correspondant aux trois premiers grades d'apprenti, de compagnon et de Maître, manquait de cohérence et de sérieux. Dès le XVIIIe siècle, les systèmes de « hauts grades » pullulèrent, allant de sept grades à quatre-vingt-dix! Créés, à l'origine, pour « purifier » la Maçonnerie et organiser des ateliers où les membres seraient soigneusement éprouvés, les « hauts grades » devinrent rapidement l'occasion de distribuer des honneurs et des titres ronflants. La plus grande puérilité s'y donna libre cours et de nombreux Maçons estimèrent que ces « hauts grades » étaient une déviation fondamentale par rapport à l'idéal initiatique de l'Ordre. Pour Oswald Wirth, par exemple, la plénitude maçonnique est confé-rée par les trois premiers grades traditionnels. Quant au Maçon Marius Lepage, il estimait que les « hauts grades » préservaient des éléments intéressants sur le plan historique ou intellectuel, mais, écrivait-il, « ils ne sont en aucune façon une « initiation ». La hiérarchie des 33 grades de l'Ecossisme peut faire illusion... c'est simplement une hiérarchie administrative. La Maçonne-rie initiatique traditionnelle est complète avec les trois premiers grades ». Cette question est toujours d'actua-lité, et l'avenir de la Maçonnerie moderne dépendra en partie de l'attitude qu'elle adoptera face aux « hauts grades ».

Si les « hauts grades » mettent en cause la structure même du symbolisme maçonnique, la qualité du recrute-ment conditionne son existence. Nous avons vu qu'il était fort sévère dans les périodes anciennes, les Maîtres exigeant des néophytes les compétences les plus diver-ses. Il s'agissait de former des bâtisseurs capables d'appliquer les règles de vie les plus sévères; avec la Maçonnerie moderne, nous n'avons plus de but précis, donc plus de critères de recrutement définis avec rigueur. Dès 1745, on relève cette phrase dans un écrit maçonnique : « On a admis à la dignité de Compagnon et de Maître des gens qui, dans des loges bien réglées, n'auraient pas eu les qualités requises pour être Frères servants. » Les Grands Maîtres du xviiie siècle illustrent malheureusement cet état de faits, l'éclat de leur naissance passant avant leur valeur initiatique. On répondra, bien entendu, que la Maçonnerie moderne avait besoin de protections et qu'elle ne pouvait les trouver qu'en la personne de nobles bien en cour. Pendant le xixe siècle, le recrutement ne s'améliore guère; certains Maçons vont jusqu'à parler de Loges où se réfugient des inadaptés sociaux et Lantoine évoque les « incultes imperfectibles qu'enorgueillit le port de leur cordon ».

La stricte application des trois premiers grades aurait permis d'éviter ces difficultés; la « promotion » des Maçons était trop rapide, faute d'un enseignement ésotérique qui aurait permis de distinguer le bon grain de l'ivraie. Au milieu du xviiie siècle, on devient Maître en quelques mois sans avoir fourni la moindre preuve d'aptitudes à une fonction aussi importante. La Maçonnerie moderne pratique l'avance à l'ancienneté qui aboutit à cette cruelle description tracée par une plume maçonnique : « La liberté tatillonne de la hiérarchie et des jeunes gens de quatre-vingts printemps font la loi dans les ateliers supérieurs. Il est pénible de constater la somme de haine et de rancœur qui émane d'une assemblée de vieillards, surtout quand ils sont barbus. » Ce tableau peu engageant de la Maçonnerie du xixe siècle est encore assombri par les votes fondés sur la majorité qu'avaient toujours refusés les Maçons médiévaux. Indéniablement, ce type de suffrage est nuisible à une authentique fraternité puisqu'un postulant peut entrer dans une Loge contre l'avis d'une minorité de Maçons qui guetteront le moindre de ses faux pas.

On pourrait citer nombre de textes maçonniques qui se plaignent de la pauvreté des travaux s'éloignant du symbolisme fondamental de l'Ordre. L'analyse du Maçon Maréchal, rédigée vers 1914, est l'une des mieux conduites : « Trop d'ateliers, écrit-il, se livrent à des travaux purement profanes et qui n'ont même pas l'avantage de présenter une supériorité quelconque dans le domaine qui leur est propre; trop de Frères incompétents et suffisamment doués de moyens oratoires, font des conférences ou des causeries sur des questions ou des problèmes qu'ils ne connaissent pas ou connaissent mal, ce qui a pour résultat de tromper des ignorants, d'indisposer ou même de dégoûter les autres. Des Loges, bien souvent réduites au rôle d'écoles du soir, ou de comité, font perdre à la Maçonnerie — ou l'empêchent d'amener à elle — une grande partie de l'élite intellectuelle. » Ces travaux creux et inutiles ne sont que la conséquence d'une déviation que René Guénon exprimait en ces termes dans un article datant de 1910 : « Ce qui est regrettable surtout, c'est d'avoir trop souvent à constater, chez un grand nombre de Maçons, l'ignorance complète du symbolisme et de son interprétation ésotérique, l'abandon des études initiatiques sans lesquelles le rituélisme n'est plus qu'un ensemble de cérémonies vides de sens. »

Si l'on pouvait affirmer que l'ancienne Maçonnerie était une société initiatique cohérente, il est impossible de donner une unique définition de la Maçonnerie moderne où cohabitent tant bien que mal plusieurs courants très différents. Cette Maçonnerie est une sorte de parti politique aimant le positivisme, le progrès, le socialisme au sens le plus large du terme et les théories sociologiques à base d'humanisme; selon Armand Bédarride, qui fut dignitaire du Grand Orient, la Franc-Maçonnerie « peut donc envisager avec sympathie les formes politiques et sociales qui tendent vers le maximum de liberté et le minimum de gouvernement ». Cette position peut entraîner l'Ordre vers un certain type de « syndicalisme »; le même auteur poursuivait : « ce serait une erreur de croire que l'esprit maçonnique et l'esprit syndicaliste n'ont aucun point de contact : fondés tous deux sur la conception d'association, ils communiquent par le canal à ciel ouvert des idées proudhoniennes et par un commun souci de la culture des hommes dans la solidarité ».

D'autres Maçons souhaitent faire de leur confrérie la plus parfaite des écoles d'humanisme, désirant avant tout favoriser l'épanouissement culturel et social de l'individu. Une telle « société » de pensée n'hésite pas à donner des « cours du soir » à l'intention des laïcs qui souhaitent ouvrir leur intelligence à n'importe quel type de problème humain en compagnie de Frères tout prêts à les instruire. On aboutit parfois à des loges « spécialisées » qui ne comprennent que des avocats, des médecins ou des policiers.

Pour d'autres encore, la Maçonnerie pourrait être une sorte d'Eglise où s'unissent des hommes qui croient profondément à leur perfectibilité. Ces Maçons, qui sont d'authentiques croyants, aimeraient entretenir les relations les plus amicales avec les autres églises. Ils se heurtent cependant à des critiques de fond de la hiérarchie catholique; il s'agit en premier lieu d'un désir de Connaissance absolue des mystères de la vie et, en second lieu, d'une volonté de puissance obtenue par des « moyens ésotériques ». Ce conflit, qui dura pendant tout le XIXᵉ siècle, s'apaise à l'heure actuelle. Les Maçons qui ont foi en leur Ordre ont abandonné l'anticléricalisme sommaire et l'Eglise connaît mieux les principes de base de la Maçonnerie. Il faut cependant reconnaître que l' « Eglise maçonnique » du XVIIIᵉ siècle n'était qu'une chapelle de privilégiés et que celle du XIXᵉ siècle et du début du XXᵉ siècle ressemblait plutôt à un parti doctrinaire qui voulait chasser de ses temples toute pensée religieuse.

Enfin, il exista dans la Maçonnerie moderne un courant initiatique qui rassembla les enseignements des alchimistes, des Rose-Croix, des kabbalistes, des templiers et de toutes les organisations initiatiques que nous avons évoquées dans la première partie de cet ouvrage. Ses adeptes, bien qu'en très petit nombre pendant les XVIIIᵉ et XIXᵉ siècles, réussirent à le sauvegarder malgré tous les périls qui l'assaillirent. « La Franc-Maçonnerie, écrivait Lessing dans ses Dialogues Maçonniques de 1778, n'est pas quelque chose d'arbitraire, de superflu, mais une nécessité de la nature humaine et une nécessité sociale. Aussi doit-on pouvoir la découvrir aussi bien par une recherche personnelle que sur des indications reçues d'autrui. Elle a toujours existé. »

Ce rapide bilan du passé de la Maçonnerie moderne établi, tournons-nous vers le présent de la confrérie et tentons de situer les options maçonniques dans le cadre du monde actuel en citant quelques critères des principales obédiences contemporaines.

CHAPITRE VI

LA FRANC-MAÇONNERIE AUJOURD'HUI

Quelques années avant que le Franc-Maçon Aldrin soit le second homme à poser le pied sur le sol lunaire, le Franc-Maçon Marius Lepage écrivait : « C'est la foire, la foire sur la place publique. La Maçonnerie actuelle voudrait, nous dit-on, préparer un monde meilleur. Nous sommes dans l'erreur totale. La Maçonnerie n'a pas à préparer un monde meilleur. Elle doit préparer des hommes qui, ensuite, peut-être, feront un monde meilleur. »

On pourrait citer bien d'autres opinions de Francs-Maçons qui vont d'une croyance fervente en l'Ordre jusqu'au doute le plus critique. Quoi qu'il en soit, il ne reste plus en Occident que deux ordres traditionnels aux origines très anciennes, le Compagnonnage et la Franc-Maçonnerie. Si l'on ne peut nier les querelles et les divergences qui divisent leurs membres, il est néanmoins certain que l'on se trouve en présence de corps constitués méritant encore l'attention. Faire le bilan des courants maçonniques dans le monde en 1974, c'est découvrir une multiplicité de tendances.

Chassons d'abord quelques fantômes. La Maçonnerie contemporaine n'est, dans aucun pays, une secte très fermée qui s'entoure du plus grand mystère. Partout où elle existe, elle est une association légalement déclarée et ses dirigeants font des déclarations publiques. Aucune obédience maçonnique ne désire plus être une contre-église et l'Ordre n'a ni volonté ni la possibilité de

229

devenir un contre-gouvernement à l'échelle mondiale. De plus, les obédiences ne disposent pas de fonds secrets et de trésors cachés; elles ne subsistent que par les cotisations de leurs membres.

Celui qui désire entrer dans l'Ordre maçonnique doit écrire une lettre à un responsable faisant partie de l'association vers laquelle il se sent le plus attiré. La demande étant enregistrée, trois Maçons sont désignés par le Vénérable de la loge qui accueillera éventuellement le postulant; après des discussions portant sur les thèmes les plus variées, les trois « enquêteurs » font un compte rendu positif ou négatif aux autres Maçons de leur loge. Le candidat est alors convoqué devant l'assemblée entière qui lui pose de nouvelles questions. Elle procède alors à un vote et admet ou non le candidat. Si la décision est favorable, le profane est initié lors d'une cérémonie solennelle.

Aucune limite de temps n'est imposée; pour certaines loges, le processus d'admission sera rapide, pour d'autres il sera très long. Le Maçon qui désire quitter sa loge n'a rien à craindre; il donne sa démission et n'a pas à se justifier. La légende des « vengeances » maçonniques est totalement diffamatoire; c'est l'une des dernières séquelles d'écrits mensongers que rédigèrent Léo Taxil et ses semblables.

La quasi-totalité des associations maçonniques exige des candidats un curriculum vitae détaillé et un casier judiciaire vierge. Elles recherchent, en effet, une certaine dignité de l'homme qui n'est d'ailleurs pas fondée sur ces seuls documents administratifs.

Aujourd'hui comme hier, il faut différencier l'Ordre maçonnique qui possède un caractère universel et les obédiences nationales dont l'histoire est liée à des facteurs religieux, politiques et sociaux. Chaque obédience regroupe plusieurs loges ou ateliers qui sont les cellules de base de la Maçonnerie. Sur le plan matériel, elles dépendent de quelques hauts dignitaires chargé du destin matériel de l'association. Sur le plan initiatique, en revanche, les loges disposent d'une certaine indépendance à condition qu'elles respectent les règles générales de la Maçonnerie telle que la conçoit l'obédience dont elles font partie.

La plus grande nation maçonnique est incontestablement. l'Amérique du Nord. Toute son histoire porte d'ailleurs l'empreinte de l'idéal maçonnique qui inspira en grande partie la première Constitution des Etats-Unis. La grande majorité des présidents américains appartint à l'Ordre.

Les Maçons américains s'occupent surtout de bienfaisance; ils financent la construction de crèches, d'hôpitaux, de maisons de retraite. Leur principal souci est d'entretenir une chaleureuse camaraderie et de préserver une sorte de grande famille où des Frères nouent de solides liens affectifs et matériels. Cette tendance relègue au second plan le symbolisme et l'initiation proprement dite. En 1963, des membres de la Maçonnerie américaine firent une sévère autocritique de leur orientation dans la célèbre revue maçonnique anglaise *Ars Quatuor Coronatum*. Ils avouaient sans détour que la tradition ésotérique de l'Ordre était presque totalement absente de leurs ateliers.

En Angleterre comme en Amérique, c'est un honneur d'accéder à la Maçonnerie. Philippe d'Edimbourg et l'archevêque de Canterbury sont Francs-Maçons et cautionnent ainsi d'une manière « officielle » l'existence de l'association. En fait, la Maçonnerie anglo-saxonne forme un bloc cohérent où compte avant tout la respectabilité des membres; ses ateliers cherchent à former des Maçons fraternels et à perpétuer le type de l' « honnête homme » respectueux de la société ambiante. Le Maçon anglo-saxon est parfaitement intégré à sa nation et fait partie d'un organisme des plus honorables qui n'est que très rarement critiqué.

En Chine et en Union soviétique, la Maçonnerie est interdite, de même qu'en Espagne et au Portugal. Les régimes totalitaires de gauche ou de droite n'admettent pas la présence de loges qui pourraient éventuellement favoriser une politique d'opposition. Dans ces pays, certains dignitaires furent emprisonnés et les anciens Maçons font l'objet d'une surveillance policière. Le

« secret » maçonnique est incompatible avec les doctrines politiques qui n'admettent pas d'autre vérité que la leur.

En Italie, les conflits violents entre Maçonnerie et Catholicisme se sont apaisés; les obédiences italiennes sont nombreuses et divisées. Dans l'ensemble, elles ont délaissé l'anticléricalisme sommaire tandis que le Vatican étend peu à peu son esprit œcuménique jusqu'à la Franc-Maçonnerie. De part et d'autre, l'ère des attaques virulentes semble terminée.

Le cas français présente des particularités remarquables. D'après des sondages récents, il y aurait environ cinquante mille Maçons en France. Ils se répartissent dans trois obédiences principales : le Grand Orient de France (16, rue Cadet, Paris), la Grande Loge Nationale Française (65, boulevard Bineau, Neuilly-sur-Seine). On doit y ajouter quatre associations : la Grande Loge Nationale Française Opéra, la Fédération mixte du Droit Humain, la Grande Loge Féminine de France et l'Ordre de Memphis Misraïm.

Pour le profane, cette simple énumération fait apparaître une grande complexité. Essayons d'y voir plus clair en examinant l'idéal des trois grandes obédiences.

Le Grand Orient de France compterait au moins vingt mille membres. Sur le plan numérique, c'est l'obédience la plus importante. Elle est aussi la plus connue et tente de pénétrer toujours davantage dans l'actualité grâce à ses publications et aux émissions radiodiffusées ou télévisées. Le Grand Orient est dirigé par un Conseil de l'Ordre qui élit un président; à son avis, la Maçonnerie n'est plus une société secrète mais un organisme discret qui permet à ses membres d'aborder tous les sujets qui les préoccupent. Désirant s'ouvrir au maximum sur la vie quotidienne, il prône la tolérance, la liberté de conscience et l'anti-dogmatisme. C'est pourquoi il accueille volontiers des profanes lors de colloques, de réunions d'information, de dîners-débats et de séminaires. La qualité de la vie sociale lui semble le problème essentiel que la Maçonnerie moderne doit contribuer à résoudre.

Pour le Grand Orient, fidèle à ses coutumes du XIX⁰ siècle, la participation à la vie politique est conforme à la morale maçonnique. Selon Fred Zeller, ancien secrétaire de Trotski et ancien Président du Grand Orient, son obédience se situe sur la gauche de l'éventail politique français (déclaration à France-Inter, 28 mai 1973). On peut d'ailleurs citer un extrait de l'affiche que le Grand Orient fit apposer sur les murs de Paris en mai 1968 : « En refusant depuis dix ans le droit de la contestation et le dialogue avec les représentants des étudiants et des travailleurs, le pouvoir, monopolisant à son usage exclusif l'information publique, a fait de l'Etat une collectivité fermée et technocratique s'attribuant le monopole de la décision. Le refus des aspirations devait conduire infailliblement à la révolte. »

Association philanthropique et philosophique, le Grand Orient a pour devise Liberté-Egalité-Fraternité. Depuis 1877, il a supprimé de ses rituels la phrase « A la Gloire du Grand Architecte de l'Univers » ainsi que le volume de la Loi sacrée, symbolisé par la Bible.

Si l'on voulait tracer de la manière la plus objective possible le profil d'un Maçon du Grand Orient, on dirait qu'il s'intéresse avant tout aux problèmes majeurs de notre temps sous leurs formes sociales et politiques. Il estime que le rattachement de la Maçonnerie à une foi religieuse n'est pas utile; tout dogmatisme lui paraît contestable parce qu'il affaiblit la pensée maçonnique et détourne l'Ordre de sa mission essentielle. Libre penseur, le Maçon du Grand Orient refuse de sombrer dans des utopies intellectuelles ou dans des croyances limitatives; son action et sa réflexion sont toujours confrontées avec l'existence quotidienne. Il souhaite participer de plus en plus à la vie publique et jouer un rôle dans l'élaboration d'une morale sociale où la justice et l'égalité entre les hommes seraient mieux respectées. Pour lui, le destin de l'humanité est l'affaire de chacun; la pratique de la tolérance maçonnique permet aux membres du Grand Orient d'ouvrir leur esprit à la

233

réalité de notre époque et d'améliorer la condition humaine. Dans cette perspective, la politique vécue d'une manière maçonnique est une transformation consciente et progressive des règles sociales qui nous régissent.

La Grande Loge de France compte environ dix mille maçons. Son Grand Maître actuel, l'avocat Richard Dupuy, souhaiterait la naissance d'une Grande Loge unifiée qui ne serait ni religieuse ni politique. Pour la Grande Loge de France, la Franc-Maçonnerie offre à ses initiés plusieurs degrés de perfectionnement que le Maçon assimile peu à peu, ce qui lui permet de nuancer ses opinions et de modifier son point de vue initial sur l'individu et sur l'humanité. Cette obédience ne fait pas de politique et n'impose pas de contraintes religieuses à ses adhérents. Elle travaille à la Gloire du Grand Architecte qu'elle considère comme un symbole dont il serait dangereux de définir le sens une fois pour toutes. « Celui qui nie l'existence de l'esprit et qui ne voit dans les phénomènes naturels qu'un enchaînement physicobiologique, déclara le Grand Maître dans la revue *Historia* (1973), n'a aucun profit à tirer de notre institution. » Depuis plusieurs années, la Grande Loge de France exprime ses idées par le truchement d'une émission sur les ondes de France-Culture.

Le Maçon de la Grande Loge trouve dans les ateliers de cette obédience un humanisme culturel de qualité; il participe à des études approfondies sur les grands problèmes de l'homme dont il cherche à mieux comprendre les motivations sensibles et intellectuelles. Il s'entretient avec des Frères réfléchis et attentifs des cas de conscience les plus variés que chaque individu rencontre dans son existence; la connaissance des cultures anciennes, des philosophies et des expériences spirituelles dans leur ensemble lui paraît être de première importance pour apporter des solutions à l'angoisse contemporaine. Le Maçon de la Grande Loge de France se place volontairement au delà des religions afin d'étudier le facteur « homme » dans toutes ses dimensions.

La Grande Loge Nationale Française compte environ

quatre mille membres. Elle abrite des loges françaises, des loges anglaises et des loges de militaires américains. Les sujets politiques sont exclus et il n'est pas permis d'aborder les problèmes pratiques contemporains dans les travaux d'atelier. Si nos effectifs apparaissent réduits, déclarait le Grand Maître actuel, A.-L. Derosière, c'est que peu de personnes s'intéressent à la pensée initiatique de la Franc-Maçonnerie. La Grande Loge Nationale Française a conservé dans ses rituels le Volume de la Loi sacrée et travaille à la gloire du Grand Architecte qui est ainsi évoqué dans l'une des brochures de cette obédience, intitulée « La Franc-Maçonnerie régulière » (1970) : « Il est le Créateur et cela sans équivoque panthéiste ou immanentiste. Il n'est pas un symbole. La Franc-Maçonnerie régulière est théiste. »

Le Maçon de la Grande Loge Nationale Française reconnaît l'existence d'un Principe divin et consacre tous ses efforts à mieux en prendre conscience. Il est très attaché à la valeur des symboles et des rituels qui lui paraissent être les forces les plus vivantes de la Maçonnerie contemporaine. Pour lui, l'initiation est un domaine inépuisable qu'aucun Maçon n'aura jamais fini d'explorer, aussi lui accorde-t-il tous ses soins afin d'en déceler les mécanismes et les finalités. Il juge la vie politique et sociale secondaire par rapport au monde initiatique; non qu'il les méprise, mais parce qu'il estime que l'évolution humaine doit d'abord passer par l'initiation avant de s'engager dans les difficultés quotidiennes. De plus, chaque initié les résout à sa manière en fonction de sa compréhension des symboles. Le Grand Architecte est au centre de sa pensée et il cherche à lire le livre du monde en déchiffrant le message du Volume de la Loi sacrée.

Quelques lignes plus haut, nous avons employé le terme de « Franc-Maçonnerie régulière ». Ce terme de « régulier » s'explique d'une façon simple. Les obédiences nationales dont l'existence est légalement reconnue par la Grande Loge Unie d'Angleterre sont dites « régulières », les autres « irrégulières ». En France, seule la Grande Loge Nationale Française répond aux

La Franc-Maçonnerie

critères de « régularité »; toutes les autres obédiences que nous avons citées n'y répondent pas.

En fait, on s'aperçoit que beaucoup de courants divers se sont affirmés sous le vocable de « Franc-Maçonnerie »; chacun, bien entendu, possède ses règles propres qui le caractérisent. Au sein de ce qu'elle définit comme la « régularité », la Grande Loge Nationale Française ne peut reconnaître comme légitimes que des Maçons ayant une position théiste; le Grand Orient, en revanche, ne reconnaît comme vrais Maçons que ceux qui militent pour la libre pensée et n'affichent pas une position religieuse doctrinaire.

Si l'on se penche sur les rapports entre la Franc-Maçonnerie et l'Eglise catholique, on s'aperçoit qu'ils ont beaucoup évolué ces dernières années. L'un des représentants les plus autorisés de la hiérarchie catholique, le Révérend Père Michel Riquet, souligna à plusieurs reprises les aspects nouveaux de la doctrine adoptée par Vatican II. Certes, le canon 2335 frappe d'excommunication « ceux qui donnent leur adhésion à une secte maçonnique ou autre se livrant à des complots contre l'Eglise et les pouvoirs civils légitimes ». L'époque des complots en question paraît révolue. En outre, du point de vue des ecclésiastiques avertis de l'état présent de la Maçonnerie française, la condamnation ne s'applique pas d'une manière aussi abrupte à la Grande Loge Nationale Française à la Maçonnerie dite « régulière » qui fait de la croyance en Dieu un article constitutionnel. Pour le Père Riquet, le Grand Orient et la Grande Loge de France ne représentent qu'une minorité désavouée par la Maçonnerie mondiale.

L'église catholique, cependant, ne pratique pas d'exclusive et n'a pas encore formulé une doctrine officielle en ce qui concerne la Franc-Maçonnerie du XXe siècle. Si le Père Riquet, nous venons de le voir, établit des distinctions très nettes entre les obédiences, la hiérarchie romaine admet d'autres démarches. L'abbé Jean-François Six représente une tendance qui consiste à placer toutes les associations maçonniques sur le même terrain; c'est pourquoi il est chargé des prises de contacts avec le Grand Orient et avec la Grande Loge de France.

Historiquement et sociologiquement, il est clair que *des* Francs-Maçonneries cohabitent à l'intérieur de cette entité abstraite que l'on nomme « Ordre maçonnique ». Chaque association, en fonction des critères de base qu'elle juge fondamentaux, oriente son action vers tel ou tel domaine et demande au candidat qui désire la rejoindre des qualifications personnelles qui répondent à l'état d'esprit de l'obédience. Comme l'arbre ne doit pas masquer la forêt, on peut également supposer que certains Maçons ont des opinions qui ne correspondent pas exactement aux doctrines officielles des obédiences; néanmoins, ces dernières sont obligées d'exprimer une ligne de conduite globale afin d'informer le public.

L'obédience est synonyme d'orientation prédominante qui ressort d'une association de loges; ces dernières sont autant de corps spécifiques dotés d'un esprit original qui se rapproche plus ou moins des textes législatifs de l'obédience. Les grandes associations maçonniques, par conséquent, infléchissent l'idéal maçonnique dans la direction qui leur paraît la plus authentique, mais les loges n'en perdent pas pour autant leur personnalité.

Est-ce vraiment la « foire », comme le disait Lepage, ou simplement une juxtaposition de tendances? Ce n'est pas à l'historien de juger. Tout au plus peut-on remarquer que la Maçonnerie contemporaine offre au public un très vaste éventail de possibilités. Les choix intellectuels sont nombreux, les courants de pensée maçonniques sont multiples.

Il y a une maçonnerie fraternelle où l'accent est mis sur la qualité des rapports humains; en principe, la notoriété, le métier et la fortune des Maçons doivent s'effacer devant le sentiment de fraternité qui les unit. Il leur permet de développer une amitié profonde par une entraide globale.

Il y a une Maçonnerie de bienfaisance qui utilise les deniers de l'association pour aider, dans la mesure de ses moyens, les Maçons en difficulté et les groupes sociaux défavorisés. Ce souci se traduit par des fondations charitables et des manifestations publiques où les Maçons expriment leur désir de justice sociale.

Il y a une Maçonnerie humaniste qui s'attache à la définition des valeurs humaines, à la compréhension du progrès économique et des lois d'une société harmonieuse. Elle développe une culture où les sentiments et la pensée de l'homme sont étudiés sans passion afin d'engendrer une meilleure fraternité entre tous les humains.

Il y a une Maçonnerie politique ou engagée qui tente de participer à la bonne marche de la nation. Certaines obédiences se situent plutôt à gauche, d'autres plutôt au centre. La tendance anglo-saxonne est assez conservatrice alors que le Grand Orient de France, pour ne citer qu'un exemple parmi d'autres, souhaiterait de profonds changements.

Il y a une Maçonnerie théiste qui désire se rapprocher de l'église et montrer l'importance de la croyance en Dieu. Sans être une église au sens strict, elle refuse l'athéisme et l'anticléricalisme sous quelque forme que ce soit.

Il y a, enfin, une Maçonnerie initiatique et ésotérique dont le souci principal est l'étude du symbolisme et de sa transmission à travers les âges et entre les initiés. Elle estime que l'initiation ne peut être vraiment réalisée que dans un cadre communautaire où la conscience de l'homme s'épanouit peu à peu.

Dans toutes les obédiences, au demeurant, ces diverses tendances sont représentées selon des proportions variées. En fonction de ces circonstances, l'historien ne saurait déclarer d'une manière péremptoire « tel type de Maçonnerie est vrai », « tel type de Maçonnerie est faux ». Prononcer un dictat quelconque ne supprimerait pas pour autant les associations maçonniques que l'on excommunierait intellectuellement. Certains Maçons regrettent cette diversité qui, à leur avis, affaiblit la puissance de l'Ordre et dénature son « image de marque ». D'autres la jugent favorablement et pensent que la tolérance est ainsi respectée.

Il est impossible de définir l'avenir de la Maçonnerie

avec certitude. Certes, la Franc-Maçonnerie humaniste et fraternelle est aujourd'hui prédominante alors que les tendances initiatiques rassemblent une minorité d'adeptes. Mais, à plusieurs reprises dans le courant de l'histoire maçonnique, nous avons constaté que des minorités remettaient en cause le destin de l'Ordre et se trouvaient à l'origine de bouleversements considérables; il suffit de rappeler, par exemple, les événements de 1717.

Jusqu'à présent, nous avons consacré notre récit aux mutations historiques de la Maçonnerie. Il est tout aussi intéressant de mettre partiellement en lumière la substance même de l'Ordre, à savoir les rites initiatiques et les symboles qui ont vaincu l'épreuve du temps et caractérisent la Maçonnerie aux yeux du plus grand nombre de personnes.

Nous serons alors confrontés à un autre mode de « régularité » : d'où viennent les rituels et les formes symboliques de la Maçonnerie? Dans quelle mesure furent-ils modifiés? Sans prétendre à une étude exhaustive, nous nous proposons de voir si la Maçonnerie moderne est restée fidèle, dans ce domaine, à ses modèles d'origine. C'est pourquoi quelques incursions rapides dans l'univers initiatique de la Maçonnerie nous semblent à présent nécessaires.

TROISIÈME PARTIE

VOYAGE A TRAVERS LES SYMBOLES MAÇONNIQUES

I. LE SECRET MAÇONNIQUE

Entre la Maçonnerie ancienne et la Maçonnerie moderne, il existe un point commun fondamental : le symbole. Les deux institutions ont pris des voies différentes, parfois opposées, fondé leur recrutement sur des critères très variés, mais ont préservé la substance symbolique de l'Ordre et son contenu initiatique, même si certaines obédiences l'ont plus ou moins renié. Dans son ouvrage « Les authentiques Fils de la Lumière », le Maçon Pierre Mariel nous explique en ces termes le caractère éternel de la Franc-Maçonnerie : « Le symbole est l'essence même, la raison d'être de la Maçonnerie. Ce qui est visible est le reflet de ce qui est invisible. Or, si nous autres Maçons nous exprimons par symboles, ce n'est pas pour nous distinguer des autres humains, c'est tout simplement par suite d'une nécessité inhérente à toute connaissance véritable... Le but des symboles n'est donc pas de cacher. Leur but est de sélectionner ceux qui, les intégrant, se montrent dignes de la Vérité. »

Le grand secret de la Maçonnerie, qui ne peut être trahi par personne, est celui de la signification profonde de ses symboles. Le chevalier Ramsay l'affirmait encore au XVIIIᵉ siècle : « Nous avons des secrets, ce sont des signes figuratifs et des paroles sacrées, qui composent un langage tantôt muet, tantôt très éloquent, pour le communiquer à la plus grande distance et pour reconnaître nos Confrères, de quelque langue qu'ils soient. »

La Franc-Maçonnerie

La Maçonnerie moderne a donc su conserver la richesse essentielle des sociétés initiatiques du Moyen Age, à savoir le monde symbolique qui permet effectivement à des Frères d'aller au delà de l'expression rationnelle, de la race, de la culture et de l'ensemble des conditionnements humains.

C'est pourquoi Oswald Wirth insistait tant sur la différence capitale entre la Franc-Maçonnerie définie comme une organisation matérielle et administrative et l'esprit Maçonnique qu'il résumait ainsi : « Apprendre à construire correspond à l'initiation au grand art de la Vie. » La vie construit sans cesse, elle est une œuvre en perpétuel devenir que les Maçons tentent d'amener au plus haut degré de perfection. La Maçonnerie primitive offrait surtout à ses membres une conception sacrée du travail et une expérimentation permanente de la spiritualité par l'intelligence et par la main.

Nous sommes au cœur du secret maçonnique; d'un côté, il y a un organisme humain avec ses faiblesses et ses erreurs. De l'autre, un Ordre véritable fondé sur l'initiation et sur le symbolisme, un Ordre qui ne révèle ses richesses qu'à ceux qui franchissent la porte des grands mystères et passent d'une initiation cérémonielle à une initiation réelle. Aussi Hermann Hesse écrivait-il à propos du serment : « S'il m'accorde la plus entière liberté quant au récit de mes propres aventures, il m'interdit toute révélation touchant le secret même de l'Ordre. » D'après les témoignages de Maçons qui ont « vécu » le symbole, ce secret en esprit ne devient accessible qu'aux adeptes pratiquant avec assiduité la voie initiatique. Les livres qui annoncent de grandes révélations sur les secrets maçonniques ne peuvent être que des impostures, puisque l'ultime Connaissance des vérités de l'Ordre est atteinte à l'intérieur d'une loge et ne saurait être comprise sans avoir été vécue.

Ce « secret », ainsi envisagé par plusieurs écrivains maçonniques, est indéniablement l'une des valeurs immortelles détenues par la Franc-Maçonnerie. Il ne réside pas dans des « arrière-loges » créées par des imaginations délirantes, mais dans l'esprit du Maçon qui intègre dans sa vie et dans sa pensée le message du symbolisme millénaire qu'il rencontre dans son atelier.

II. LE TABLEAU SYMBOLIQUE DE LA LOGE D'APPRENTI

Lorsqu'on ouvre une Loge au grade d'apprenti, il est indispensable de dessiner un « tableau » où l'on trouve les symboles essentiels de la Maçonnerie. Une loge est d'ailleurs considérée comme existante dès que ce tableau est dessiné. On y voit l'équerre, le compas, les deux colonnes, la porte du temple, le soleil et la lune, le niveau et la perpendiculaire, le pavé mosaïque, la pierre brute et la pierre cubique, les trois fenêtres grillagées et le triangle. Selon la règle traditionnelle, ce tableau doit être tracé à la main; les Maçons sont debout et observent le plus profond silence, leurs regards convergeant vers la main de celui qui dessine les symboles.

Ce rite du « tracé du tableau », qui constitue un acte magique au sens le plus noble du terme, est très ancien; dans le *Livre des Morts* des anciens Egyptiens, nous lisons en effet le passage suivant : « Agir comme suit dans la salle des deux vérités. Qu'on dise cette formule étant pur, purifié, vêtu d'habits de lin, chaussé de sandales blanches, fardé à la galène... Puis tu traces ce dessin qui est dans les écrits rituels sur un sol pur en blanc tiré d'un terreau que n'auront foulé ni porcs ni chèvres. »

Les Maçons, par conséquent, recréent un espace sacré où se meuvent leurs pensées. L'utilisation du tableau noir et de la craie répond à des nécessités pratiques; en fait, comme l'indiquent les textes anciens, c'est sur un sol blanc que l'on grave les symboles, le blanc étant la couleur du tablier d'apprenti.

A la fin de chaque « tenue » (terme traditionnel désignant une réunion maçonnique), on efface le tableau. La Loge se dissout et retourne au néant. Plus exactement, la

Loge matérielle s'estompe pour un certain temps alors que la communion fraternelle créée pendant la réunion commence à agir dans l'âme de chaque Maçon.

III. LES DEUX COLONNES DU TEMPLE ET LES GRENADES

Deux colonnes délimitent l'entrée du temple maçonnique. L'une est réservée aux apprentis, l'autre aux compagnons. Quant aux Maîtres, ils sont symboliquement situés au centre du seuil, régnant également sur ces deux expressions du sacré. Les deux colonnes maçonniques eurent pour modèles celles du temple de Salomon qui s'inspiraient des deux obélisques précédant l'entrée des temples égyptiens. Ces aiguilles de pierre avaient pour fonction de dissiper toute perturbation cosmique. De telles antennes captaient ce que les hermétistes nomment l' « harmonie des sphères » et l'offraient en partage aux initiés. Dans un texte gnostique intitulé « Apocalypse de Paul », on nous parle du voyage céleste de l'apôtre guidé par un ange qui lui montre les demeures des justes. « Je suivis l'ange, dit Paul; il m'enleva jusqu'au troisième ciel, et me plaça devant la porte. Je regardai et vis que la porte était d'or, avec deux colonnes d'or remplies en haut de lettres d'or. L'ange se tourna vers moi et me dit : « Tu seras bienheureux si tu entres par cette porte car cela est accordé seulement à ceux qui ont un corps pur et innocent. »

Sur les colonnes du temple maçonnique sont placées des grenades. Ce fruit était consacré à Déméter et à Perséphone par les initiés d'Eleusis qui y voyaient le symbole des richesses cachées de la terre divinisée. « De la grenade, écrit Pausanias, je ne dirai rien, parce que son histoire touche aux mystères sacrés. » Pour les Pères de l'Eglise, la grenade figure la communauté des fidèles rassemblés dans l'Eglise qui, sous une même écorce, abrite beaucoup de grains. Autrement dit, les peuples les plus divers peuvent être unis par une même foi et les Maçons aux opinions les plus divergentes peuvent communier dans le sacré. « Que désigne la pomme de grenade, écrit l'évêque Durand de Mendes, sinon l'unité de la foi? Car, de même que dans une pomme de grenade on voit une écorce unie et à l'intérieur beaucoup de grains, ainsi l'unité de la foi recouvre entièrement au-dehors les innombrables peuples de la sainte Eglise et renferme au-dedans d'elle-même la multiple diversité de leurs mérites. »

De plus, lorsque la grenade est mûre, elle s'ouvre et projette ses grains au loin. On ne saurait trouver meilleure image de la transmission de l'esprit qui exprime sans compter les potentialités créatrices que les Maçons auront à prendre en charge. Qu'il s'agisse des deux colonnes ou des grenades, la Franc-Maçonnerie a donc conservé d'anciens symboles utilisés dans les premières sociétés initiatiques.

IV. LES EPREUVES INITIATIQUES DU GRADE D'APPRENTI

Le rituel d'initiation au grade d'apprenti franc-maçon est la résultante de nombreux mythes ésotériques de l'antiquité et maintient dans le monde occidental des formes primordiales de la spiritualité élaborée par les Anciens. Le néophyte est d'abord conduit dans une chambre obscure, le « cabinet de réflexion » où sa solitude rencontre plusieurs symboles. Cette connaissance des profondeurs de la terre s'inspire des multiples descentes aux enfers de l'antiquité dont l'une des plus célèbres est celle du roi Rhampsinite. Le monarque gagne les régions ténébreuses pour y jouer aux échecs avec Isis; tantôt il gagne, tantôt il perd, apprenant la loi sévère des cases noires et blanches que nous retrouvons dans la loge maçonnique sous la forme du « pavé mosaïque ». Le roi revient ensuite à la lumière, rapportant aux humains une magnifique nappe d'or que l'on utilisera pour les banquets rituels.

Le néophyte est conduit par deux Maîtres Maçons, de même que le « fils de la lumière » du Livre des morts égyptien est guidé par deux « enfants royaux »; les rites éleusiniens précisent que le futur initié doit avoir les yeux bandés sur le chemin qui mène au temple. Celui qui désire pénétrer dans la Loge a effectivement les yeux bandés; de plus, son pied gauche est nu. L'alternance d'une jambe nue et d'une jambe couverte est un thème symbolique représenté sur des cylindres babyloniens; l'idée fut transmise à l'Occident, puisqu'une stèle gallo-romaine de Sens nous montre le forgeron Bellicus avec un pied nu et un pied chaussé. Le forgeron étant assimilable à l'alchimiste qui oriente la matière vers sa perfection, nous sommes bien en présence d'une des origines du grade d'apprenti maçon. L'art médiéval fait parfois quelques allusions à ce rite; les sculpteurs représentèrent un pied chaussé d'une pantoufle sur des griffes de piliers, par exemple à Saint-Lizier, à Mercus et à Bordes-sur-Lez. Pour le Moyen Age, déchausser un pied signifie que l'on est fidèle dans l'Amour. De fait, on demande au futur apprenti un engagement total et un respect conscient de l'Ordre auquel il accorde sa confiance.

Le néophyte est dépouillé de ses métaux. Autrement dit, on lui demande de se séparer de tous les objets métalliques qu'il porte sur lui, objets symbolisant les richesses matérielles et surtout les préjugés et les idées préconçues qui le gêneraient sur la voie de l'évolution. Ce « dépouillement des métaux » est admirablement illustré par le mythe babylonien de la déesse Ishtar descendant aux enfers où elle passe plusieurs portes avant d'atteindre le « fond de toutes choses ». Elle enlève sa tiare, ses boucles d'oreilles, les perles de son cou, le pectoral de sa poitrine, la ceinture aux pierres d'enfantement, les anneaux de ses mains et de ses pieds. A la septième porte, enfin, elle quitte le « vêtement de pudeur de son corps ». Lorsqu'elle est nue, elle peut converser avec le dieu des profondeurs. L'épreuve passée, elle remonte vers l'espace libre et reprend en sens inverse les objets qu'elle avait abandonnés lors de la descente. Cette « restitution des métaux » s'opère à la fin du rituel d'apprenti, les Maîtres estimant que le nouvel initié est désormais capable d'utiliser à bon escient les richesses de ce monde au lieu d'en être esclave.

Les chrétiens conservèrent l'idée; dans le baptême primitif, on obligeait le postulant à remettre au prêtre tous les objets précieux qu'il possédait, notamment les bijoux. Personne, disait-on, ne doit descendre dans l'eau avec quelque chose d'étranger et seule la nudité convient à la renaissance. Dans le texte intitulé « Le pasteur d'Hermas », il est précisé que l'or n'est pas mauvais en soi mais qu'il doit être purifié par le feu pour être utilisable. Chaque homme a de l'or en lui; s'il désire le découvrir, il doit se mettre à l'épreuve. « Vous qui aurez tenu bon, dit le texte, vous serez purifiés. L'on rejette ainsi ses scories. De même vous rejetterez toute affliction et toute angoisse, vous serez purifiés et utilisables pour la construction de la tour. » L'alchimie spirituelle est donc liée à un acte de construction et annonce clairement le rituel maçonnique.

Nous n'insisterons pas longuement sur les épreuves des quatre éléments, la terre, l'eau, l'air et le feu. Ils correspondent aux quatre âges du monde et aux quatre qualités fondamentales de l'être humain, le sens matériel, la sensibilité, l'intelligence et la spiritualité. Ces purifications étaient accomplies dans toutes les sociétés initiatiques de l'antiquité, et l'on en trouve les traces en Egypte, à Byzance, dans les livres gnostiques et dans les religions « à mystères ». Le rituel maçonnique tend à délivrer l'initié des entraves qu'il connaît sur ces quatre plans et à lui indiquer le meilleur chemin pour développer à quatre niveaux ses potentialités créatrices.

Après avoir juré qu'il garderait le silence sur tous les mystères maçonniques, le postulant boit un liquide amer qui symbolise la première purification de son esprit et la pratique de l'ensemble des aspects de l'initiation, qu'ils soient réconfortants ou « amers ». On s'est longtemps interrogé sur l'origine de ce rite; dans le Protévangile de Jacques, des renseignements intéressants nous sont fournis à ce sujet. Il est dit qu'un prêtre ordonna à Joseph de rendre au temple la Vierge Marie qui lui avait été confiée. Selon la rumeur publique, Joseph aurait en effet abusé de la jeune femme. « Je vous soumettrai à l'épreuve de l'eau amère du Seigneur, proclame le prêtre, et ainsi votre péché se révélera. » Il en donne à boire à Joseph puis l'envoie dans les montagnes où il aurait dû périr pour expier sa faute. Mais Joseph revient indemne. On donne de l'eau amère à Marie qui, elle aussi, revient indemne de son périple dans les montagnes.

Plus spécifique encore est l'aventure de saint Jean, le patron de la Maçonnerie ésotérique. Domitien, dont la police avait signalé les activités subversives de l'apôtre, fit venir Jean devant lui. Si tu détiens vraiment la vérité, dit l'empereur, bois ce breuvage. Jean absorbe sans crainte le contenu de la coupe empoisonnée et n'en ressent pas le moindre effet. Le Maçon doit également absorber le poison de ce monde sans en être affecté. Les rites du Compagnonnage semblent plus profonds que ceux de la Maçonnerie sur ce chapitre; en effet, on fait avaler au néophyte un breuvage dans lequel a trempé un écrit symbolisant le Livre sacré qu'il doit incorporer à sa chair. Ce rite remonte à l'Egypte où, selon le papyrus magique de Turin, on écrivait les formules sacrées sur une pièce de lin dissoute dans de la bière que buvait l'initié.

A la fin de l'initiation au grade d'apprenti, le Vénérable en chaire demande au Premier Surveillant si l'instruction du nouvel initié est terminée. Le Premier Surveillant répond « Tout est juste et parfait. » Ne reconnaît-on pas un prototype de cette formule dans l'expression « c'est droit et juste » qu'utilise l'assistance pour répondre au prêtre qui vient de célébrer le baptême?

V. *LA CHAINE D'UNION*

Au terme de chacune de leurs réunions, les Francs-Maçons ôtent leurs gants blancs et forment une chaîne d'union qui symbolise l'union de l'ensemble des initiés sur toute la surface de la terre et la communion des esprits qui participent à une même œuvre. Ce rite est déjà connu en Egypte où il est célébré par les dieux se tenant par la main en intégrant dans leur « chaîne » le roi du double pays, Pharaon. La Maçonnerie étant définie comme l' « Art royal », prendre place dans la « chaîne d'union » revient à faire un nouveau pas sur la voie initiatique.

Pour les Babyloniens, c'est une chaîne ou une corde qui unit toutes choses en traversant les mondes connus et inconnus. Dieu est le « lien » de la création, un lien que chaque homme porte en lui mais dont il n'est pas conscient tant qu'il n'a pas franchi les portes de l'initiation.

C'est dans un texte christique, contenu dans les actes apocryphes de Jean, que nous trouvons la formulation la plus précise de cette « Chaîne d'union » à laquelle les Maçons accordent une importance considérable. Avant son arrestation, le Seigneur réunit ses disciples et chante avec eux un hymne au Père. « Il nous appela, relate le texte, nous fit faire comme un cercle en nous tenant les mains les uns des autres. » Et le Christ parla : « Nous te rendons grâce, ô Lumière, en qui n'habitent pas les ténèbres... Le Très Haut participe à la ronde. Qui ne participe pas à la ronde ne connaît pas ce qui va venir... Regarde-toi en moi qui parle et voyant ce que je fais, garde le silence sur mes mystères. »

VI. LE TABLIER MAÇONNIQUE

Les apprentis maçons portent un tablier blanc, les Maîtres un tablier où prédominent le rouge ou le bleu selon le rite auxquels ils appartiennent. Pour certains historiens maçons du XIXe siècle, cet habit ne serait que le prolongement de la livrée portée par les ouvriers des corporations londoniennes du XVIIe siècle. En fait, ce symbole remonte beaucoup plus haut dans le temps. Les plus célèbres tabliers sont ceux des pharaons dont la découpe très particulière recèle de nombreux secrets géométriques utilisés dans la construction des temples.

Le tablier maçonnique, très simplifié, a perdu une grande partie de cet ésotérisme.

La tradition chrétienne nous apprend que Thomas l'architecte revint de l'Inde sur un nuage; dirigeant de grands travaux dans ce pays, il avait avancé son retour en Occident dès l'annonce de la mort de la Vierge. Sur son chemin, il vit soudain le corps de Notre Dame qu'accompagnaient un cortège d'anges. Emerveillé, il supplie la Vierge de le bénir; celle-ci lui remet une ceinture qu'il devra conserver précieusement. Thomas est également un saint patron de la Maçonnerie et la ceinture a le même sens symbolique que le tablier. Le Christ lui-même portait une ceinture d'or que détenait déjà le roi Rhampsinite; dans le texte intitulé « Le pasteur d'Hermas », l'allusion à un rite de constructeurs est très claire. L'homme qui suit le Pasteur s'assied à côté de lui et entend ces paroles « Revêts-toi d'un tablier et aide-moi. »

Selon le Maçon Oswald Wirth, le rôle du tablier « est de nous protéger durant notre travail, car il ne faut pas que nous puissions être blessés par les éclats qui se détachent de notre pierre brute. Ces éclats sont nos propres difficultés; nous risquons de leur part un retour offensif, ou un choc en retour, quand nous faisons effort pour nous en débarrasser. » Signe de protection qui, dans sa forme primitive, était surtout un symbole géométrique, le tablier est donc la pièce essentielle de l'habillement maçonnique. Plusieurs Loges l'ont cependant supprimé au XIXᵉ siècle, oubliant qu'il avait toujours été présent tout au long de la tradition initiatique occidentale sous l'aspect d'un cordon, d'une ceinture ou d'un tablier aux proportions diverses.

VII. LE SIGNE D'ORDRE DES APPRENTIS

Lorsque les Francs-Maçons prennent la parole dans une loge d'apprentis, ils se mettent debout et font le signe d'ordre qui est d'ailleurs obligatoire dès que l'on quitte la position assise. Pour exécuter ce signe, on place la main droite au niveau de la gorge, l'avant-bras à l'horizontale, le pouce tendu pour former équerre. On passe alors brutalement la main d'un côté à l'autre de la gorge, comme si on se coupait le cou. Selon l'explication habituelle, le geste d'Ordre signifie que le Maçon préfère avoir la gorge tranchée plutôt que de révéler les secrets qui lui ont été confiés.

Le geste fut quelquefois représenté sur les chapiteaux du Moyen Age, notamment à la cathédrale suisse de Coire. A l'origine, l'initié se coupe la gorge dès qu'il « casse le mot maçonnique ». Autrement dit, lorsque le Maçon trahit les paroles sacrées de l'Ordre par une conduite indigne, il se divise lui-même en deux parties, sa tête étant désormais incapable de gouverner son corps, ses pensées ne correspondant plus à ses actes. Ce rite fut pratiqué symboliquement par les anciennes civilisations; en Egypte, par exemple, l'initié qui justifie son existence devant le Tribunal des morts obtient un insigne privilège exprimé en ces termes : « Car ta tête est revenue à toi, elle ne sera plus séparée de toi et entrera avec toi sans que sa séparation puisse avoir lieu, jamais! » Chez les Babyloniens, on mimait l'égorgement d'un dieu (c'est-à-dire le nouvel initié, homme divinisé) afin que les autres dieux se purifient dans son sang. Les dieux prononcent d'ailleurs un serment d'allégeance à Mardouk qui détient le sceptre, ils prononcent la formule sacramentelle en se touchant la gorge, et qui trahit la parole donnée a la gorge tranchée. L'emprunt est ici tout à fait évident, bien que l'on ne puisse préciser les modes de transmission de ce symbole.

VIII. L'ŒIL DANS LE TRIANGLE

Au-dessus du Vénérable Maître en chaire, chargé de diriger les travaux maçonniques, se trouve un triangle à l'intérieur duquel figure un œil. L'œil dans le triangle est un thème créé par l'art égyptien et repris par l'art grec; de plus, l'œil est un symbole employé par de nombreuses sociétés initiatiques anciennes, la réalisation spirituelle consistant surtout à « ouvrir l'œil » sur toutes choses. L'œil n'est pas séparable du grade de Maître Maçon qui, comme nous le verrons bientôt, consiste à reconstituer ce qui est épars. Or, dans les Textes des Pyramides, l'œil du dieu Horus est chargé de rattacher les os, de réunir les membres et les chairs, de dissiper les maux. Par ce symbole situé à l'orient de la Loge, la Franc-Maçonnerie affirme ses ascendances ésotériques avec la plus grande netteté.

Quant au triangle, il est une réduction de la pyramide céleste, le « triangle lumineux » des origines du monde. Dans le texte Rose-Croix intitulé « Les échos de la fraternité », il est fait mention d'un triangle de feu dont l'éclat ne cesse d'augmenter. Un jour, il allumera le dernier incendie qui embrasera le monde. L'œil de lumière et le triangle de feu purifient sans cesse le travail des Maçons et les mettent en contact avec les forces créatrices les plus intenses; chaque Franc-Maçon espère pouvoir prononcer les paroles des anciens initiés : « Je suis au nombre des êtres qui sont capables de voir l'œil unique. Ouvrez-moi, je suis l'un d'entre vous. »

IX. LE GRADE DE MAITRE MAÇON ET LA LEGENDE D'HIRAM

Selon l'historien des religions et Franc-Maçon Goblet d'Alviella, le grade de Maître est celui par lequel la Maçonnerie rappelle à la fois les associations professionnelles du Moyen Age et les mystères religieux de l'antiquité. Ce fait incontestable est d'autant plus curieux que le grade de Maître n'apparaît qu'au XVIIe siècle. En réalité, le grade de Maître de l'ancienne maçonnerie était réservé à un seul homme, le Maçon chargé de diriger l'atelier. Il recevait une initiation spéciale pour son installation dans la chaire du roi Salomon. Le contenu du grade de compagnon maçon au Moyen Age a subi un décalage et devint le grade de Maître dans la Franc-Maçonnerie moderne. Pour être tout à fait clair, on peut dresser les deux tableaux hiérarchiques suivants :

Voyage à travers les symboles maçonniques

Maçonnerie ancienne :
Pré-initiation,
Initiation et obtention du grade d'apprenti,
Obtention du grade de compagnon,
Maîtrise pour le Vénérable dirigeant la loge.

Maçonnerie moderne :
Pas de pré-initiation,
Initiation et obtention du grade d'apprenti,
Obtention du grade de compagnon,
Obtention du grade de Maître,
Vénéralat pour l'un des Maîtres.

L'ancienne Maçonnerie ne comprenait donc que deux grades réels, l'apprentissage et le compagnonnage, ce dernier équivalant à la Maîtrise de la Maçonnerie moderne. Cette dernière fut obligée d'inventer un grade intermédiaire de « compagnon » dont le rituel est d'ailleurs assez faible sur le plan symbolique.

Le mythe de ce que nous appellerons dorénavant le grade de Maître est connu dans toutes les religions de l'antiquité; il peut se résumer ainsi : un dieu ou un roi bienfaiteur est tué par ceux qui auraient dû écouter son message. Les initiés, d'abord affligés, n'acceptent pas un tel malheur et tentent d'effacer ce crime par excellence en ressuscitant leur Maître spirituel qui revit en chaque nouvel initié. La vie d'Osiris servit probablement de prototype à l'ensemble des versions de la légende; cet excellent souverain qui avait apporté la civilisation parmi les hommes fut assassiné par son frère Seth qui plaça le corps d'Osiris dans un cercueil et le jeta dans le Nil. La femme d'Osiris, Isis, partit à la recherche du cadavre et reçut l'assistance de plusieurs divinités. Lorsqu'elle retrouva enfin son mari après un long périple, elle se fit féconder par le défunt qui retrouva une vitalité au delà de la mort. Isis mit au monde Horus, dont la mission consista à venger son père en ramenant l'ordre dans le monde malgré les malversations de Seth.

L'initié aux mystères d'Osiris recommençait une quête jamais interrompue et partait à la recherche du dieu. Lorsqu'il parvenait près d'une butte sur laquelle fleurissait un acacia, il savait que son entreprise était couronnée de succès. Aidé d'autres initiés, il déterrait le Maître dont le corps était porté au temple. Il y a plus; ce sont des artisans qui frappent mortellement Maître Hiram et, dans le rituel égyptien de « l'ouverture de la bouche », un personnage allongé symbolise le Maître. « Qui est celui qui frappe mon Père », demande l'officiant à qui l'on répond : « C'est un artisan. »

Il n'est sans doute pas inutile de rappeler les grandes lignes de la légende d'Hiram telle qu'elle est dévoilée lors de l'initiation maçonnique à la Maîtrise. On pourra ainsi la comparer aisément au modèle égyptien et mieux apprécier les versions médiévales que nous donnerons par la suite. Le roi Salomon, voulant édifier un temple immense à la gloire de Dieu et concrétiser le projet de son père David fit appel à de nombreux ouvriers qui furent placés sous la direction du Maître architecte Hiram-Abif. Celui-ci prend connaissance des plans tracés de la main même de Dieu et organise le travail avec beaucoup de rigueur; il divise les artisans en trois classes et attribue à chacune d'elles des signes secrets, des mots sacrés et des postures rituelles. Devant le temple en construction, il y a deux colonnes; les apprentis reçoivent leur salaire près de l'une d'elles, les compagnons près de l'autre. Quant aux Maîtres, ils se réunissent en lieu connu d'eux seuls, la « chambre du milieu ».

Trois compagnons rongés d'ambition complotent contre Maître Hiram. Ils sont décidés à lui arracher le « mot de Maître » croyant, dans leur naïveté, qu'il suffira à les faire accepter au grade supérieur. Un soir, ils guettent la venue de Maître Hiram qui procède à l'ultime inspection du chantier avant de prendre du repos. Hiram entre par la porte d'Occident puis, son examen achevé, tente de sortir par la porte du midi. Là, il se heurte au premier compagnon. Que fais-tu en cet endroit? demande le Maître. Admettez-moi parmi les Maîtres, répond le compagnon. Je suis assez savant et je mérite cet avancement. C'est impossible, lui rétorque Hiram; ce sont les Maîtres qui accordent et non les compagnons qui exigent. Vous ne passerez pas tant que vous ne m'aurez pas donné le mot de Maître, de gré ou de force, reprend le compagnon. Comme Hiram tente de le persuader que de telles menaces sont inutiles, l'autre lui assène un cou de règle sur l'épaule. Blessé, Hiram tente de s'enfuir et se précipite vers la porte du nord où l'attend le second compagnon qui lui porte un coup de pince à la nuque. Chancelant, Hiram essaye de sortir par la porte de l'orient. Le troisième compagnon lui demande une dernière fois le mot de Maître; devant le refus d'Hiram, il est pris d'une violente colère et le tue d'un coup de maillet au front.

L'irrémédiable est accompli. Les trois compagnons décident de cacher leur forfait et enterrent le cadavre du Maître dans une éminence, près du temple. Salomon s'inquiète de l'absence de son Maître d'Œuvre et envoie neuf Maîtres à sa recherche; trois partent au midi, trois au nord, trois à l'orient. Ce sont ces derniers qui remarquent la terre fraîchement remuée et découvrent le cadavre d'Hiram; les autres Maîtres les rejoignent bientôt et tous se lamentent sur la mort de l'architecte vénéré. Mais la construction du temple doit se poursuivre afin de respecter le vœu d'Hiram; les Maîtres plantent un acacia sur la tombe et changent le mot secret qui donne accès à leur grade.

Salomon est consterné lorsqu'il apprend la nouvelle. Les Maîtres lui affirment que la science d'Hiram n'est pas perdue et que ses disciples sauront poursuivre son Œuvre. Le roi prie les Maçons d'aller chercher le corps et de procéder à des funérailles dignes de l'architecte défunt. Les Maçons porteront désormais des gants blancs pour prouver qu'ils n'ont pas participé au meurtre et que leur esprit recherche éternellement la plus grande pureté.

Le tombeau de Maître Hiram avait trois pieds de lar-

geur, cinq de profondeur, sept de longueur. A l'intérieur
étaient creusées trois fosses, l'une pour le cadavre,
l'autre pour la canne, la dernière pour les habits. Sur le
sépulcre, Salomon fit graver un triangle d'or portant
cette inscription : « A la gloire du Grand Architecte de
l'Univers. » Hiram assassiné revit en chaque Maçon initié au Grade de Maître; les demandes et réponses
rituelles donnent d'ailleurs une idée très complète du
travail à accomplir pendant la Maîtrise :

Demande : « Qu'allez-vous faire là? »
Réponse : « Chercher ce qui était perdu et est main-
tenant retrouvé »
Demande : « Qu'est-ce qui était perdu et maintenant
retrouvé? »
Réponse : « Le mot de Maître Maçon »

Ce mot de Maître, qui fut le secret essentiel de
l'ancienne Maçonnerie, équivaut au Verbe Créateur qui
fait surgir la création du néant et peut construire sur
cette terre les œuvres les plus magnifiques, qu'il
s'agisse d'un homme ou d'une cathédrale.

Du mythe d'Osiris à la légende de Maître Hiram, le
grade de Maître connut d'autres versions qui nous procurent les jalons entre ces deux bornes extrêmes. On
peut songer, par exemple, à l'assassinat purement légendaire du maître philosophe Scot Erigène par ses élèves
ou à celui de l'abbé Jean le Saxon par deux moines;
mais le récit le plus complet se trouve dans la chanson
des Quatre Fils Aymon. Il nous est dit que Renaud de
Montauban vint au célèbre chantier de la cathédrale de
Cologne; là, il aperçut un Maître Maçon qui travaillait à
un clocher. Renaud demande son admission parmi les
ouvriers, et le Maître d'Œuvre, pour vérifier ses compétences, lui demande d'aider quatre tâcherons qui ne parviennent pas à poser convenablement une pierre.
Renaud réussit sans aucune peine, émerveillant tous
ceux qui sont présents; étonné par son habileté, le
Maître est prêt à lui offrir la paye qu'il désire, mais
Renaud se contente d'un seul denier. Continuant à tra-

vailler sans commettre la moindre erreur, il devient bientôt un Maître en son art, ce qui provoque de nombreuses jalousies. Quelques ouvriers se décident à supprimer ce gêneur et tuent Renaud à coup de marteaux en l'assommant par derrière; pour masquer leur crime, ils jettent le cadavre dans le Rhin. Les poissons du fleuve se rassemblent et soulèvent le corps qui est éclairé par trois cierges, analogues aux trois piliers maçonniques surmontés d'une bougie. Dans une nouvelle version de la légende, rédigée au XIIIe siècle par les bénédictins de l'abbaye de Cologne, il est précisé que Renaud était Maître d'Œuvre et que son corps fut découvert par une femme. La légende d'Osiris était ainsi parfaitement traduite en termes médiévaux et utilisée par les confréries initiatiques de bâtisseurs. Des ordres contemplatifs observent un rituel qui n'est pas sans rapports avec la célébration maçonnique; chez les Bénédictins, par exemple, le novice est étendu sur le sol et recouvert d'un drap mortuaire. A la fin de l'office des morts, il est quasiment « ressuscité », reçoit la communion des mains de l'Abbé et échange le baiser de paix avec ses nouveaux frères. Le futur Maître Maçon est lui aussi réduit à l'état de « cadavre » et recouvert d'un linceul avant de naître à la maîtrise initiatique.

Un autre aspect du grade de Maître Maçon mérite examen; il s'agit de ce qu'on nomme les « cinq points de Fraternité ». Le nouveau Maître et l'un de ses pairs sont face à face et procèdent à cinq « attouchements », selon le temps traditionnel : pied à pied, genou à genou, cœur à cœur, main à main, oreille à oreille, (d'après un manuscrit maçonnique d'Edimbourg). Nous n'avons pas l'intention de nous étendre sur la signification de ces gestes mais nous voulons simplement signaler deux épisodes de la vie d'un personnage biblique, Elisée. Selon le deuxième libre des Rois, ce prophète sauva la Veuve d'un frère prophète. La malheureuse était dénuée de tout et n'avait plus qu'un peu d'huile pour payer ses dettes. Remplis avec cette huile tous les vases que tu trouveras dans ta maison, lui dit Elisée; la veuve obéit, et la petite quantité de liquide ne s'épuisa pas. Ce miracle de la « multiplication de l'huile » qui met en scène une veuve pourrait se prêter à des interprétations symboliques; le second épisode de la vie d'Elisée est encore plus significatif et se rattache aux « cinq points de fraternité » dont il fut certainement un prototype. Le prophète, en effet, se rendit dans la maison d'une femme dont l'enfant venait de mourir. Elisée contempla le cadavre étendu sur le lit, puis ferma la porte et pria Yahvé. Sa prière achevée, il monta sur le lit et s'étendit sur l'enfant, bouche contre bouche, les yeux contre les yeux, les mains contre les mains, et se replia sur lui jusqu'à sept fois. Ce rite achevé, l'enfant ressuscita. La correspondance avec le grade de Maître Maçon est réellement très précise, jusqu'au nombre sept qui est l'un des symboles majeurs de la Maîtrise accomplie.

La « parole perdue » du grade de Maître fut illustrée du Moyen Age par le symbolisme de l' « Alleluia ». Ce terme fut en effet considéré comme une véritable parole sacrée, et l'on procédait annuellement aux funérailles de l' « Alleluia ». Des religieux portaient le cercueil de la Parole jusqu'au cloître, l'encensaient et l'enterraient. Mais l' « Alleluia » n'était pas définitivement perdu, puisqu'il ressuscitait peu de temps après. L'évêque Isidore de Séville conseille aux chrétiens de ne pas tenter de traduire « Alleluia » par un terme profane; il s'agit d'un mot mystérieux, de la Parole par excellence que chacun peut retrouver en lui-même.

Comme on le voit, tous les rites et les symboles qui font partie du grade de Maître Maçon recèlent d'exceptionnelles richesses et véhiculent des valeurs initiatiques très anciennes. Selon le proverbe maçonnique, le Maître est situé entre l'équerre et le compas, entre l'Ordre éternel qui préside à toute forme vivante et la Création permanente de l'esprit; c'est pourquoi le devoir du Maître est de participer consciemment au Grand Œuvre en poursuivant la construction du temple immatériel et du temple matériel.

X. LES DIX OFFICIERS MAÇONNIQUES

La loge maçonnique est dirigée par dix Maîtres qui reçoivent un « office » particulier, d'où leur titre d' « Officier ». Pourquoi dix? Ce nombre fut considéré comme sacré par plusieurs associations initiatiques de l'antiquité, notamment par les Esséniens et les pythagoriciens. L'architecte romain Vitruve précise que la division des mesures pour la construction des édifices repose sur un nombre parfait; « or, écrit-il, ce nombre parfait, établi par les anciens, est 10, à cause des dix doigts dont se compose la main ». Dans un cantique de Noël du XIIIᵉ siècle, on raconte que Dieu a créé l'homme d'une manière admirable; mais, d'une manière plus admirable encore, l'homme peut être recréé s'il utilise un instrument à dix cordes où se reflète l'harmonie de l'univers.

> *Ils ne sont pas chrétiens, conclut le cantique,*
> *Ceux dont le cœur*
> *Ne possède pas l'ordre du décacorde.*

Pendant l'ère des cathédrales, le nombre dix est fréquemment employé par les architectes dans les diagrammes directeurs; il suffira de rappeler que l'immense abbaye de Cluny est construite d'après le module Dix, nombre parfait qui représente la somme des quatre premiers nombres.

Qui sont les dix Officiers maçonniques symbolisant l'harmonie par excellence? D'abord le Vénérable, chargé de diriger les travaux et d'inciter chaque Maçon à la création spirituelle. Il est secondé par deux Surveillants, le premier ayant pour tâche d'instruire les Compagnons, le second d'instruire les Apprentis. Aux côtés du Vénérable siègent l'Orateur qui défient la loi spirituelle et le règlement matériel de l'Ordre et le Secrétaire qui enregistre les interventions des Maçons pour composer une œuvre synthétique. Nous trouvons ensuite le Trésorier qui s'occupe des « métaux » ou finances de l'atelier afin de transformer le plomb en or et l'Hospitalier qui secourt les Maçons subissant une détresse spirituelle, morale ou matérielle. Viennent ensuite le Maître des cérémonies qui règle tous les mouvements à l'intérieur de la Loge et l'Expert qui veille sur la bonne application du rituel. Le dernier Officier est le Couvreur qui garde l'entrée du Temple et ne laisse entrer dans le lieu saint que des initiés prêts à travailler au sein d'une spiritualité communautaire.

Quels furent les modèles de cette structure maçonnique? On pourrait examiner les collèges sacerdotaux de l'Ancien Proche-Orient afin d'établir des analogies significatives mais nous nous en tiendrons à l'occident chrétien. Le titre d' « Evêque », par exemple, signifie littéralement « Surveillant » et Durand de Mendes, au XIII° siècle, nous apprend que l'évêque est le Spéculateur par excellence qui veille à l'enseignement des fidèles. Songeons aussi au Chantre qui, comme le Maître des Cérémonies maçonnique, tient un grand bâton qui symbolise les écritures sacrées. De plus, les cathédrales du Moyen Age étaient gardées par des portiers détenant les clés du lieu saint; ils précédaient le Couvreur maçonnique qui détient, lui aussi la clef du temple.

Nous avons plus que ces quelques détails. Déjà, saint Benoît faisait diriger ses communautés monacales par des « Officiers » et, à partir du x° siècle, nous connaissons les dix officiers claustraux dirigés par l'Abbé. Il est aidé dans sa tâche par un hôtelier qui recoît les hôtes à la porte du monastère, un Infirmier qui soigne les Frères malades, un Chambrier qui s'occupe des revenus matériels de l'abbaye, un Sacristain qui veille sur les objets sacrés employés dans les cérémonies, un Aumônier ou Prieur, un Chantre qui dirige la liturgie, un Cellerier et un Maître des Novices qui sonde les vocations et distribue l'enseignement aux nouveaux moines. On reconnaît, au passage, les correspondances étroites avec le collège des dix Officiers maçonniques. Aussi surprenant que cela paraisse, il est très clair que les confréries initiatiques de Maçons et les communautés monacales avaient choisi la même structure symbolique pour assurer la direction de leur institution. Il est curieux de constater, dans cette perspective, que la Maçonnerie moderne elle-même, au moment où elle s'attaquait à l'église, était composée de Loges s'appuyant sur une organisation semblable à celle des moines. Par surcroît, ces « Offices » démontrent la grande unité de la tradition spirituelle de l'Occident.

XI. LE MYSTERE DU NOMBRE TROIS

Le nombre Trois est souvent à l'honneur dans les rites de la Franc-Maçonnerie. On appelle souvent les Maçons « Frères Trois Points » en raison du symbole ∴ qu'ils utilisent. Ce dernier qui ne fut repris que tardivement par la Maçonnerie moderne, a pourtant une origine assez ancienne; on le voit, par exemple, sur des objets celtiques du IVe siècle avant Jésus-Christ et, bien auparavant, sur des céramiques égyptiennes, crétoises et grecques. Les trois points disposés en triangle, sont en effet, l'une des expressions les plus courantes de la lumière intérieure et de l'esprit qui présida à la création du monde. Rappelons que saint Angilbert, l'un des compagnons de Charlemagne, fit construire en triangle l'abbaye de Centula et que le grand monastère de Saint-Benoît-sur-Loire avait primitivement la forme d'un Delta.

Le fronton triangulaire du temple maçonnique est due à la tradition grecque qui le considérait comme l'image du ciel. Les architectes grecs, après leur voyage d'Egypte, avaient ainsi traduit la grandiose conception pyramidale qui représentait dans la pierre la montagne cosmique que Dieu avait fait surgir du néant au premier matin du monde. La tradition chrétienne conserva ce motif architectural; dans le décor peint de l'église de Baouit, en Egypte, on voit une porte encadrée par deux colonnes qui supportent un fronton triangulaire. Un heurtoir est fixé au centre de la porte; un personnage le choque pour demander son admission dans le temple. Ce geste est toujours pratiqué dans toutes les loges maçonniques du monde.

L'Œil « complet » de la symbolique égyptienne est symbole de la Création que l'homme a pour fonction d'accomplir à l'image du Principe. Cet Œil est toujours présent au-dessus du Vénérable Maître de la loge maçonnique. (d'après la stèle du musicien Djed Khonsou).

Le nombre Trois est encore présent avec les trois piliers maçonniques que l'on nomme Sagesse, Force et Beauté. Ils contiennent l'un des enseignements les plus profonds de la Franc-Maçonnerie et l'on doit rappeler que l'Eglise primitive reposait elle aussi sur trois piliers assimilés à Jean, Jacques et Céphas. Mentionnons encore les Trois Grandes Lumières de la Maçonnerie, à savoir le Volume de la Loi Sacré, l'Equerre et le Compas qui sont autant d'instruments de construction de l'homme et du temple. Le volume symbolise la création éternelle, le compas la met en œuvre, l'équerre permet de vérifier l'harmonie du monde.

Lorsqu'il pénètre dans la Loge, l'apprenti fait trois pas. Selon une légende du Moyen Age, le soleil dansait le matin de Pâques et célébrait la résurrection par trois bonds joyeux.

XII. LES FILS DE LA VEUVE

Le titre de « Fils de la Veuve » donné aux Maçons fut peut-être inspiré par deux personnages féminins de la Bible, la veuve de Sarepta et Anne, femme de Joachim. La première, après avoir ramassé deux morceaux de bois, les disposa en forme de croix. Elle faisait preuve d'un exceptionnel sens prophétique en annonçant la religion à venir et tous ceux qui comprennent le sens des actes de la Veuve sont prêts à participer à l'aventure spirituelle. Anne fut la mère de Marie et bénéficia d'une intervention céleste pour concevoir la mère du Christ; « j'étais comme veuve, déclara-t-elle, et je ne le suis plus; j'étais stérile et mes entrailles vont concevoir ». Détail troublant, Marie, dès l'âge de six mois, fit sept pas puis revint dans le giron de sa mère; le grade de Maître Maçon, où les initiés sont véritablement les Fils de la Veuve, comprend précisément sept pas rituels.

La Veuve par excellence demeure cependant Isis partant à la recherche de son époux assassiné et rassemblant les morceaux épars de son corps déchiqueté; les Maîtres Maçons recommencent sans cesse sa Quête afin de retrouver la Parole perdue, toujours mère puisqu'elle engendre de nouveaux initiés, et toujours veuve parce qu'elle demeurera éternellement Une et ne sera jamais détenue par un homme.

CONCLUSION

Que l'on soit partisan ou adversaire de la Franc-Maçonnerie, ou tout simplement indifférent à son égard, on peut constater qu'elle représente un courant d'idées non négligeable. Après plusieurs siècles pendant lesquels cette Fraternité déclencha les passions, elle semble maintenant entrer dans une période plus sereine où symbolistes, historiens et sociologues l'étudient comme l'expression du désir de sacralisation inhérent à l'homme.

Le plus sûr moyen de trahir la vérité est de parler d'une seule et unique Franc-Maçonnerie, d'un Ordre rigoureux à l'idéal bien défini. En fait, s'il existe bien une Franc-Maçonnerie primordiale, un Ordre initiatique fondamental, la situation actuelle démontre clairement que nous sommes en présence de plusieurs courants maçonniques.

Bien entendu, il ne nous appartient pas de formuler un jugement quelconque. Nous observons simplement que l'ancienne Franc-Maçonnerie traditionnelle affirmait un idéal de perfection fondé sur le symbolisme et que cette vision de l'homme ne se retrouve que d'une manière très fragmentaire dans la Franc-Maçonnerie moderne. Pourtant, au delà et en dépit des erreurs humaines, des tentatives d'endoctrinement, des égarements les plus divers, il reste les rituels, les symboles et la dimension initiatique. Malgré de notables déviations, les rituels initiatiques de la Maçonnerie ont conservé une force de sacralisation que recherche de plus en plus le monde moderne.

Au moment où nous découvrons les trésors spirituels des traditions orientales, nous avons également la possibilité d'étudier la tradition ésotérique de l'Occident par l'intermédiaire des symboles maçonniques qui ont préservé l'héritage des plus anciennes civilisations.

Pourquoi, dans ces conditions, ne pas observer la Franc-Maçonnerie avec une complète sérénité? Les déchirements historiques de la Franc-Maçonnerie moderne n'ont guère qu'un intérêt anecdotique face à la prodigieuse architecture symbolique de l'ancien Ordre des Maçons Libres qui a traversé l'épreuve des siècles.

Une fois encore, il convient d'oublier les paroles humaines et d'écouter la voix des symboles. Eux seuls gardent leur pureté d'origine, eux seuls nous permettent d'accéder à une vie consciente sans être esclave d'un parti pris.

Les anciens bâtisseurs n'érigeaient pas des édifices pour leur bon plaisir mais afin de célébrer l'Œuvre, qui, comme l'écrit Maître Eckhart, n'est soumise ni au temps ni à l'espace. Pour autant que les rites maçonniques soient l'une des voies vers cette œuvre cachée au cœur de notre esprit, ils méritent notre respect et notre regard.

BIBLIOGRAPHIE SOMMAIRE

Un nombre imposant d'ouvrages a été consacré à la Franc-Maçonnerie. Parmi eux, on trouve des études historiques de toutes tendances, des éditions de rituels, des « révélations » anti maçonniques, des analyses psychologiques, etc. Notre intention n'est pas d'établir une longue liste bibliographique mais plutôt d'indiquer quelques ouvrages qui nous paraissent intéressants et utiles.

Parmi les instruments de travail, nous citerons simplement le « Dictionnaire universel de la Franc-Maçonnerie » (Éditions du Prisme) ; citations et bibliographies procurent les éléments indispensables à la recherche.

Parmi les présentations générales de la Franc-Maçonnerie, citons les travaux de S. HUTIN, *Les Francs-Maçons* (Le Seuil, 1972) ; M. LEPAGE, *L'Ordre et les obédiences* (Lyon, 1956) ; P. MARIEL, *Les authentiques fils de la lumière* (La Colombe, 1961) ; J. SAUNIER, *Les Francs-Maçons* (Grasset, 1972).

Pour l'étude du Compagnonnage et des Maçons médiévaux : P. DU COLOMBIER, *Les chantiers de cathédrales* (Picard, nouvelle édition complétée de 1973) ; J. GIMPEL, *Les bâtisseurs de cathédrales* (Le Seuil, 1959) ; E. COORNAERT, *Les Compagnonnages en France du Moyen Age à nos jours* (Éditions ouvrières, 1966). Le remarquable livre de L. BENOIST, *Le Compagnonnage et les métiers* (P. U. F.) est une introduction à la spiritualité du Compagnonnage.

Parmi les études historiques, citons R. F. GOULD, *History of Freemasonry*, 4 volumes (Londres, 1951) qui demeure une mine de renseignements. On le complètera par P. NAUDON, *Les origines religieuses et corporatives de la Franc-Maçonnerie* (Dervy, 1972) ; D. KNOOP et G. P. JONES, *The Genesis of Freemasonry* (Manchester, 1947) ; J. PALOU, *La Franc-Maçonnerie* (Payot, 1972) ; R. LE FORESTIER, *La Franc-Maçonnerie templière et occultiste aux XVIIIe et XIXe siècles* (Aubier-Montaigne et Neuwelaerts, 1970) et les études de P. CHEVALIER qui, après *Les ducs sous l'Acacia* (Vrin, 1965) publie actuellement aux éditions Fayard une histoire en trois volumes de la Maçonnerie moderne.

Pour l'étude de la Franc-Maçonnerie française, on consultera A. LANTOINE, *Histoire de la Franc-Maçonnerie française*,

La Franc-Maçonnerie

3 volumes (Émile Nourry, 1925-1935) ; Faucher et Ricker, *Histoire de la Franc-Maçonnerie en France* (Nouvelles Éditions Latines, 1967) ; P. Mariel, *Les Francs-Maçons en France* (Marabout, 1969) ; R. Priouret, *La Franc-Maçonnerie sous les lys* (Grasset, 1953) ; J. Baylot, *Dossier français de la Franc-Maçonnerie régulière* (Vitiano, 1965) et *La voie substituée* (Liège, B. O. R. P.) qui traite de problèmes plus généraux.

En ce qui concerne la symbolique maçonnique, encore très peu étudiée, citons J. Boucher, *La symbolique maçonnique* (Dervy, 1948) ; J. Hani, *Le symbolisme du temple chrétien* (La Colombe, 1962) ; O. Wirth, *La Franc-Maçonnerie rendue intelligible à ses adeptes* : livre de l'apprenti, livre du compagnon, livre du maître et *Les mystères de l'art royal* (Réédition 1972, Le symbolisme) ; J. Tourniac, *Symbolisme maçonnique et tradition chrétienne* (Dervy, 1965) ; M. Ghyka, *Le Nombre d'Or*, 2 volumes (Gallimard, 1931). La symbolique maçonnique étant inséparable de la symbolique générale et de l'histoire des religions, il est également nécessaire de connaître l'œuvre d'auteurs tels que René Guenon, Jean Hani, Marie-Madeleine Davy, Luc Benoist, Mircea Éliade, etc., ainsi que les grands extes traditionnels d'Orient et d'Occident.

Imprimé aux Etats-Unis, 1982